Michel Tremblay.

L'AMI DU ROI

DU MÊME AUTEUR

Le Don du roi, éditions de Fallois, 1993 ; Livre de Poche ; Lattès, 2013.

Le Royaume interdit, éditions de Fallois, 1994 (Prix Femina étranger) ; Livre de Poche.

Lettre à Sœur Bénédicte, éditions de Fallois, 1996.

L'Été de Valentine, éditions de Fallois, 1997.

Musique et silence, Plon, 2000 ; J'ai Lu.

La Couleur des rêves, Plon, 2004 ; J'ai Lu.

Les Ténèbres de Wallis Simpson, Plon, 2006 ; J'ai Lu.

Retour au pays, Plon, 2007 ; J'ai Lu.

Les Silences, Lattès, 2010 ; J'ai Lu.

www.editions-jclattes.fr

Rose Tremain

L'AMI DU ROI

roman

Traduit de l'anglais
par Edith Soonckindt

JCLattès

Titre de l'édition originale :
MERIVEL
A MAN OF HIS TIME
publiée par Chatto & Windus

Ouvrage publié sous la direction éditoriale
de Sylvie Audoly

Maquette de couverture : Bleu T
Photo : © Marcus Lyon

ISBN : 978-2-7096-4264-4

*Pour Penny bien sûr,
avec toute mon affection*

SOMMAIRE

PREMIÈRE PARTIE

La Grande Énormité

1

Ce neuvième jour de novembre de l'an de grâce 1683 s'est produit un événement des plus étranges.

Je prenais mon habituelle collation de la mi-journée (composée d'un morceau de poulet bouilli accompagné de carottes et d'une bière légère), quand Will, mon vieux domestique, est entré dans la salle à manger de Bidnold Manor, portant dans ses mains noueuses un paquet enveloppé dans du papier déchiré assorti d'un ruban défraîchi. En déposant l'objet près de ma main, il souleva un nuage de poussière qui retomba sur la nourriture dans mon assiette.

Je sentis mon souffle se suspendre, se concentrant en un éternuement si puissant que je mouchetai la nappe de minuscules bouts de carotte.

— Attention, Will. Quelle est donc cette relique que tu déposes si près de mon repas ?

— Je ne sais pas, Sir Robert, répondit Will, tentant de disperser la poussière avec ses doigts déformés.

— Tu ne sais pas ? Il a pourtant bien fallu la faire entrer dans cette maison.

— La femme de chambre, Sir.

— C'est une des bonnes qui te l'a donné ?

— Qui l'a trouvé sous votre matelas.

Je m'essuyai la bouche, me mouchai (avec une serviette à rayures élimée, jadis offerte par le Roi) et posai les mains sur le paquet qui, à vrai dire, semblait avoir été dérobé de la tombe d'un pharaon, dans les profondeurs d'un sol desséché. J'aurais volontiers questionné Will plus avant sur son invraisemblable provenance et la raison de cette soudaine découverte, mais il avait déjà fait volte-face afin d'entreprendre, en boitillant, le long voyage de retour qui menait de la table à la porte ; le rappeler aurait pu engendrer quelque catastrophe que je n'avais pas le cœur de risquer.

À nouveau seul, je tirai sur le ruban et y remarquai alors des taches évoquant des fientes de souris ou de mouche, et l'idée qu'une créature ait pu passer la totalité de son humble existence sous mon matelas me causa un bref instant d'amusement.

Mais une fois le paquet ouvert, je posai les yeux sur un objet depuis si longtemps oublié que je ne l'aurais jamais cru capable de me revenir en mémoire de manière spontanée.

C'était un livre. Ou plutôt, cela avait jadis aspiré au statut immortel de livre, mais sans jamais y parvenir, restant au stade de juxtaposition de pages écrites de ma main déliée et tachée d'encre. Il y a bien longtemps, en 1668, alors que j'étais enfin revenu ici, à Bidnold Manor, j'avais envisagé de le détruire mais, n'ayant pu me résoudre à passer à l'acte, je l'avais confié à Will avec pour consigne de le déposer dans quelque cachette de son choix qu'il devrait aussitôt s'empresser d'oublier.

Les pages contenaient le récit de mon ancienne vie. J'avais entamé cette histoire à une époque de grande confusion, sur la fin de ma quatrième décennie, époque où j'avais senti pour la première fois la splendeur du roi Charles II toucher mes misérables épaules.

J'avais espéré qu'écrire ces lignes me permettrait de comprendre quel rôle je pourrais être amené à jouer en exerçant la médecine, dans mon pays comme de par le vaste monde. Mais, alors qu'au fil de mes frénétiques gribouillages, je m'étais cru en route vers une sorte de sagesse, je n'ai pas souvenir aujourd'hui d'y être jamais parvenu. Je fus juste ballotté d'un endroit à l'autre tel un chien affamé. Ce fut une époque émaillée d'émerveillements et de moments de gloire, mais aussi de bien des chagrins. Et aujourd'hui, alors que je lis mes propres mots et revois cette même vie se dérouler à nouveau sous mes yeux, voilà que mon cœur se gonfle d'un surplus d'émotion presque insupportable.

Je m'empare du livre et me dirige vers ma bibliothèque. Je le dépose sur mon écritoire et m'occupe du feu qui peine à brûler, y déposant des bûches supplémentaires et l'exhortant à se souvenir des raisons pour lesquelles il a été allumé au départ, à savoir me réchauffer. Mais je continue de trembler. Je me demande si je dois à nouveau faire venir Will qui, par la force de l'habitude, a l'art de redonner vie aux flammes en les amadouant. Mais en cette période crépusculaire alors que j'approche de mon cinquante-septième anniversaire, je répugne de plus en plus à lui confier quelque tâche que ce soit, à cause de son grand âge (soixante-quatorze ans) et de ses nombreuses infirmités.

Will est un sujet de grande contrariété, car je vois clairement que, en ce qui concerne ce fidèle serviteur, je suis prisonnier d'un piège fort douloureux.

Je connais William Gates (que de tout temps j'ai appelé « Will ») depuis 1664, lorsque le Roi me fit l'honneur de me remettre l'ordre de la Jarretière, assorti de mes terres du Norfolk. Si j'obtins ces récompenses, c'est pour un important service que je rendis à Sa Majesté et qui changea le cours de ma vie du tout au tout.

En même temps que mon cuisinier, Cattlebury, Will entra à mon service cette année-là et pas un seul instant, au fil de mes nombreuses joies et tribulations, il ne fit montre d'autre chose que d'une loyauté et d'attentions des plus touchantes.

Bien qu'à une époque, mes décorations d'intérieur aient été aussi voyantes que vulgaires, Will fit semblant de les admirer. J'eus beau me comporter vis-à-vis de ma jeune épouse Celia de manière aussi détestable pour elle que pour son entourage, jamais Will ne m'adressa, à aucun moment, de regard chagriné ou de reproche. Et quand ma demeure adorée et moi-même dûmes nous séparer quelque temps suite à mes innombrables sottises, Will en devint aussitôt le gardien, m'écrivant fidèlement afin de me donner des nouvelles des allées et venues, ainsi que des couleurs changeantes du parc saison après saison. En résumé, nul n'aurait pu avoir à ses côtés, pendant près de vingt ans, serviteur plus admirable, plus loyal, plus honnête et plus vaillant.

Mais aujourd'hui, le corps et l'esprit de Will ne sont plus ce qu'ils étaient. Bien que je le rétribue de manière généreuse, il n'est plus en mesure d'accomplir les tâches que requièrent ma demeure comme ma personne, et qui justifient ses gages. Lorsqu'il marche, ses genoux se plient vers l'extérieur et sa colonne vertébrale se courbe en avant, comme celle d'un petit rat, si bien que traverser une pièce lui est fort pénible. Lorsqu'il entreprend de porter un objet, qu'il s'agisse d'une soupière pleine ou d'une chope de bière, il est susceptible de le laisser échapper ou de renverser le contenu, parce que ses mains souffrent d'une forme d'arthrose et ne peuvent donc l'empoigner solidement.

D'autres affections se sont emparées de lui, comme par exemple l'étourderie, la quasi-cécité, et une surdité que je soupçonne d'être plus un caprice qu'une véritable perte d'audition. Par exemple, si je donne à Will un ordre qui ne lui sied point, comme celui de m'accompagner dans l'une de mes visites auprès de mes patients, il fait semblant de ne pas entendre un traître mot, alors qu'il obéit sans question ni hésitation à tout ordre qui lui convient.

Il est devenu fort craintif du monde au-delà des grilles de Bidnold. Alors qu'à une mémorable époque, il m'accompagnait à Londres en diligence, m'attendant patiemment dans les jardins de Whitehall tandis que je rencontrais le Roi, entrevue qui me brisa presque le cœur, ainsi qu'à Will, le voici à présent reclus à l'intérieur du manoir ; c'est à peine si on le voit prendre l'air dans le parc, « de peur, m'a-t-il confié un jour, d'attraper une vilaine fièvre hivernale, Sir Robert, ou que je trébuche sur une motte d'herbe, que je me casse le tibia et que je tombe, incapable de me relever, étendu là tout seul jusqu'à la nuit ou jusqu'au petit matin, recouvert de gel ou de neige».

— Ainsi, c'est ce que tu penses de moi, Will, que je te laisserais étendu tout seul et blessé, dans la nuit ou dans la neige? lui avais-je lancé en guise de réponse.

— Eh bien, oui, Sir, pour la bonne raison que vous ne sauriez *pas* que je suis tombé, parce que je suis un domestique, Sir Robert, et que ces vingt dernières années, j'ai pratiqué l'art de l'invisibilité, afin que le fait de me voir, debout ou couché, ne vous dérange jamais.

J'aurais voulu lui faire remarquer que, ces dernières années, le fait de le voir ne me causait *que du tracas*[1], mais je m'abstins. La moindre parole blessante me semble au-delà de mes forces, pour le moins. Et quand je pense aux mesures qui s'imposent, comme le renvoyer, je sens poindre en mon cœur une douleur terrible. Parce qu'à la vérité j'éprouve pour Will une affection des plus profondes, comme s'il était pour moi une sorte de père, un père qui, dans sa bonté, aurait choisi de passer outre mes nombreuses imperfections et de me voir comme un homme honorable.

Que dois-je faire, alors?

Si je fais abstraction de son ancienneté dans la hiérarchie des domestiques de Bidnold Manor en lui confiant des tâches plus légères, de celles qu'un simple valet de pied pourrait effectuer sans problème, je sais que la douleur de cette rétrogradation le touchera au plus profond de son cœur. Il en déduira que je ne lui accorde plus aucune valeur. Doux de nature, il deviendra aigri envers ceux qui lui seront alors supérieurs dans la hiérarchie.

Si je le convoque pour l'informer que je souhaite dorénavant qu'il fasse à son aise et cesse de travailler, qu'il vive

---

1. *Toutes les italiques sont de l'auteur, sauf mention contraire (ndt).*

plutôt une retraite honorable ici dans ma demeure tandis que je prendrai en charge tous ses besoins pécuniaires, il est possible – étant donné l'intensité des douleurs corporelles dont il souffre – qu'il tombe à mes pieds, me bénisse, versant des larmes de gratitude, et me répétant qu'il n'y a pas d'être meilleur que moi, Sir Robert Merivel, qui vive et respire en ce monde.

Mais s'il me faut convenir que je me plais à imaginer cette scène, avec mon pauvre vieux serviteur prostré à mes pieds comme si j'étais le roi en personne, auréolé de toute son inestimable puissance, j'anticipe aussi, hélas, une immense perturbation provenant d'une autre source – je veux parler du reste de ma maisonnée, dont Cattlebury qui talonne Will en termes d'âge et de confusion mentale, et qui m'a alerté à quelques reprises avec ses élans d'agitation violente et séditieuse, durant lesquels il se plaît à blasphémer contre le monarque, la dynastie Stuart et toutes leurs entreprises.

Je redoute en effet de me retrouver en butte à une mutinerie jalouse, d'être réprimandé pour mon injustice et mon manque d'égards vis-à-vis de Cattlebury, mais aussi des bonnes, des valets de pied, des lingères, des bûcherons, des palefreniers, des laitières *et cetera et cetera*. Et je m'imagine alors une soudaine débandade menée par tous mes domestiques (or, sans eux, cette maisonnée sombrerait bien vite dans le chaos), chacun disparaissant au bout de l'allée cavalière, tandis que je resterais seul avec Will, Will dont je finirais, avec le temps, par être l'infirmier... dans un tour complet mais fort contrariant de la roue de la fortune.

Aussi me dis-je en mon for intérieur qu'il vaut mieux endurcir mon cœur et laisser Will effectuer sa sortie solitaire, avec la marque « Atelier de charité » inscrite sur son dos de vaincu. Mais cette idée se referme à son tour sur un piège. Parce que je connais ces ateliers. Hélas, oui. Ce sont des endroits froids et inhospitaliers emplis de parasites, de bruit et de puanteur, et la loi les contraint à être à la hauteur de leur réputation, et exige de leurs occupants qu'ils *travaillent*.

Par le biais d'un cercle terrifiant, nous revenons ainsi à ce dont Will Gates est presque incapable : travailler.

Je m'interroge une nouvelle fois, que dois-je faire ? Je ne puis chasser Will et le retrouver à mendier par les chemins et les prés du Norfolk. Il n'a nulle part de famille (et n'en a jamais eue, pour autant que je sache) susceptible de l'accueillir.

Et donc j'en conclus que – ainsi qu'il en va de nombreuses choses contrariantes dans cette existence – la seule solution est de ne *rien faire*, avec le vain espoir que le sort de Will soit un jour ou l'autre résolu par la nature.

Mais dès qu'il me vient à l'esprit que Will pourrait bientôt *mourir*, un brusque sentiment de panique s'empare de moi et j'ordonne alors qu'il me rejoigne dans la bibliothèque sur-le-champ, afin de m'assurer qu'il n'*est pas encore mort*.

Il s'écoule un certain temps avant que Will ne se présente à ma porte – à cause de la lenteur avec laquelle il se déplace. En attendant, me voici à nouveau attiré par le livre, que je vois posé sur mon écritoire ; je me souviens qu'il contient dans ses pages de nombreux récits de la gentillesse de Will, comme la fois où, pressé de me rendre à Londres pour une audience avec le Roi sans avoir dîné, Will avait fourré deux cailles rôties dans la poche de ma redingote et attaché une flasque de vin d'Alicante à la selle de ma jument, Danseuse, repas sans lequel j'aurais pu perdre connaissance au moment de me trouver devant la royale présence.

En vérité, c'est comme si l'esprit de Will avait veillé sur le mien près de vingt ans, anticipant mes nombreuses absences et défauts, et tentant d'y remédier avant même que je n'en aie pris conscience. Et cette prise de conscience provoque soudain un flot de larmes, si bien que lorsque Will finit par entrer dans la bibliothèque, il me trouve sanglotant devant le feu. Ses yeux fatigués me percent tout de suite à jour et il s'exclame :

— Oh, pas de nouveau, Sir Robert ! Dieu m'est témoin, vous allez user tous vos mouchoirs avant la fin de l'année.

— Fort heureusement, nous sommes en novembre, Will. Je ne pourrai plus les user bien longtemps dans les mois qui nous restent.

— C'est vrai, Sir, mais je ne sais pas, comme personne ici à Bidnold ne sait non plus pourquoi vous passez votre temps à pleurer.

— Non, dis-je en me mouchant dans un foulard de soie offert jadis par mon ancien amour, Lady Bathurst, et maintenant réduit à une finesse arachnéenne. Je l'ignore tout autant. Bien, Will, je t'ai fait venir pour te questionner sur ce livre. C'est celui-là même, écrit par mes soins entre 1664 et 1667, que je t'ai confié quand cette demeure m'a été restituée en 1668. Est-ce à ce moment-là que tu l'as placé sous mon matelas ?

Les yeux de Will se perdent dans l'espace devant lui, comme s'il s'agissait d'une grotte sombre et impénétrable à toute lumière. Son regard finit par tomber sur le paquet contenant l'ouvrage.

— 1668 ? C'était il y a longtemps, Sir Robert.

— Je le sais bien. C'était il y a exactement quinze ans. Est-ce à cette époque que tu as placé ce paquet sous le matelas ?

— Peut-être bien, Sir.

— Mais tu ne peux en être certain ?

— De quoi un homme peut-il être certain, Sir Robert ?

— Eh bien. Il existe un phénomène qui se nomme la mémoire. As-tu le moindre souvenir d'avoir placé cet objet dans ma couche ?

— Oui, Sir.

— Vraiment ?

— Oui. Je l'ai pris et je l'ai mis sous votre matelas, là où vous ne pourriez pas le voir.

Je m'éloigne du feu et me mets à arpenter la pièce, fourrant le foulard dans ma poche et tentant d'asseoir en moi un semblant de dignité et de maîtrise de l'instant. Puis je me retourne et lance à Will un regard accusateur.

— Tu veux donc dire que mon matelas n'a pas été retourné depuis *seize ans* ?

Planté à côté de l'écritoire, Will reste coi, s'accrochant au bord comme s'il risquait de tomber d'un moment à l'autre. Il finit par lancer :

— Ce n'est pas mon travail de retourner les matelas, Sir Robert.

— Je sais. Mais tout de même, Will. Seize ans ! Ne crois-tu pas qu'en tant que maître d'hôtel de Bidnold, tu devrais en assumer quelque responsabilité ? Des puces et des punaises auraient pu s'assembler là et me causer quelque mal !

— Vous causer quelque mal ?

— Oui.

— Jamais je ne vous ferais de mal, Sir Robert.

— Je sais, Will. Tout ce que je demande...

— Mais il y a autre chose.

— Oui ?

— On ne voit pas toujours ce qu'on a sous les yeux.

— Que veux-tu dire ?

— Je veux dire... ce livre, il est tellement fané et couvert de poussière, depuis le temps, que peut-être la femme de chambre l'a pris pour une simple cale destinée à tenir les coins du châlit.

Une cale destinée à tenir les coins du châlit.

Autant l'admettre volontiers, cette dernière phrase de Will me fait sourire, sourire qui se transforme en rire, et voilà Will qui semble bien soulagé. Je suppose qu'il n'est guère agréable de travailler pour un maître aussi souvent en proie à la mélancolie et aux larmes infantiles, et je sais que je dois trouver moyen de mener mon existence de manière plus enjouée. Pour l'instant, cependant, j'ignore comment m'atteler à pareille tâche.

Je renvoie Will. Une fois de plus j'ouvre le livre (que dorénavant je nommerai *La Cale*) et j'en entreprends la lecture.

Je lis si longtemps que l'obscurité de novembre se met à tomber. Nul domestique n'entre dans la bibliothèque pour allumer la moindre lampe, et la pièce s'obscurcit d'ombres bleues.

Une ombre plus sombre sort à pas de loup de l'histoire et semble se planter en silence à mes côtés. J'ai l'impression de sentir la futaine de ses habits et de voir ses mains blanches entourer un objet que je sais être une louche en porcelaine blanche et bleue. L'ombre s'appelle John Pearce.

2

Impossible de penser à John Pearce sans qu'un sentiment de quasi-suffocation me pénètre. C'est pourquoi je m'évertue à ne pas penser à lui du tout. Mais je n'y parviens pas toujours.

Il fut jadis mon ami et condisciple en médecine, à Cambridge. Toute sa vie, il est resté fidèle à la religion quaker, et je le plaisantais très fréquemment là-dessus, dans l'espoir de voir se graver sur la carte sombre de ses traits la mince trace d'un sourire, voire d'entendre son rire, un coassement particulier proche de celui de la grenouille-taureau.

Pearce a toujours été fort gentil avec moi, mais je sais aujourd'hui qu'il ne m'a jamais vraiment apprécié avec mes appétits débordants, mon art du persiflage et mon incapacité à dominer mon éternelle mélancolie.

Lorsqu'il m'a rendu visite ici, à Bidnold, il a regardé autour de lui toutes mes tentures pourpre et or, mes miroirs dorés, mes tapisseries, mes statuettes en marbre et mes collections d'étains, puis il a glissé que le luxe « étouffait ma flamme vitale ». Et lorsque Will et moi veillâmes à son chevet trente-sept heures, après qu'il eut été frappé par la fièvre, il ne nous remercia ni l'un ni l'autre par la suite.

C'est néanmoins vers Pearce que je me tournai lorsque le Roi jugea opportun de me renvoyer du paradis dans lequel il m'avait installé.

Je fis mon possible pour me rendre utile dans l'hôpital quaker de Bedlam à Whittlesea, où Pearce et ses amis prodiguaient des soins à ceux qui, écrasés par le fardeau de l'univers, avaient sombré dans la démence. Mais mon penchant pour la débauche et la déraison me poussèrent là-bas à de grandes folies et, comme si c'était dû au chagrin de voir ce dont je m'étais montré capable, le frêle corps de Pearce couva une phtisie fort violente, dont il mourut.

Nous déposâmes des branches de poirier en fleur dans son cercueil. Et, entre ses mains, je plaçai la louche en porcelaine blanche et bleue à laquelle il était depuis toujours attaché, parce qu'il s'agissait là de l'unique souvenir qui lui restât de sa mère. Puis l'on versa sur lui la terre noire du Fenland.

De temps en temps, je retourne sur la tombe de Pearce. Lorsqu'elle eut neuf ou dix ans, j'y emmenai ma fille adorée, Margaret, afin de la présenter aux amis quakers qui furent si gentils avec moi (elle est, et a toujours été, une très belle enfant à la peau douce et laiteuse, avec un foisonnement de boucles flamboyantes et un sourire à fossettes d'une grande douceur). Je suis très fier d'elle.

Quand nous arrivâmes à la chaussée plus connue sous le nom de Earl's Bride, qui menait à l'ancien emplacement de Bedlam Hospital, je vis tout de suite que les bâtiments étaient déserts, et que le terrain qui les entourait n'était pas entretenu ; il n'y avait plus âme qui vive. Alors que nous descendions du coche, un vent glacé nous encercla en mugissant. Je pris la main de Margaret et la fis entrer dans l'une des premières maisons où il restait encore quelques paillasses par terre ; je vis alors ses yeux s'élargir d'étonnement et de confusion, puis elle me demanda :

— Oh, papa, où sont tous les gens ? Ils se sont noyés ?

— Je ne sais pas, Margaret. Mais de toute évidence, ils sont partis.

Je me retrouvai alors pris dans un dilemme. J'avais prévu de confier Margaret aux gardiens quakers un court moment afin d'aller me recueillir sur la tombe de Pearce. Je n'avais pas envie qu'elle voie ce triste monticule (jusqu'à présent la mort n'avait pas laissé d'empreinte sur son esprit innocent) et pourtant, après ce long voyage, j'étais réticent à l'idée de repartir sans rester un moment à l'air libre afin de communier avec mon défunt ami.

Margaret et moi trébuchâmes de-ci, de-là, les mauvaises herbes étaient hautes et touffues, et je lui montrai le chêne noueux et déformé dans la cour où j'avais jadis joué du hautbois tandis que mon jeune ami Daniel était au violon, et que nous tous – les gardiens comme les fous – avions dansé une tarentelle – mais je ne lui dis pas que sa mère faisait partie des fous.

— C'est quoi une tarentelle ? demanda Margaret.

— Oh, c'est une gigue où l'on tourne de manière effrénée, comme ceci...

Je lui pris les mains et me mis à caracoler avec elle, sautant et gambadant avec entrain tandis que son rire s'élevait comme une grappe de clochettes agitées sous la voûte d'un ciel immense. Puis je la soulevai, l'emmenai vers le coche et lui dis :

— Repose-toi ici un instant pendant que je vais faire un dernier tour, pour m'assurer qu'il ne reste vraiment personne. Je reviens en un clin d'œil.

J'avais emporté un sachet de raisins secs ; je lui en donnai une poignée, qu'elle entreprit de manger comme l'enfant obéissante qu'elle était. Je demandai alors au cocher de m'attendre, avant de me diriger à grands pas vers l'endroit où Pearce était enterré.

Signalée par une croix en bois toute simple (parce que chez les Quakers tout doit être simple), la tombe était étouffée par le sureau et les ronces épineuses, et je ne pus m'empêcher de tenter de les écarter, m'arrachant la peau des mains dans ma précipitation ; j'entendis alors dans ma tête le mépris de Pearce pour mon entreprise : « Merivel, dis-moi à quoi servent tes actes. Parce qu'en vérité, je ne leur vois aucune utilité. »

— Il n'y en a aucune en effet. Sauf que ces choses offensent ma vue.

Puis je laissai échapper un cri :

— Où tout le monde est-il parti, Pearce ? Dis-moi où ils sont tous partis !

Mais bien sûr aucune réponse ne sortit du monticule abandonné. Je dégageai les mauvaises herbes autour, me bandai la main avec un mouchoir et touchai l'argile noire avec mes doigts.

— John Pearce, sache que tu es à mes côtés à chaque instant.

Margaret a maintenant dix-sept ans. Elle a vécu toute sa vie avec moi, ici, à Bidnold, et je me suis efforcé de lui servir à la fois de père et de mère. Pour ma plus grande joie et à mon grand soulagement, j'observe – sans me vanter ou sans le moindre aveuglement paternel – que c'est une jeune fille on ne peut plus belle, chaste et affectueuse, confiante de nature ainsi que je le suis, mais pourtant épargnée par la sottise de son père, ce qui est un miracle.

Elle m'aime, je le sais, autant qu'un père peut espérer être aimé d'une enfant, mais en grandissant elle exprime de plus en plus souvent le désir de passer du temps dans la demeure de mon proche voisin à Norfolk, Sir James Prideaux, baronnet, un homme fort vénéré et instruit dans les affaires juridiques, qui rend la justice de paix à Norwich trois fois par semaine.

Cette demeure des Prideaux, Shottesbrooke Hall, est un endroit très animé grâce aux talents de son admirable épouse, Arabella, et de leurs quatre filles, Jane, Mary, Virginia et Penelope. Et je vois bien que Margaret a de quoi être beaucoup plus joyeuse là-bas qu'ici, à Bidnold, avec moi.

Que Prideaux n'ait point de fils doit être une déception pour un homme de son envergure et de son ambition, mais il n'en parle jamais. Il éprouve pour ses filles une gentillesse affectueuse, s'appliquant à leur obtenir tout ce que leur cœur désire. Ce ne sont que maîtres de musique, maîtres à danser ou jeunes professeurs de mathématiques et de géographie, en même temps que nombre de modélistes, de couturières et de mercières (ainsi que mes chers parents jadis le furent) qui entrent et sortent de Shottesbrooke ; les jeunes demoiselles Prideaux font chacune montre d'une belle curiosité pour le monde qui les entoure. Il est touchant de voir comment toute la famille se préoccupe de Margaret, qui a le même âge que Mary. L'on dirait qu'elle fait partie intégrante de la maisonnée. Bien que je me sois moi-même attaché à l'éducation de Margaret – elle joue fort bien du clavecin, parle couramment français et danse comme un superbe lutin des bois –, ils admettent qu'elle doit souvent trouver un peu ternes les journées passées en ma compagnie. Elle étudie à présent la géographie avec Mary, et n'est plus que ferveur à ce sujet :

— Oh, papa, jamais jusqu'à ce jour je n'avais eu conscience que le monde était aussi étendu et aussi vaste. Et je ne savais pas que les grandes rivières avaient commencé sous forme de petites sources au cœur des montagnes, et savez-vous qu'il y a plus de deux cents langues parlées sur terre ?

— Non, Dieu soit loué, je ne le savais point. La maîtrise du français m'est déjà bien assez difficile.

Pour l'heure, Margaret loge à Shottesbrooke Hall, en ce mois de novembre gris où *La Cale* est soudain entrée en ma possession.

Je note que lorsque j'ai consigné mon histoire pour la première fois, j'avais envisagé plus d'un début possible. J'en ai effectivement suggéré cinq. Parce que j'avais compris alors qu'aucune vie ne commence précisément au commencement, mais qu'elle possède de nombreux préambules, chacun déterminant le déroulement de ce qui va suivre.

Et maintenant, je vois avec la même clarté que la vie d'un homme peut se terminer de plus d'une manière. Mais hélas, les fins que je suis susceptible de mériter se présentent sous une lumière bien sombre, toutes autant qu'elles sont.

Et s'il y en a cinq, à l'image des cinq commencements, alors il doit sûrement s'agir de celles-ci.

Une fin dans la solitude. Je m'agrippe à Margaret, dernier rempart entre moi-même et le vide qui m'entoure. Ce qui est bon ou noble en moi, je ne le remarque que chez elle. Mais je sais que Margaret se mariera un jour et qu'elle quittera Bidnold pour une vie autre (et meilleure).

J'apprivoise déjà ce futur en m'entretenant avec Prideaux et d'autres connaissances du Norfolk pour voir si certains jeunes fils de hobereaux du comté – ou même de l'aristo-cratie – feraient de bons partis pour la fille d'un chevalier de l'ordre de la Jarretière et proche confident du roi.

Hugo Mulholland, fils et héritier de Sir Gerald Mulhol-land, un beau jeune homme hélas affligé d'un curieux bégaie-ment, est venu rendre visite à Margaret à plusieurs reprises. Je vois bien qu'elle ne fait pas grand cas de lui. Dès qu'il est parti, elle se gausse de son handicap, qu'elle imite à la perfection.

La dernière fois que ce pauvre Hugo est venu, à peine était-il installé dans son équipage pour repartir que Marga-ret mit ses bras autour de mon cou et me lança :

— Papa, je vous en supplie, ne me donnez pas en mariage à un bègue !

J'embrassai ses cheveux et l'assurai qu'elle ne se marierait que lorsqu'elle-même le désirerait ; en ce qui me concerne, j'aimerais la garder à mes côtés à Bidnold jusqu'à la fin des temps. Mais je sais que je ne dois point dire cela. Margaret se mariera un jour et voilà tout.

Une fin impécunieuse. J'exerce toujours la médecine, veillant sur les plaies et les souffrances de mes voisins du Norfolk du mieux que je le puis, mais je semble être de ces personnes envers lesquelles les gens préfèrent avoir des dettes plutôt que de leur payer ce qu'ils leur doivent.

De temps à autre, je dresse les comptes ; ces sommes sont toujours élevées, alors pendant quelque temps j'entreprends de poursuivre mes débiteurs avec fermeté et résolution. Certains ont la bonté de s'acquitter de mes honoraires, mais petit à petit, faute de voir apparaître le reste de l'argent, ma fermeté et ma résolution s'étiolent et je me fatigue de mes poursuites, comme si j'étais sur les traces d'une licorne perdue dans une forêt légendaire, sans jamais la trouver.

Avec le temps, mes revenus risquent donc de chuter jusqu'à épuisement et – à moins que le Roi ne maintienne le très généreux traitement ou *rente* qu'il m'a alloué lorsqu'il m'a restitué ma demeure en 1668, afin de s'assurer que je puisse le recevoir à Bidnold Manor à tout moment – je pourrais alors traverser un état de dénuement qui restera sans remède. Sans cette rente, je serais dans l'embarras pour sûr.

Une fin par empoisonnement. Mon cuisinier, Cattlebury – que j'ai déjà évoqué –, talonne Will en termes de confusion mentale, au point qu'il m'est impossible d'espérer le voir accomplir ses tâches culinaires avec une quelconque habileté ou compétence. La semaine dernière, il a mis du sucre dans une tourte à la viande et fait frire un hareng dans la mélasse. Lorsque j'ai fait renvoyer ces préparations en cuisine, Cattlebury est apparu tel un ogre dans ma salle à manger, dégoulinant de sueur et de vapeur et tenant à la main non pas une trique mais une passoire en bois – son cerveau semblant d'ailleurs avoir glissé par les trous ; il me demandait pourquoi j'étais aussi méprisant alors qu'il avait mis tant de soin à inventer de nouveaux plats à mon intention.

— Cattlebury, s'il s'agit là d'inventions, alors je te prie de revenir à ce qui a déjà été inventé.

Will se tenait à ses côtés, plié en deux et l'air lugubre.

— Il ne vous voulait aucun mal, Sir Robert.

— Il ne me *voulait* peut-être aucun mal, mais mal il y a eu malgré tout, et cela au détriment d'un bon hareng et de quantité de bœuf.

— C'était pas son intention, répéta Will.

— Si ce n'était pas son intention, alors c'est une faute d'inattention ou de confusion, et il s'agit là de denrées que je ne souhaite point voir en abondance dans une cuisine.

Les deux hommes semblèrent perplexes, l'un recourbé sur lui-même, le corps à angle droit, l'autre ayant l'air d'avoir mariné dans une cuve de bouillon, et je les regardais en me disant : vous finirez par me tuer. Je ne vois pas comment je pourrais survivre au chaos que vous engendrez.

Une fin par suicide. J'apprends de la bouche de Sir James Prideaux, qui a assisté à de multiples exécutions sur l'échafaud de Mouse Hill, derrière Norwich, que parmi tous les voleurs, faussaires, détrousseurs, débiteurs, pirates et meurtriers cheminant vers leur fin en fendant la foule grouillante, peu d'entre eux s'y dirigent sans ce qu'il nomme « un élément de fierté ». Il semble que l'homme condamné voie dans son dernier voyage sur cette terre un véritable moment de gloire, comme s'il était soudain élevé au rang de célébrité pour ses actes extraordinaires, plutôt que pendu pour sa friponnerie et son escroquerie.

Il enfilera sa plus belle redingote, et, s'il en possède une, sa perruque sera poudrée ; les boucles de ses chaussures seront lustrées, et sur son visage s'affichera sans faillir un sourire béat, me dit Prideaux. Puis il saluera la foule de la main, comme un prince de sang, et lorsque arrivera le moment pour lui de monter à l'échafaud, il fanfaronnera là-haut, continuant d'agiter la main et de dévoiler la dentelle sale de son poignet ou le panache crotté de son chapeau.

Cela m'émerveille au plus haut point, aussi je me demande pourquoi, Merivel, si ceux-là ne craignent point la mort, pourquoi es-tu, toi, si lâche quand tu y penses ? Je tente donc à présent d'écarter cette terreur et d'armer de courage mon âme craintive afin de tenir à distance la fin qui m'est destinée et d'envisager plutôt de courir comme un bandit de grands chemins vers les bras de mon Créateur. Ma seule difficulté est d'imaginer ledit créateur. Je le vois immanquablement à l'image de mon pauvre père, qui a péri dans un incendie en 1662, brûlant avec les plumes et les rubans de son humble commerce de mercier.

Une fin par insignifiance. Je crois que celle-ci est, de toutes les perspectives, la plus consternante. Malgré une lutte toute-puissante avec Dieu et ma vocation, m'efforçant toujours (ainsi que j'y ai été exhorté à une occasion par le Roi) de cerner ma propre utilité et le but de mon existence, je subodore très souvent que ma vie est insignifiante, une mauvaise vie, emplie d'appréciations erronées, de complaisance et de paresse, ne faisant que m'entraîner de plus en plus bas, vers un abîme de confusion et de vacuité au fond duquel je peine à me souvenir pourquoi je suis en vie. Et l'homme qui a égaré ce souvenir est assurément destiné à l'oubli ultime.

*

Aujourd'hui, Margaret est de retour à Bidnold.

Cela tombe bien, un sentier se dessine au milieu des nuages et le soleil darde des rayons cuivrés et dorés sur les hêtres et les chênes de mon parc. J'effectue un tour des jardins, où j'ai planté il y a peu une allée de hêtres blancs taillés dont je suis fort heureux, et j'observe les cerfs brouter tout leur content et agitant leur queue dans la jolie lumière sans être dérangés par les vents de novembre. Je note, comme je l'ai déjà fait cent fois auparavant, la beauté qu'offre ce spectacle.

Lorsque l'équipage m'amenant Margaret apparaît au bout de l'allée, je me dépêche de rentrer à l'intérieur, où je trouve Will essayant de se rendre présentable afin d'accueillir sa jeune maîtresse. Tabitha, la servante de Margaret, sort à son tour et lisse son tablier, puis elle tapote ses cheveux afin de remettre en ordre ce que le vent a dérangé, et c'est alors que je vois poindre sur ces deux visages une expression de grande joie.

Vêtue d'une nouvelle cape brune qui doit être un cadeau de Lady Prideaux, Margaret descend et je m'empresse d'aller à sa rencontre. Quand elle est dans mes bras, je lui dis combien tout Bidnold est content de la voir. Bien qu'elle soit ma propre enfant, je suis frappé à chaque fois par la beauté qui émane d'elle. L'on dirait un arc-en-ciel, ou une lumière éblouissante, là où auparavant il n'y avait que le néant.

Lors du dîner, Margaret me dit :

— Papa, j'ai des nouvelles à vous annoncer. Sir James et sa famille vont aller sur les terres de sa mère dans le comté de Cornouaille pendant tout le mois de décembre, et au-delà de l'Épiphanie. Et ils m'ont invitée à les accompagner.

Nous mangeons une carbonade, un des rares mets que Cattlebury ne rate ni ne brûle. Alors que je la dégustais avec bonheur jusque-là, voilà que je sens l'appétit me quitter soudain.

— La Cornouaille ? demandè-je, mû par le désespoir.

— Oui. D'après Mary il y a des vents chauds qui soufflent dans cette partie du pays tout au long de l'année, des fleurs qui éclosent à Noël, et des sentiers sablonneux semés de camomille qui mènent de la maison à la mer...

Je demeure silencieux. Je m'imagine Margaret descendre ces sentiers odorants jusqu'à la mer, vêtue de sa nouvelle cape brune et marchant à l'infini, de plus en plus loin de moi, jusqu'à disparaître.

— Papa, j'ai votre permission ? De l'autre côté de la baie, il y a une île, où nous pourrons aller grâce à une petite barque et sur laquelle se trouvent des macareux, or je n'en ai jamais vu.

— Ah, moi non plus.

J'ai dû pâlir, parce que Margaret me dévisage et lance :

— Vous vous sentez bien, père ? Qu'y a-t-il ?

— *Non...* rien..., je bégaie (comme Hugo Mulholland). J'essayais juste de me rappeler les couleurs des macareux et des plumes de leur queue.

— D'après Penelope, ils sont blancs et noirs avec un bec jaune ou orange, mais pour ce qui est de leurs queues, j'essaierai, si vous m'autorisez à effectuer ce voyage, de dessiner ou de peindre les oiseaux pour vous, ainsi nous serons tous deux fixés à leur sujet.

J'avale une gorgée de vin.

— Ce sera un vif soulagement !

Nous rions et j'essaye de retourner à ma dégustation de la carbonade, annonçant à Margaret que bien sûr elle doit aller en Cornouaille, l'une des régions les plus clémentes de toute l'Angleterre. L'affaire est close. Margaret partira pour deux mois environ. Et je m'entends lui promettre que je lui donnerai de l'argent pour de nouveaux vêtements et un nouveau cache-col en fourrure, au cas où le voyage en barque serait un peu venteux. Mais ce n'est point à Margaret que je pense alors, mais à moi-même, et tandis que je vois s'avancer vers moi le spectre de ma mort dans la solitude, je ne puis m'empêcher de sentir la tristesse et le lent frisson qui l'accompagne.

La veille du départ de Margaret pour Shottesbrooke – une journée de vents froids accompagnés d'une chute de grêle qui éclaboussa tout le parc de ses cailloux blancs –, je restai au coin du feu dans la bibliothèque avec elle, tentant de me remonter le moral en sirotant un bon vin d'Alicante, conscient malgré tout que ma mélancolie devait être atrocement visible (j'ai pris pour habitude il y a peu, grâce à la lecture du philosophe français Michel de Montaigne, d'essayer de me voir *de près*, en regardant certes vers l'extérieur, mais aussi vers l'intérieur, et en observant mon propre comportement et mes propres réactions, avec pour éternel but d'acquérir quelque sagesse à l'égard de la personne que je suis, ou pourrais devenir).

Essayant de me dérider un peu, Margaret s'engagea à m'envoyer de fréquentes lettres de Cornouaille, afin de me décrire la beauté des anses secrètes que la mer baigne et dont elle se retire dans son mouvement perpétuel, ainsi que la beauté des coquillages que Mary et elle trouveront peut-être là-bas.

— Ah, et la beauté de tous ces bateaux naufragés attaqués par les pirates puis déchiquetés sur les rochers, et de tous les morts rejetés sur le rivage...

Margaret me contempla avec chagrin, l'on aurait dit une mère déçue par le comportement de son enfant.

— Père, j'ai réfléchi, dit-elle après un moment de silence.

— Tu m'en vois ravi, car un esprit vide de toute pensée est susceptible de commettre de terribles erreurs.

— Taisez-vous et ne vous moquez point, pour une fois.

— Il s'agit de nouveau des macareux, je suppose ? C'est à eux que tu penses ?

— Non. J'ai réfléchi à une chose que Sir James m'a dite quand j'ai été à Shottesbrooke la dernière fois, c'est-à-dire l'importance – au cours du bref passage d'un homme sur terre – d'entreprendre le travail d'une vie.

— Je suis d'accord avec lui. Mais ne regarde pas ton père avec cet air accusateur, Margaret. Tu sais que j'ai déjà *beaucoup* de travail et...

— Il parlait d'écriture, papa : la composition d'un traité sur un sujet d'importance. Lui-même est embarqué dans un travail de longue haleine et conséquent intitulé *Observations des pauvres et de la prédominance de la criminalité en Angleterre*. Et il m'a confié que ce travail lui procurait de grandes satisfactions, parce que cela l'emporte loin de son propre monde...

— Pas si loin, lui répondis-je sur un ton sec. Sir James est magistrat, ainsi que tu le sais, et il n'est donc pas rare pour lui de croiser des criminels parmi les classes défavorisées.

— En effet. Mais il n'est pas des leurs. Il n'a pas besoin de vendre des huîtres ou de commettre des petits larcins pour se frayer un chemin dans le monde. Il n'est pas renvoyé de paroisse en paroisse parce que personne ne souhaite avoir à payer sa subsistance...

— C'est vrai. Cependant...

— Ce que j'essaye de vous suggérer, père, c'est que si *vous* deviez vous embarquer dans une entreprise d'écriture, peut-être seriez-vous moins renfermé sur vous-même et plus satisfait du monde qui vous entoure.

Je regardai ma fille. Je l'ai certes élevée dans l'idée d'une certaine indépendance de pensée, mais lorsque cette même indépendance semble dirigée contre moi telle une flèche acérée, je me sens... eh bien, je me sens... Je crois que je me sens juste ridicule. Toutefois, c'est un ridicule mâtiné de peur et tout autant de crainte (le vieux roi Lear n'avait-il pas été réduit à néant par l'indépendance de pensée de sa fille adorée ?).

Je me rapprochai du feu, tendant mes mains pour les réchauffer. J'étais à deux doigts de raconter à Margaret – en guise de défense pathétique de ce qu'elle voit comme mon oisiveté et mon absence d'entrain – mes précédentes tentatives pour consigner l'histoire de ma vie dans *La Cale*, mais je me suis souvenu juste à temps que cette vie révèle, dans leur horreur la plus nue, nombre de mes folies et cruautés, y compris celles envers sa propre mère. Je m'abstins donc.

Je me remis à savourer mon vin d'Alicante. Réchauffé un peu par ce dernier, je lançai :

— C'est très gentil de ta part de te soucier de mon bien-être, et ne va pas croire que je n'en sois pas touché. Tu as raison de le souligner, nous sommes reliés au monde par nos entreprises en son sein, et pourtant...

— Et pourtant ?

— Oh, Margaret, tu ne m'as pas connu quand j'étais jeune ! Je n'étais qu'*entreprise* alors. À chaque minute de mon existence, j'élaborais un plan grandiose. J'ai même essayé de devenir artiste, jusqu'à ce qu'un portraitiste vaniteux me renvoie à mon absence de talent. Il n'y avait pas assez d'heures dans la journée, ni de jours dans l'année, pour tous mes projets. Mais après ta naissance, et lorsque Bidnold m'a été restitué, j'ai décidé de calmer mes ardeurs et de m'installer ici dans le Norfolk afin de m'occuper de toi, poursuivre l'exercice de ma profession et ne plus penser à la gloire ou à mon ascension sociale, ou à quoi que ce soit de matérialiste.

Margaret se leva de son fauteuil et vint s'agenouiller à mes pieds, puis posa ses bras sur mes genoux.

— Papa, je ne parlais pas de gloire, me répondit-elle avec douceur.

Je traînai dans mon fauteuil longtemps après que Margaret fut partie se coucher. « Merivel, me suis-je dit, rester assis là, jour après jour, pendant que Margaret sera en Cornouaille, voilà le meilleur moyen de te plonger dans un sombre abattement. Tu dois te lever et réfléchir à ton avenir, ailleurs. »

Peut-être est-ce le fait que Margaret ait mentionné le mot « gloire » qui m'a poussé à caresser l'idée de voyager en France, à la cour de Louis XIV ? Je savais que, pendant ces années qui accompagneraient mon déclin, mon désir serait d'être ébloui par des merveilles. À Versailles, je ne manquerais point d'en trouver.

3

Me voici arrivé à Londres.

Je suis vêtu d'une redingote brun-roux fort élégante et d'une culotte brune, avec une cascade de dentelles autour du cou et un chapeau espiègle sur la tête, dont le poids tiède semble avoir une vie propre, comme si un faisan élevé par mes soins dans le Norfolk s'y trouvait perché.

Ma perruque est neuve, bouffante et brillante. Et je porte l'épée, ce que je n'ai pas fait depuis quelque temps, épée qui ne cesse de tirer sur ma redingote et menace de me faire trébucher et basculer dans le caniveau. Par bonheur, j'ai aussi apporté avec moi l'une de mes cannes d'ébène, et grâce à son soutien, je parviens à avancer de façon relativement élégante le long de Birdcage Walk.

Me voici en route pour rendre visite au Roi. Je me suis assuré sans problème une audience par messager, ce qui m'a valu de la part de Sa Majesté une courte réponse des plus délicieuses, confiant ceci :

Ah, mon cher Merivel,

Vous n'imaginez point combien cela Nous réjouit de recevoir un mot de vous en ces temps sombres et difficiles. Vous pouvez vous présenter devant les appartements de la duchesse de Portsmouth (notre adorable « Fubbs ») à midi, où vous Nous trouverez plus gris et plus grave que lors de notre dernière rencontre, mais non dénué de joie à l'idée

*de vous voir. Et j'espère que nous parviendrons à égayer
nos cœurs.*

Charles Rex

Le long de la promenade de Birdcage Walk, ainsi nommée à cause des cages à oiseaux en volutes légères installées tout du long, je suis bousculé par nombre de gens déambulant sous cette grande ombre que projette en permanence le palais de Whitehall sur le cœur de la nation.

Je sais que le Roi, qui semble s'être lassé de son parlement et qui gouverne à présent en monarque absolu, est moins admiré et révéré que lors de son arrivée au pouvoir, où il nous était apparu tel un dieu. Il règne bel et bien un esprit agité, et même séditieux, à l'étranger, dans les cafés – c'est en tout cas ce que l'on me dit –, et le pays préférerait de beaucoup entrer en guerre contre une France catholique sur les conseils d'un parlement, plutôt que de voir une maîtresse française installée dans les appartements du Roi et splendidement campée dans la place, sans nul parlement à l'horizon. Mais je pense néanmoins qu'il y a encore de nombreux hommes (et femmes) qui souffrent, tout comme moi, d'une vieille maladie qui consiste à aimer le Roi.

Bien que John Pearce, dans sa haine quaker de la monarchie et de la hiérarchie de la soi-disant noblesse qu'elle engendre, ait essayé jusqu'à l'heure de sa mort de me guérir de ce mal, et bien que je me sois toujours efforcé d'être tel que Pearce voulait que je sois, la seule vue du Roi – ou ne serait-ce que la *pensée* de son arrivée à Bidnold – éveille en mon cœur une joie extraordinaire que je suis incapable de réfréner. Et il convient aujourd'hui d'affirmer que je ne le souhaite plus. Mélange d'appétits impatients et d'hypochondrie maussade, la nature du Roi est très proche de la mienne et ainsi nous nous consolons l'un l'autre, une consolation fort bien comprise par tous deux.

Je parviens à St. James's Park, sans trébucher ou faire de faux pas, ma lourde épée émettant un cliquetis contrariant quand elle rebondit contre ma cuisse, et je m'arrête près du canal ; là, un groupe de dandys regarde bouche bée un crocodile s'extirper de l'eau en pataugeant.

« *Mon dieu ! Mon dieu !* » glapissent les dandys, le doigt tendu vers la créature et se retranchant les uns derrière les autres tout en feignant la terreur.

— Quelle brute ! Oh, mais imaginez cette grande mâchoire s'ouvrant et se refermant sur une jambe !

— Ou sur un torse !

— Oh, quelle horreur ! Ou sur vos *parties* !

Et ils s'égaillent joyeusement, riant comme des enfants de chœur, avec leurs épées cliquetant de concert et la soie de leurs bas qui reflète de petits éclats de soleil sur leurs jambes sautillantes.

Je reste planté là à observer le crocodile. Étendu sur l'herbe, il a l'air de s'ennuyer et de se demander par quel chemin il est arrivé jusqu'ici, à Londres, où il fait office de distraction pour dandys et visiteurs du Norfolk. Je remarque l'épaisseur de sa peau, qui semble déclarer que né dans une armure, il serait en permanence vaillant et désireux de guerroyer.

Presque chaque animal sur terre possède quelque chose qui force mon respect. Qu'il s'agisse d'une souris ou d'un scarabée, je suis toujours émerveillé quelque temps, que ce soit par la douceur et le silence de la souris ou par la dure brillance de l'insecte. Je n'ai pas la moindre idée des raisons à cela, mais c'est ainsi. Pour Danseuse, la superbe jument alezane que le Roi m'avait offerte, j'ai éprouvé une admiration qui confinait à l'adoration. J'ai pleuré des journées entières à la mort de cet animal.

Le roi Charles me reçoit dans le *petit salon* des appartements de sa maîtresse qui, m'a-t-on dit, sont plus grandioses que ceux de la Reine ; il y semble très à son aise, étendu parmi des fourrures sur une chaise longue, un sourire amusé aux lèvres.

Je m'agenouille à ses pieds. Mes genoux craquent et mon épée cliquette contre le sol.

— Ah, Merivel, je suis heureux de constater que vous êtes toujours aussi bruyant ! lance Sa Majesté.

J'éclate de rire. Le Roi me donne une tape sur l'épaule.

— Excellent ! Je n'ai pas entendu votre rire depuis si longtemps ! Voulez-vous m'accompagner au sherry ?

— Il m'est impossible de refuser un verre de sherry, Votre Majesté.

C'est alors que j'entreprends de me lever de ma position déférente ; mais le fourreau de ma maudite épée va se loger derrière l'un des pieds de la chaise et me voilà qui bascule vers l'avant ; c'est à ma main, serrant toujours le chapeau au faisan et se retenant de justesse à la royale jambe, que je dois de ne pas tomber sur les genoux du Roi.

Je murmure mes excuses tout en me relevant enfin, soulagé de constater que le Roi continue de sourire. Je note alors pour la première fois combien il a vieilli depuis que je ne l'ai vu, il y a plus d'un an.

Puis, alors que je suis confortablement installé dans un fauteuil, l'on me sert un verre de sherry et le Roi se lance dans un discours mélancolique sur son état d'esprit qui, me dit-il, « devient sujet à des peurs irrationnelles tout en n'aspirant qu'à la paix et au calme ».

— Je vous comprends, ô combien. J'imagine que j'y aspirerais aussi, Sir, si ce n'était déjà un peu trop paisible et tranquille à Bidnold.

— Ah, Bidnold. Quel lieu exquis et singulier. Nous nous y rendrons à la fin de l'hiver. Comment se porte Gates ?

— Bien. Je dois néanmoins admettre qu'il m'occasionne… quelque angoisse, Votre Majesté.

J'expose alors au Roi mon grand dilemme concernant Will, concluant qu'au train où vont les choses, je finirai par lui servir d'infirmier.

Cela semble distraire le Roi quelques instants (en particulier lorsque je lui décris combien de temps met Will pour traverser mon salon, c'est-à-dire trois, quatre, voire même *cinq* minutes), mais la gravité s'inscrit bien vite sur son visage et il me dit :

— Nous ne devons jamais rejeter les rares personnes qui nous ont été loyales, Merivel. Certains de mes proches souhaiteraient que je me débarrasse de ma reine parce qu'elle ne m'a pas donné d'héritier. Mais pourquoi devrais-je la chasser, elle dont le cœur est si bon et qui continue de m'aimer en dépit de tous mes autres amours ? Je leur rétorque qu'eux aussi devraient s'incliner devant la Reine ainsi que je le fais, parce qu'il n'y a personne d'aussi noble qu'elle dans tout le royaume.

Je hoche la tête avec vigueur au souvenir de la reine Catherine, qui m'avait jadis épargné de vomir mon repas sur le court de tennis royal en me faisant apporter des oranges de son Portugal natal à un moment où, après avoir couru en tous sens après les balles du Roi, je m'étais senti faible et souffrant. Puis ce dernier ajoute :

— Mais nous devrions en venir au but véritable de votre visite, Merivel. Vous êtes venu me demander quelque chose, j'en suis sûr.

Je prends une gorgée de sherry. La capacité du Roi à lire dans mes pensées m'a toujours déconcerté. J'ai du mal à réprimer un soupir avant de répondre :

— Je ne sais comment expliquer les raisons de ma visite.

— Peut-être est-ce parce que vous ne les connaissez pas vraiment ?

Mes yeux font le tour de la pièce et je ne puis m'empêcher de remarquer que les couleurs qui la décorent rappellent, bien qu'en touches plus légères, les écarlates, les cramoisis, les magentas et les ors que j'ai jadis éparpillés dans les intérieurs de Bidnold, et j'en conclus que la duchesse de Portsmouth (Louise de Kéroüalle, née à Paris et baptisée par le Roi « Fubbs » à cause de ses rondeurs succulentes) traîne des relents de goûts peut-être un peu vulgaires.

Puis je me tourne vers le Roi et dis :

— Ma fille va partir en Cornouaille et je vais me retrouver seul à Bidnold. Aussi me suis-je mis en tête, Sire, de voyager jusqu'en France afin de me changer les idées...

— Quelles idées souhaitez-vous changer ?

— Eh bien, je suis par exemple conscient que je commence à m'apitoyer sur mon sort. Gates est très perspicace à ce sujet. Je me plonge très souvent dans des souvenirs du passé...

— Eh bien, le passé nous accompagne sans cesse. Nos vies en sont remplies, jusqu'à ce que la coupe déborde. Comment la France peut-elle vous aider ?

— Elle le peut pour la bonne et simple raison que je n'y ai jamais été. J'imagine que l'air y est différent, ainsi que le temps, et la forme des choses...

— C'est très vrai. Mais qu'y ferez-vous donc ?

— Eh bien, Sir – je bégaie –, je ne sais pas exactement, mais je préférerais ne pas y aller en pauvre hère n'y connaissant âme qui vive. Et j'ai fini par me demander si, durant les semaines où je serai là-bas, mes compétences médicales ne pourraient pas être utiles... si je pourrais être introduit, peut-être, auprès...

— Je vois. Vous souhaitez être reçu à la cour de mon cousin, le roi Louis ?

— Je sais que c'est fort présomptueux. Et pourtant, mon esprit s'est mis à vagabonder à l'idée d'être de quelque utilité à Sa Majesté *le roi*...

— Vous souvenez-vous, lors de votre première visite ici, comment je vous ai demandé de prendre soin de mes chiens ?

— Je m'en souviens très bien, Sir.

— Vous avez sauvé ma petite Lou-Lou d'une mort prématurée, et je vous ai récompensé. Peut-être pourriez-vous faire de même pour Louis, mais hélas, il n'aime pas les chiens. Les Français ne partagent pas notre amour sentimental pour les animaux. D'un autre côté, mon cousin est entouré d'une multitude de *solliciteurs* serviles. Leur angoisse d'être reconnus ou récompensés par leur roi, considéré comme un demi-dieu, est telle que l'on peut sans peine imaginer leurs pauvres cœurs fragiles. Vous – plus que quiconque – pourriez être fort utile là-bas, à concocter quelque médicament pour les cœurs des *quémandeurs*.

Bien qu'un peu décontenancé par l'emphase de ce « vous, plus que quiconque », je me force à hocher la tête, l'inclinant en signe d'assentiment.

— Vous devez comprendre, Merivel, que la cour de Louis à Versailles est si vaste qu'elle éclipse tout ce qui l'entoure. C'est la France même. Mon pauvre Whitehall et les pouvoirs restreints que je possède en tant que roi d'Angleterre ne sont rien en comparaison de l'univers sur lequel règne Louis. C'est une des merveilles du monde. Savez-vous que trente-six mille personnes ont œuvré à sa construction ?

— Non, je l'ignorais, Sir.

— Trente-six mille ! Quant aux jardins, des forêts entières ont été déracinées en Normandie et réimplantées là-bas, un arbre après l'autre. Versailles est peut-être plus grand dans son ambition que la Rome ancienne. Je crois qu'il vous faut y aller, sentir sa beauté comme sa brûlure.

Je suis sur le point de bégayer que je serais empli de joie à l'idée d'être reçu à Versailles quand le Roi met son verre de sherry de côté et se lève soudain. Obligé de l'imiter, je sors avec difficulté de mon fauteuil et fais par mégarde tomber mon faisan à terre.

— Je vais réfléchir à ce que peut signifier votre présence à Versailles, m'annonce-t-il. Le problème immédiat que j'entrevois, c'est que personne n'y rira de vos plaisanteries. Les Français ont un esprit bien plus grave et plus cruel que le nôtre, et Louis n'a aucun sens de l'humour. Mais j'aimerais à présent vous montrer quelque chose. Suivez-moi.

Des serviteurs se précipitent auprès du Roi, mais il leur fait signe de s'éloigner. Je remarque alors qu'il boite un peu quand il marche, s'appuyant sur sa jambe droite, mais avance néanmoins et, en de rapides virevoltes, le voilà qui m'entraîne hors des appartements de la duchesse vers un escalier étroit.

L'air se rafraîchit au fil de notre ascension ; à l'étage supérieur, j'entends le vent soupirer entre les ardoises du toit. L'espace d'un moment je repense à la tour ouest de Bidnold, la seule aile à m'avoir été restituée à mon retour en 1668, et où fut confinée mon existence durant de nombreux mois. Difficile d'oublier le souvenir du vent mordant qui y soufflait en permanence, présidant à mes jours comme à mes nuits.

Nous pénétrons enfin dans une pièce au plafond bas, éclairée par des lampes, où brûle un maigre feu. Une femme d'âge mûr est assise dans un fauteuil, entourée de tout le nécessaire d'une broderie à moitié terminée. Autrefois châtains, ses cheveux sont striés de gris. Elle est vêtue d'une robe grise.

Elle lève les yeux à notre arrivée et un pâle sourire traverse son visage. Elle ne se met pas debout ni n'adresse de révérence au roi. C'est comme si elle ne savait pas que cette personne *était* le roi. Au lieu de quoi, elle tend vers nous un bout de la broderie aux fils bleus et dorés sur laquelle elle travaille et explique :

— J'ai terminé toutes les fleurs du sol. Vous les voyez ? Toutes sauf quelques petits détails sans conséquence.

— Très joli, répond le Roi. Vous ne trouvez pas, Merivel ?

— En effet. C'est admirable.

— Vous avez vu comme c'est soigné ? Pas un point qui ne soit trop lâche ou trop serré.

— Oui, en effet. Quel soin merveilleux.

— Les motifs sont tracés sur le tissu, m'explique le Roi à voix basse. Des artistes les dessinent là au préalable grâce à des tampons ou des teintures, donc tout ce qu'elle a à faire, c'est de les suivre. Là où les artistes ont indiqué du bleu, elle brodera avec du fil bleu, et j'ai remarqué qu'elle ne transgresse jamais ces codes. Elle ne mettra jamais de vert là où il n'y en a pas. Elle suit un motif, et c'est ce motif qui offre un but à ses journées, ainsi que le calme.

Difficile de trouver que répondre. Je dévisage la femme avec intensité, pour la bonne et simple raison qu'elle me rappelle quelqu'un. Il y a quelque chose dans sa façon de pencher la tête sur son travail... son immobilité dans ce fauteuil que je sais avoir déjà vu auparavant... mais je suis incapable de me souvenir de l'endroit ni de l'époque.

— Vous voyez combien elle est heureuse ? me chuchote le Roi.

— Elle semble l'être...

— Non. Elle *l'est*. Je le sais sans l'ombre d'un doute. Je crois que les stoïciens nommaient cet état *ataraxia*, ou « libération de l'angoisse », un état auquel nous aspirons tous. Franchement, je renoncerais volontiers à mon royaume pour trouver une telle paix de l'esprit. Pas vous ?

— Si, si, sauf que je ne possède point de royaume, Sir.

— Mais si fait. Vous êtes un royaume à vous tout seul, Merivel ! Vous êtes vous-même, avec ce chaos qui habite votre cœur et vos peurs immenses. Ne préféreriez-vous pas passer vos journées dans ce fauteuil ?

Je suis sur le point de répondre qu'en aucune manière je n'aimerais passer mes journées assis dans un fauteuil à faire entrer et sortir du fil de la trame d'un tissu, mais voilà que soudain je me retrouve muet. Parce que je sais, à présent, qui est cette femme : il s'agit de mon ancienne épouse, Celia.

J'ai très froid. Je me tourne vers le Roi, comme si je cherchais la protection de ses bras.

— Sir, c'est Celia !

Pinçant paresseusement sa moustache, il se tient à distance, regardant Celia qui est retournée à sa broderie.

— Oui, c'est Celia, finit-il par admettre.

— Et pourtant...

— Elle n'est plus celle que vous et moi avons connue. Non. La folie s'est emparée d'elle, et ce depuis de nombreuses années.

— Par quelle calamité ?

— Mon cher Merivel, vous connaissez comme moi la réponse à cette question. Celia a été incapable de se remettre de sa déception lorsqu'elle a découvert que le roi d'Angleterre avait déserté son lit.

Je reste silencieux, dévisageant la femme dont la beauté avait failli jadis détruire ma vie. Il n'en reste plus aucun vestige aujourd'hui.

— Ses parents l'ont hébergée durant de longues années, poursuit le Roi. Mais à leur mort, j'ai fait en sorte qu'elle soit amenée ici. C'était bien le moins que je puisse faire. Elle ne me reconnaît pas, bien sûr, ni vous. Mais sa folie n'est pas effervescente, comme celle qui l'avait prise à Bedlam, que vous m'aviez décrite à une occasion. C'est une folie qui s'ignore. C'est pourquoi elle est en paix.

Derrière Celia, dans les profondeurs de la pièce que ni la lumière de la lampe ni la lumière du feu ne peuvent éclairer, une vieille femme, muette également et que j'imagine être la gardienne de Celia, ou bien son infirmière, est assise dans un fauteuil. Je repense à la lumière éclatante qui a jadis illuminé l'existence de Celia. Elle me fait l'effet d'être bien misérable pour résider ici à présent, pas vieille tout à fait mais vivant une existence de vieille chouette, avec une authentique vieille chouette pour seule compagnie, toutes deux enfoncées dans l'obscurité et oubliées du monde.

— Comment pouvez-vous savoir qu'elle est en paix, Sir ? lui demandé-je.

— Regardez-la, Merivel. Observez sa concentration. Rien ne perturbe le courant paisible qui emmène son esprit d'un instant vers le suivant.

— *N'aimerait-elle* pas être dérangée ? Par une visite au théâtre du Duke's Playhouse, ou par quelque jeu de cartes, ou par...

— Non. Au contraire. Cela la troublerait au plus haut point, elle a oublié toutes leurs règles.

Je m'éloigne du palais en début d'après-midi. Fort perturbé après ma rencontre avec Celia, j'ôte mon épée et la porte sur l'épaule comme un tromblon, jusqu'à un banc métallique et inoccupé où je la laisse tomber avec un fracas terrible. Alors je m'assieds, m'éponge le front et tente de calmer les battements de mon cœur.

Pourquoi bat-il ainsi ? Parce que jusqu'au jour de ma mort, le nom de « Celia Clemence » le fera tressaillir...

Ainsi que *La Cale* le relate avec force détails, je conclus en 1664 avec le Roi un pacte aussi extraordinaire qu'inattendu. Jusque-là humble docteur des chiens royaux de Whitehall, je fus, suite à l'étrange caprice du Roi, dispensé de ce travail vétérinaire, et me vis offrir une propriété dans le Norfolk ainsi qu'un titre de chevalier.

En échange de ces bontés, l'on m'ordonna de devenir l'époux de Celia Clemence, la plus jeune maîtresse du Roi, afin que sa liaison avec cette dernière soit dissimulée au monde, et en particulier au premier amour de Sa Majesté, Lady Castlemaine. Mais il y avait une condition attachée au marché : j'avais interdiction formelle, par ordre du Roi, de toucher mon épouse. Je ne devais être son mari que de nom, un époux d'opérette, un cocu professionnel. Dans les faits, on m'invitait à échanger mon honneur contre richesses et ascension sociale, et je donnai mon consentement.

C'est ainsi que j'épousai Celia. Lors de ma nuit de noces, c'est le Roi, et non moi, qui fit l'amour à mon épouse.

Longtemps occupé par d'autres distractions, et fervent adepte des divertissements effrénés que je savourais à Bidnold avec ma propre maîtresse, Lady Bathurst, je fus en mesure de tenir ma promesse. Celia résidait le plus souvent à Londres. C'était certes une fort jolie femme, mais je pensais peu à elle.

Mais un beau jour, après que le Roi l'eut envoyée quelque temps à Bidnold, je l'entendis chanter dans mon salon de musique. Je m'assis sur une chaise à l'extérieur de la pièce et j'écoutai. Celia Clemence chantait avec une musicalité et une passion extraordinaires. Et hélas, trois fois hélas, je fus si touché par le son de cette voix douce et parfaite que non seulement cela provoqua sans tarder l'un de mes accès de larmes intarissables, mais à partir de ce moment-là, tous mes sentiments vis-à-vis de mon épouse furent bouleversés et j'en conclus fort prestement que j'étais amoureux d'elle.

Ce délire ne fit que croître en moi au fil des jours et des semaines. Je brûlais de posséder Celia comme une véritable épouse. Je savais que j'aurais dû tenter de faire taire mon penchant, que mon marché avec le Roi était sacré, mais je ne semblais point capable de dissiper le désir qui m'habitait.

Par une nuit étoilée, j'emmenai Celia sur le toit sous la fallacieuse promesse de lui montrer dans le ciel la planète Jupiter ; alors je me tournai vers elle et, dans une bousculade inconvenante, la pris dans mes bras et tentai de l'embrasser. J'avais cru, parce qu'elle avait récemment été très courtoise et aimable avec moi, qu'elle aurait peut-être envie de retourner mes ardeurs, mais je me trompais. Elle me résista avec autant de férocité qu'une autruche en colère, et me repoussa avec une telle violence que je faillis tomber de vingt mètres de haut dans le jardin. Puis elle partit en courant, appelant à grands cris sa bonne, et je compris ce que je savais déjà être sans espoir : ma femme n'éprouvait pour moi que mépris et haine.

Et terrifié, seul sur le toit glacial, je vis ce qu'il allait advenir de moi. J'avais transgressé la règle royale. Tel Adam, j'avais fait la seule et unique chose qui m'était interdite. Quand un rapport sur mon comportement atteindrait les oreilles du Roi, et je savais que cela ne tarderait point, Sa Majesté me bannirait du paradis que j'avais imaginé être mien pour toujours.

Je fus bel et bien convoqué à Whitehall. En l'espace d'une brève audience, le Roi me retira tout ce qu'il m'avait donné, y compris mon titre et ma demeure. Il ne me resta plus que quelques vêtements, quelques shillings et ma jument alezane, Danseuse.

Fort affligé, je retournai à Bidnold une dernière fois, rassemblant les quelques possessions qu'il me restait, pris congé de Will Gates, de Cattlebury et de mes autres domestiques, et entrepris mon long voyage solitaire vers les marécages des Fens, où Pearce et ses amis quakers avaient fondé leur hôpital de Bedlam. Je n'avais jamais manifesté le désir de m'y rendre ou de travailler parmi les fous, mais je n'avais d'autre refuge en vue. Lorsque Pearce me vit arriver, il courut vers moi en criant mon nom, et tous les Quakers après lui me recueillirent.

C'est là, au fil du temps, que je tombai sous le charme de la mère de Margaret, Katharine.

Tout ceci est consigné dans *La Cale*, avec toute sa flamboyante frénésie et sa confusion...

Afin de me remonter le moral et de bannir tout souvenir de Celia, ainsi que tout souvenir de Katharine et de Bedlam, je sors de la poche de ma redingote un document de grande valeur donné par le Roi. Il s'agit d'une lettre adressée à son cousin, le roi Louis XIV de France, demandant que *Sir Robert Merivel soit accueilli à la cour de Versailles et qu'il lui soit attribué, s'il devait en exprimer la demande, un poste temporaire de médecin de deuxième ou de troisième ordre.*

En dépit de la mention quelque peu condescendante du terme « de deuxième ou de troisième ordre », je me sais, malgré tout, un homme des plus chanceux d'avoir obtenu cette faveur en une seule après-midi, sans travail ni tromperie, me contentant d'être moi-même.

Je sais aussi que je devrais à présent orienter toutes mes pensées vers ce voyage en France. « Malheur à toi, Merivel, me dis-je, *si tu ne vas pas de l'avant et si tu ne reprends pas ta quête de sens*. Tu dois te dépêcher d'atteindre le pays de l'inimitable Montaigne. Si tu n'entreprends pas de faire ton possible dès à présent, tu peux être sûr de te retrouver un jour dans un fauteuil dans quelque grenier, à repriser des haillons avec du fil vert. Et il convient de tout mettre en œuvre pour éviter une telle destinée ! »

Mais je suis fatigué. Je ne suis pas encore en mesure de voyager, ne serait-ce que jusqu'à Douvres. Ma tête est toujours en ébullition à cause des cruautés du passé. J'aspire au repos et à la consolation.

Alors je vais là où je vais toujours quand mon corps et mon esprit sont préoccupés.

Elle vit à présent dans un appartement très lumineux et propre au-dessus de son commerce, *Blanchisserie de première classe de Mrs. Pierpoint*, sur London Bridge. La grande rivière bouillonne en continu sous les étançons en orme qui soutiennent la bâtisse.

Plus âgée aujourd'hui, elle ne reçoit pas beaucoup de visiteurs de mon genre, mais elle gagne sa vie grâce à la blanchisserie, secondée par deux filles, Marie et Mabel, qui travaillent sous sa houlette à savonner, frotter, rincer et repasser, le tout dans un perpétuel cumulus de vapeur. Selon elle, sa blanchisserie est à présent « célèbre dans tout Londres », et les gens parcourent des kilomètres dans la boue et sous la pluie pour y apporter leur linge.

Je la trouve derrière sa planche à repasser, les bras et le visage roses comme ceux d'un chérubin ainsi qu'ils l'ont toujours été, avec ses cheveux qui grisonnent à présent, attachés d'une façon charmante par un foulard rose.

— Rosie ! Rosie Pierpoint ! m'écrié-je.

Elle lève les yeux et me voit, fort élégant avec ma redingote brun-roux et ma perruque brillante, puis elle repose son fer, fonce vers moi, met ses bras autour de moi et m'embrasse sur la bouche.

— Sir Rob, je suis bien contente de vous voir.

Son corps, qui a toujours été plantureux, est désormais franchement gros, et la peau de son visage n'est plus lisse comme jadis ; mais ces changements n'altèrent pas mon désir pour elle, tout juste le tempèrent-ils d'une douce tristesse, qui ajoute à son intensité de manière mystérieuse.

Nous nous retirons dans sa chambre à coucher, avec la mousseline accrochée à la fenêtre qui semble être une sorte de léger réceptacle pour toute la musique de la rivière, son bouillonnement, ses cris, ses lamentations et son rire. De cette manière, tout ce que nous nous chuchotons à l'oreille et tout ce que nous faisons est emporté par le courant, repris en chœur par le monde qui ne fait plus qu'un avec nous, minuscules mouchetures de chair en mouvement, pourtant toujours en vie, nageant et respirant dans le chaudron du temps.

4

J'empruntai le coche de nuit à Deptford.

Il était mené par un vieux cocher et gardé par un homme basané debout à l'arrière. Les deux hommes semblaient avoir été érodés par les saisons et par tout ce qu'ils avaient subi sur la sombre route menant à Douvres.

À l'intérieur du coche, je me retrouvai avec cinq compagnons de fortunes diverses. L'un d'eux était un homme d'Église et il prit le parti (me rappelant beaucoup Pearce par sa façon de se comporter dans le monde) de bénir notre petit groupe dès que les chevaux s'efforcèrent d'avancer et les roues du coche de tourner. Personne ne lui avait rien demandé, mais il le fit malgré tout. C'est une chose que je n'aime pas chez les gens très pieux, de *supposer* en permanence que toute âme humaine requiert leur intervention, sans demander poliment au préalable à ladite âme si elle la désire, ou non.

Un autre voyageur, propriétaire terrien de forte corpulence, le remercia après qu'il eut donné sa bénédiction et dit :

— Je suis tout à fait en paix à présent, révérend. Je m'étais laissé aller à imaginer des bandits de grands chemins, mais dorénavant je n'ai plus de craintes.

L'année touchait à sa fin, nous étions en décembre, et la nuit était glaciale. De la paille fraîche avait été éparpillée sur le plancher du coche et, l'un après l'autre, nous prîmes cette paille que nous posâmes sur nos cuisses afin de les réchauffer.

Je tentai de somnoler, mais j'étais assis entre les os pointus du révérend et le gras postérieur du propriétaire terrien, et ne parvins pas à trouver un équilibre entre ces deux morceaux de chair disparates ; je me sentis donc obligé de me tenir bien droit, comme sur le point de me lever de mon siège. Mais qu'ont alors fait l'homme de Dieu et l'homme de biens ? Ils ont sombré dans un sommeil bruyant en tombant l'un vers l'autre *derrière moi*, et m'ont donc coupé du dos du siège.

En face de moi, il y avait trois femmes d'âge mûr, qui se ressemblaient tellement que je les pris pour des sœurs, voire même des triplées qui seraient nées à la même heure. L'essentiel de leurs préoccupations était l'énorme panier de provisions qu'elles avaient emporté avec elles pour le voyage, et elles se firent passer des cuisses de poulet, des tourtes de viande épicée, des radis salés et une gourde de bière, consommant le tout comme si elles ne devaient plus jamais manger de leur vie.

Après les avoir longuement écoutées engloutir, boire et mastiquer de concert et avec bruit, je me trouvai assailli par une faim terrifiante, et pris la liberté de leur rappeler qu'en France, la nourriture avait pour réputation d'être tout à fait abondante, variée et fort bien préparée. Mais elles me rappelèrent du bout des lèvres et avec des reniflements de dédain identiques que c'était « aussi bien d'avoir rempli son garde-manger avec de la qualité de chez nous ».

— Certes, et hélas moi-même je ne me suis pas préoccupé d'un quelconque garde-manger pour ce voyage vers Douvres, rétorquai-je en espérant obtenir d'elles une petite tourte, ou au moins une aile de poulet, mais elles préférèrent ignorer mon évidente détresse.

Tout ce qu'elles m'offrirent fut un radis, tellement amer qu'il m'occasionna un excès malvenu de bile. J'éprouvai aussitôt une forte antipathie pour ces femmes, tout en me sentant désolé pour celle qui les avait mises au monde.

Longtemps après minuit, j'entendis (étant la seule personne encore éveillée à l'intérieur du coche) le bruit de sabots approchant rapidement derrière nous. Notre véhicule se mit à vibrer et trembler tandis que le cocher faisait claquer son fouet sur les malheureux canassons peinant dans l'obscurité, les poussant à une sorte de galop. Mais l'autre cavalier se rapprocha de plus en plus, et pour finir j'entendis crier :

— Haut les mains ! Haut les mains ! Ou je vous fais passer de vie à trépas !

Et je sus que, malgré la bénédiction qui nous avait été donnée par le révérend, nous étions sur le point de perdre nos vies, nos vivres ou nos *livres* par la faute d'un bandit des grands chemins du Kent.

Le coche s'arrêta avec force hennissements des chevaux, des bruits déchirants et autres grincements des roues sur la route caillouteuse. Cet arrêt terrifiant et vacillant réveilla mes compagnons de voyage, qui regardèrent autour d'eux comme des enfants, encore moites de leurs rêves, en vaine quête de leur mère ou de leur gouvernante.

— N'ayez crainte. Ce n'est qu'un bandit des grands chemins, pour sûr ! dis-je avec un sourire.

Et je dois admettre que, à la lumière vacillante des lampes du coche, cela m'amusa de voir le choc sur tous les visages et d'assister à leurs tâtonnements soudains alors qu'ils tentaient de pousser leurs biens plus loin sous les sièges. L'une des triplettes lança avec violence son châle sur le panier à provisions, et le propriétaire terrien sortit de sa poche une grosse bourse qu'il tenta de glisser à l'intérieur de sa botte, mais sa jambe était trop grosse et le col de la bourse resta coincé en haut. Le prêtre arracha la croix qu'il portait au cou, non pour l'embrasser ou la supplier de nous envoyer une aide divine, mais pour la cacher sous sa chasuble parce qu'elle était en argent.

Je réfléchissais à ce que j'allais faire afin de sauvegarder ce que j'avais emporté, mais je n'avais pas caché grand-chose sur moi, tous mes biens (qui comprenaient quelques beaux habits neufs que je m'étais fait faire à Londres) étaient répartis dans deux valises montées avec tous les autres bagages sur l'impériale du coche. Et les bandits devant fuir au plus vite, je doutais qu'ils aient pour habitude de s'alourdir de malles et de boîtes. Ils ne spéculeraient que sur notre pécule.

Mais la lettre du Roi à Louis XIV, glissée dans la poche de ma redingote, me préoccupait quelque peu, sans elle, je n'avais aucune *entrée* en France, or je savais que la signature et le sceau du Roi pouvaient valoir un bon prix, quel que soit le document sur lequel ils étaient apposés. Je mis la main sur la lettre, comme si je la mettais sur mon cœur, et pourtant en même temps je me retrouvai à penser : « Si je ne puis aller en France, alors c'est ainsi et voilà tout. De toute façon, rien ne m'importe dans ma vie que le bonheur et la sécurité de Margaret, et d'entendre de temps à autre le rire d'approbation de mon souverain. » Et, sachant que ces pensées étaient on ne peut plus vraies, je compris soudain pourquoi je n'avais pas peur.

Peu après, la porte du coche s'ouvrit d'un grand coup et une étrange figure apparut, avec un chapeau lui tombant sur les yeux et un foulard ou cache-col noué sur le visage, si bien que ce dernier semblait se réduire à un nez et à rien d'autre.

Ce nez renifla l'air immonde à l'intérieur du coche où nous étions assis en victimes impuissantes, puis une main gantée plongea, tenant un fusil à pierre qu'elle pointa d'abord vers moi puis vers le prêtre, et enfin vers les triplées qui, revigorées par la bière et les tourtes, tentaient d'être courageuses et d'étouffer leurs cris.

On entendait une voix basse.

— Je vous demande humblement pardon, messieurs. Mesdames, acceptez mes excuses s'il vous plaît. Mais je traverse une mauvaise passe et je n'ai pas d'autres moyens pour vivre et payer mes dettes que de vous dévaliser. J'espère que vous me pardonnerez.

— Ah, chuchotai-je à l'intention du prêtre, dont je sentais le tremblement à travers tout mon corps, voici un bandit très poli et courtois.

— Qu'est-ce qu'il y a ? Qu'est-ce qu'il y a ? demanda la voix. Qui parle ? C'est vous, Sir ?

Je ne répondis rien mais vis le fusil à pierre pointé à nouveau vers moi.

— N'allez pas penser que vous pouvez m'échapper, fit la voix, et le nez renifla de droite et de gauche, sentant peut-être le poulet rôti ou les tourtes odorantes. La vie distribue ses cartes. Je suis désolé pour le dérangement. Donnez-moi juste votre argent. C'est tout ce que je demande. Ensuite je partirai, et vous pourrez continuer vers Douvres.

Personne ne bougea. Je voyais la bourse qui sortait toujours de la botte du propriétaire terrien, et quand mes yeux se dirigèrent vers elle, ceux du nez descendirent aussi, puis une autre main apparut qui l'enleva d'un geste vif. Le propriétaire terrien émit un petit cri de rage et le prêtre, voyant que notre bandit des grands chemins prenait sa profession au sérieux, se mit à bredouiller qu'il n'était qu'un serviteur de Dieu qui ne possédait rien.

— Je suis désolé, révérend, fit la voix, je déteste attirer l'attention d'un homme sur une erreur. Je ne doute pas que vous tentiez d'être honnête dans vos paroles, mais j'ai du mal à croire que vous ne possédiez *rien*. N'auriez-vous pas une croix autour du cou, par exemple ? Est-ce que vous ne préféreriez pas que je la prenne plutôt que d'enrouler la chaîne à laquelle elle est accrochée autour de votre gorge et de tirer dessus jusqu'à ce que vous ne respiriez plus ?

À mes côtés, le corps du prêtre tremblait tant à présent que j'entendais ses os cliqueter aux jointures ; peut-être est-ce la pitié que j'éprouvai à cet instant pour lui qui me fit annoncer :

— J'ai une bague, bandit ! C'est un saphir que m'a offert Sa Majesté le roi Charles pour racheter la fréquence avec laquelle il avait l'habitude de me battre au tennis. Je vous garantis qu'elle vaut plus que n'importe quoi d'autre dans ce coche, alors pourquoi ne prenez-vous pas ce bijou, dont vous pourriez tirer une centaine de *livres*, ou dix *pistoles*, ce qui vaut bien plus que votre propre *pistolet*, avant de partir en paix ?

J'enlevai le gant à ma main droite et j'étais sur le point de retirer le saphir de mon doigt quand un énorme bruit – l'on aurait dit le tonnerre de Jupiter – emplit l'air autour de nous. Je vis alors le nez, puis la tête à laquelle il appartenait disparaître sur le côté, suivis de la main et du fusil à pierre. Je sentis alors la puanteur du soufre, et la fumée âcre qui venait du feu d'un tromblon a pénétré par la porte ouverte du coche.

Les triplées laissèrent échapper leurs cris et le prêtre s'écroula sur la paille. Je me mis debout tant bien que mal, enjambai la forme allongée, et sortis dans l'obscurité. Le froid mordant de la nuit s'enroula autour de moi et la fumée du tromblon obstrua toute vision. Mais elle se dissipa vite, et je pus distinguer le cocher essayant de tenir les chevaux pour les empêcher de se cabrer et, à mes pieds, le corps du bandit, la tête emportée. Le garde, qui tenait le tromblon pointé vers le corps du voleur comme s'il se demandait si le fait de décapiter un homme était susceptible de ne pas le tuer tout à fait, était planté là, secouant la tête. Puis il donna un coup de pied au cadavre.

— Je ne peux pas les souffrir. Ces bandits sont de la racaille. Je les tue tous quand j'en ai l'occasion.

Je suis en mer à présent.

De ma petite cabine (tellement petite qu'elle me rappelle la pièce où j'habitais quand je travaillais à Whittlesea, ce qui, à son tour, me rappelle le placard à balais de Bidnold), je tente d'écrire à Margaret, mais après mes aventures dans le coche de nuit je me sens éreinté et mets ma lettre de côté pour aller poser la tête sur mon matelas de grosse toile et m'endormir profondément.

Je me réveille tard dans la matinée. Il fait très froid, mais la Manche est calme et l'oscillation du bateau, un brick transportant de la laine anglaise vers le port de Dieppe, est si douce que toutes mes peurs concernant cette traversée se sont envolées. Voilà que je me retrouve soudain épris de ce moyen de transport et me demande pourquoi je ne l'ai jamais essayé auparavant.

Je me lève et me promène sur le pont, fasciné par le vent paresseux qui gonfle nos voiles et nous pousse de l'avant. Je me sens très heureux d'être vivant plutôt que mort sur la route de Douvres, la tête emportée. J'ai vu nombre de morts dans ma carrière de médecin : morts de phtisie, morts de convulsions, morts par dépérissement, morts en couches, morts de la peste et morts par le feu. Mais jusqu'ici je n'avais jamais vu la tête d'un homme catapultée loin de son corps par un tromblon, et je ne pense pas l'oublier de si tôt.

Pourtant, je suis calme à présent. Ici, sur le grand océan, tout semble se réjouir d'exister : la lumière du soleil argente les vaguelettes et les ailes des mouettes blanches qui suivent notre trace et plongent dans notre sillage en quête de poissons. Les fanions colorés ondulant sur les têtes de mâts semblent nous annoncer avec fierté, nous, notre cargaison de laine et l'Angleterre. Et voilà mon cœur empli d'une joie patriotique ridicule.

Je me pavane tel un gros pigeon (je suis vêtu de gris), conversant sur tout et sur rien avec les marins, me moquant bien qu'ils me trouvent grotesque ou fou, regrettant juste que Margaret ne soit point à mes côtés pour ressentir ce que je ressens et se réjouir que ma mélancolie ait disparu quelque temps, remplacée par une envie soudaine de vivre.

Tout le temps que dure la traversée vers la France, je suis ébloui par un bonheur inattendu. Mais quand la côte française finit par apparaître, j'éprouve une montée de déception. Non que le petit port de Dieppe ne soit point accueillant. Mais le voyage m'a tellement accaparé que je découvre que j'ai remisé l'envie d'arriver.

Mon plan avait été de louer un attelage et de me faire conduire à Versailles sans plus attendre. Mais à peine ai-je débarqué que je sens le ciel s'obscurcir, ce qui me donne toujours l'impression que ma vue baisse graduellement alors qu'il ne s'agit que de la lente arrivée du crépuscule.

Ressentant le froid à présent, et départi de mon humeur joyeuse, je sais que je n'ai pas le cœur à négocier le prix d'un attelage, ni à supporter le long voyage jusqu'à ma destination sans quelques heures de sommeil. Afin de me pardonner cette fragilité, je réfléchis une fois de plus aux mots de Montaigne, qui insiste sur le fait que le bonheur d'un homme est déterminé par sa connaissance, acquise petit à petit, de *ses propres capacités*.

Je demande autour de moi l'adresse de n'importe quel logis à Dieppe où je pourrais trouver de la nourriture et un lit, et l'on m'indique ce que les Français appellent une *auberge*, une sorte d'hostellerie de type supérieur, où l'on me montre une jolie chambre. Une domestique, les cheveux ramenés en boucle sous son bonnet blanc, m'allume un feu, et je suis heureux que tout mon argent ne m'ait pas été dérobé sur la route de Douvres, ainsi puis-je lui glisser quelques *sous* de reconnaissance.

La pièce ressemble à une galerie : longue et étroite, elle occupe l'étage supérieur du bâtiment. Elle est assez grande pour accueillir quatre à cinq personnes, mais elle ne contient qu'un seul lit, recouvert de tissu en chenille, avec une quantité de livres entassés à son extrémité en une pile précaire. Parmi eux, l'admirable *De ratione communi omnium linguarum et literarum commentarius* de Théodore Bibliander, sur la façon dont la parole humaine nous distingue des animaux et, tout en haut, un exemplaire des *Fables* d'Ésope.

Il y a aussi un lourd bureau en bois, installé au milieu de la chambre comme sur une île invisible. Dessus, un encrier, une douzaine de plumes et quelques feuilles de parchemin, ainsi qu'un globe peint montrant tout ce que nous savons du monde. Près de la porte, un panier de cannes et une houppelande en cuir accrochée à un clou.

Je me dirige d'abord vers le feu pour me réchauffer, jusqu'à ce que je sente la fraîcheur quitter mes mains ; je prends alors une couverture sur le lit et m'enroule dedans afin de me réconforter. Puis je m'assieds au bureau et, trouvant que mon postérieur s'adapte très confortablement au fauteuil, je me dis que le fantôme d'un scribe réside ici pour sûr, comme s'il s'agissait d'un homme qui, à mon image, écrivit jadis l'histoire de sa vie et la glissa sous son matelas parce qu'elle était dénuée de valeur. Et cette idée réchauffe mon corps et mon cœur autant que la couverture.

Je fais monter du vin et une assiette d'huîtres. J'entends au loin la mer se briser sur les côtes de France.

Ma très chère Margaret, écris-je,
Me voici à présent embarqué dans ce grand et exotique voyage que j'ai entrepris. Pourtant, ne va point t'imaginer que, dans mon éloignement, je ne pense pas aux macareux...

5

Mon voyage en coche jusqu'à Versailles fut long, et tandis que j'avançais sur la route grise que n'éclairait pas le moindre soleil, avec ici et là de pauvres villages et des taudis éparpillés, il m'était difficile, à voir autant de misère autour de moi, de croire que je me dirigeais vers la grande énormité que le Roi m'avait décrite. Mais je me rappelai ensuite qu'il y a deux interprétations au mot « énormité » : la première est « immensité », la seconde est « erreur ».

Sa Majesté avait demandé dans sa lettre que je sois logé et nourri au château, mais au fil des heures lasses, je pris conscience que tout reposait sur le fait de déposer ma lettre entre les mains du roi Louis, et ce que je savais du fonctionnement de Whitehall suffisait à me rappeler que les *solliciteurs* en quête de faveurs et porteurs de lettres auxquelles ils sont accrochés comme à des petits radeaux sur un océan battu par les vents se retrouvent souvent à attendre des jours durant sans nourriture ni eau dans les corridors royaux (l'on raconte, mais je n'en ai pas été un témoin direct, que certains ont attendu si longtemps qu'ils sont *morts* là, et ceci me paraît si pathétique que cela ne peut éveiller d'autre réaction qu'une irrépressible hilarité).

Je sentis qu'on approchait du palais et tentai d'éliminer de mon esprit toute pensée pessimiste. Le premier signe qui attira mon attention fut un grand bruit de martèlements et de pilonnage. J'ouvris la vitre du coche et il se fit assourdissant, je sentis l'air saturé de poussière et cela se mélangea à une puanteur marécageuse. Puis nous atteignîmes la source de tout cela : une plaine allant s'évasant, dans laquelle une grande quantité de tailleurs de pierre s'échinaient sur des blocs de granit et de marbre blanc tandis que des charpentiers coupaient du bois, et que le lourd produit de leurs travaux était chargé sur des carrioles, elles-mêmes tirées par des chevaux et des mules.

Cette plaine s'étendait loin vers l'horizon à l'est et à l'ouest, et elle offrait partout le spectacle de ce pénible labeur. Il devait y avoir cinq cents hommes et une centaine de chevaux répartis sur un sol semblant si humide que les roues des carrioles s'enfonçaient parfois dedans ; les efforts des animaux pour les faire avancer étaient pitoyables à observer. Dieu soit loué, je n'avais jamais vu de champ de bataille, mais c'est l'effet que la scène me fit, comme si le sang s'était mélangé à la terre pour l'alourdir. Et partout traînaient des objets cassés et mis au rebut : échelles, roues, fûts, ainsi que des chevaux immobiles embourbés, peut-être morts.

Bouche bée, je regardais bêtement ce spectacle. En vérité, il me semblait que ce qui s'étendait devant moi était les arcanes de l'esprit du roi Louis. Bien que Versailles soit déjà auréolée d'une gloire universelle, de toute évidence il désirait qu'elle soit plus grande encore. Il n'en avait point encore terminé avec la nature mais, à l'image des empereurs romains, il continuait de la lacérer afin d'en extirper d'inimaginables merveilles.

Je me souvins des trente-six mille âmes ayant déjà contribué par leur labeur à l'entreprise, et me demandai à combien pouvait se monter ce chiffre à présent, jusqu'où il monterait et combien avaient déjà péri. Et je songeai à la chance que j'avais de vivre ma vie de relative aisance en Angleterre plutôt que de m'abîmer les muscles à l'approche de l'hiver comme tailleur de pierre ici, dans une plaine noire et malodorante.

Je détournai la tête et examinai ma lettre une fois de plus. Au-delà de la plaine, il y avait une pente raide, que mon attelage grimpa laborieusement, et puis, oh, le grandiose et magnifique palais était là devant moi. J'admets en avoir eu le souffle coupé. En un instant les souffrances des tailleurs de pierre s'évanouirent. Tout s'évanouit. Parce qu'il y avait ici un agencement de bâtiments comme je n'en avais jamais vu. J'ai du mal à le décrire avec des mots simples. Le mieux est encore de dire que l'ensemble semblait presque *couler* en un merveilleux ordre horizontal, et ses couleurs de brique rose et de pierre crème s'élevaient en un accord harmonieux, comme s'il était apparu là non grâce à un quelconque architecte, mais grâce à un compositeur de musique. Même le soleil était complice de ce chant de magnificence et de beauté, perçant les nuages gris et baignant les bâtiments d'une douce lumière hivernale, si bien que les toits en ardoise brillaient comme de l'étain et que le verre de milliers de vitres était teinté de l'éclat du diamant, comme les notes aiguës d'une flûte.

J'aurais pu souhaiter que l'endroit fût désert, afin de pouvoir entendre sa musique jouée pour moi seul, ou bien qu'il soit un simple tableau devant lequel je pourrais m'arrêter afin de l'admirer dans un silence muet. Mais alors que nous approchions, mon coche se retrouva entouré d'une multitude de gens, surtout des pauvres n'osant entrer par le portail extérieur et se contentant de vendre leurs marchandises à la criée ou d'effectuer de petits tours de foire comme marcher sur des échasses ou exécuter des cabrioles, histoire d'obtenir quelques *sous* des courtisans passant par là.

Mon cocher se fraya un chemin à travers cette petite foule comme s'il s'était agi d'un troupeau d'oies, faisant chuter un homme de ses échasses, qui vola dans la poussière, puis nous entrâmes dans la première vaste cour, la *place d'Armes*, construite sur des remparts et qui confère au palais un espace et une grandeur supplémentaires.

Une fois entrés là, c'était comme si nous venions de pénétrer dans une ville tant nous nous sentions enveloppés. L'on absorbe alors une succession de façades ornementées qui semblaient s'étendre jusqu'à l'infini ou tout comme. Au-delà de ces façades, le monde cesse un instant d'exister. Sur deux grandes lignes, montant la garde devant le portail au-delà duquel se trouvent les appartements du Roi, se tiennent les Gardes suisses en uniforme dont les rangs se déplacent d'un pas irréprochable et lent au roulement sourd de vingt ou trente tambours.

Le coche s'avança jusqu'au portail, où des sentinelles munies de hallebardes nous barrèrent la route, sentinelles qui devaient avoir été choisies pour leur regard sombre et furieux et la largeur de leur carrure. Je descendis du coche, un peu raide, courbé, poussiéreux et sentant la paille, puis je sortis ma lettre. Elle était déjà quelque peu froissée et salie par le voyage (avec une petite craquelure dans la cire du sceau à présent horriblement visible), et les sentinelles examinèrent ce document sans grand enthousiasme, comme s'il se fût agi d'un cadavre de souris, puis me le rendirent. L'on m'informa sur un ton péremptoire que mon coche ne pouvait aller plus loin.

— Messieurs, répondis-je dans le meilleur français que je pus articuler après toutes ces heures passées sur la route, regardez bien. Ceci est le grand sceau de Sa Majesté le roi Charles II d'Angleterre. Cette lettre contient son souhait formel que l'on m'accorde une audience immédiate avec Sa Majesté le roi Louis, à qui je suis venu proposer mes services...

— Le Roi n'accorde pas d'audience immédiate, répondit la plus grande des sentinelles. Veuillez, je vous prie, vous diriger vers le Grand Commun, là-bas, où l'un des surintendants vous expliquera les formalités *ad hoc* concernant les solliciteurs étrangers.

Le Grand Commun s'avéra être l'imposant bâtiment à trois étages à droite de la cour, avec nombre de fenêtres et une foule de gens entrant et sortant par deux portes. Je n'eus d'autre choix que d'obéir à la sentinelle, remontant avec difficulté dans le coche afin qu'il me conduise à l'une des portes avec mes valises, où je descendis enfin pour de bon.

Je payai le cocher et le remerciai. Il fit faire demi-tour aux chevaux et s'apprêtait à repartir quand je levai la main et l'agitai dans sa direction avec tristesse – l'on aurait dit l'enfant d'un pauvre hère déposé sur les marches d'un orphelinat. Et quand il eut tout à fait disparu, je sentis se presser tout autour de moi le grand monde de Versailles, sur le point de m'emporter dans son tourbillon et de me conduire vers ses mille et une merveilles, alors qu'en fait il me bousculait, me souffletait et se montrait d'une très grande indifférence, si bien que je ne sus alors vraiment point, en cet instant, que faire ni vers où me tourner. Je regrettais juste de ne pas être plus jeune, plus souple, avec un cœur plus exalté que le mien devant la grande aventure dans laquelle je m'étais embarqué.

Abandonnant là quelque temps mes lourdes valises, au risque de me les faire voler, j'entrai dans le Grand Commun, tournai à gauche le long d'un couloir et, ouvrant la première porte sur laquelle je tombai, fus soulagé de me retrouver dans une énorme cuisine où quinze ou vingt chefs préparaient un festin imminent. L'air était embué à cause de deux gros chaudrons de soupe posés sur une cuisinière noircie d'où sortait une odeur de poireaux et d'oignons en ébullition, et la cuisine résonnait du bruit des cris et du badinage des chefs à l'œuvre.

N'ayant point mangé depuis de nombreuses heures, je louchais autour de moi avec envie, remarquant à présent quantité de poulets et de lapins tournant sur une broche, ainsi que de douces et délectables pâtisseries mises à refroidir sur une plaque de marbre.

Ôtant mon chapeau, je saluai les chefs et dis dans mon français inélégant :

— Bonjour, messieurs. J'arrive de l'Angleterre, un émissaire de mon Roi.

Un ou deux cuisiniers levèrent la tête pour me dévisager. Les autres se contentèrent de poursuivre leur travail. Personne ne dit mot.

— Je vous en prie, excusez mon intrusion en plein travail, poursuivis-je. Mais je dois admettre que je suis un peu perdu. Et que j'ai un peu faim.

Entendant cela, l'un des chefs jeta un voile en mousseline sur les pâtisseries vers lesquelles il avait vu mes yeux s'égarer (ma main ne saurait tarder), puis il s'essuya le front avec un coin de son tablier et me lança :

— Partez, monsieur, s'il vous plaît. Nous n'avons pas le temps de parler à des inconnus.

— Ah, je comprends. Mais si l'un d'entre vous pouvait avoir l'amabilité de me dire... L'on m'a conseillé de me mettre à la recherche des surintendants du Grand Commun...

Posant son épaisse main humide sur mon bras, ce chef me repoussa vers la porte par laquelle j'étais entré et tendit le doigt vers un escalier au bout du couloir.

— Surintendants au-dessus, dit-il. Pas dans les cuisines.

Je passai l'heure suivante à arpenter les couloirs du Grand Commun, où la pierre du rez-de-chaussée était remplacée, au premier étage, par du bois ciré, d'immenses tapisseries accrochées entre les fenêtres et les bustes de marbre, et où les statues omniprésentes étaient d'une blancheur resplendissante, comme si elles venaient d'être livrées de l'atelier du sculpteur.

Mais il était difficile de regarder quoi que ce soit de près, parce que le moindre espace un peu conséquent était engorgé de gens : des hommes et des femmes habillés à la dernière mode de Paris, j'imagine, et qui viciaient l'air avec leurs parfums capiteux et la poudre de leurs perruques, sans parler des étranges substances chimiques utilisées par les femmes pour se dessiner des mouches sur le visage.

Je déambulai parmi eux, sourire aux lèvres, comme si j'étais un vieil habitué du bâtiment, alors qu'en réalité je n'avais pas la moindre idée de là où j'allais, de qui je cherchais précisément, ni où pouvaient bien se trouver mes valises abandonnées.

Au bout de quelque temps, je remarquai que certains des courtisans me lançaient de drôles de regards, quand un homme vêtu d'une redingote de satin couleur corail me donna une légère chiquenaude sur l'épaule avec le pouce et l'index, puis rit avant de détaler. Ses compagnons se retournèrent alors, m'observèrent, et leurs rires se joignirent au sien. Je baissai les yeux sur ma personne, pour voir si de la boue ou de la paille pouvaient être encore accrochées à mes vêtements, mais ils me semblèrent propres, donc je poursuivis mon chemin sans comprendre. Mais s'il y a bien une chose que je déteste, c'est que les autres se rient de moi sans raison apparente. Je ne crains pas d'être la cible d'une plaisanterie, ce qui m'arrivait souvent à Whitehall mais, pour en profiter, il convient que je connaisse le sujet de la plaisanterie en question.

La faim me tourmentait. J'étais sur le point de redescendre dans les cuisines pour y supplier les chefs de me donner un bol de soupe, lorsqu'une vieille chouette gentille, une curieuse coiffure de dentelle noire sur la tête et le pas lent et majestueux, m'emmena auprès de l'un des surintendants du bâtiment.

Je me sentais épuisé et chancelant, prêt à sombrer dans une sorte de folie, et m'agrippai à ce surintendant avec toute la force du désespoir. Parce qu'il me semblait que, à Versailles, dès que l'on pénétrait dans les bâtiments, le chaos intérieur était le pendant de l'ordre exquis des façades. Incapable de donner un sens à quoi que ce soit, je me tins serré contre cet homme tel un *desperado* sur le point de l'enlever, devinant que seul un homme se faisant appeler surintendant pouvait alléger le lourd fardeau de confusion qui m'écrasait.

— Monsieur ! m'écriai-je en tendant la main une nouvelle fois vers ma lettre et en la lui donnant, je compte sur vous pour m'aider.

— Qui êtes-vous ? demanda l'homme en se dégageant avec adresse de ma main posée sur son bras.

Je lui déclinai mon identité avec autant de calme que je pus, me proclamant avec panache chevalier Robert Merivel, au cas où « Sir » ne représenterait rien pour lui, puis j'attirai son attention sur le grand sceau apposé sur la lettre. À mon immense consternation, il le rompit sur-le-champ.

— Ah, non ! m'écriai-je. Non, monsieur ! Cette lettre est destinée au seul Roi !

Le surintendant n'accorda pas la moindre attention à ma détresse, se contentant d'approcher la lettre de son visage et de la lire. La lettre était brève, mais sa lecture sembla lui prendre de longues minutes. Puis il leva les yeux et me dévisagea, l'air incrédule.

— Médecin ? dit-il. Vous êtes médecin ?

— Oui, et j'ai eu la grande chance d'être au service de Sa Majesté bien-aimée, le roi Charles. Qui me recommande donc afin que je puisse exercer...

— Vous ne m'avez pas l'air d'un médecin.

— Pourtant, j'en suis bien un. Et depuis de nombreuses années. J'ai une formation en anatomie de Cambridge...

À ce moment-là, une cloche au loin sonna cinq heures et le surintendant fourra promptement ma lettre dans mes doigts, sans s'excuser d'en avoir brisé le sceau, et fit mine de partir. Mais je tendis la main et lui attrapai à nouveau le bras avec fermeté.

— S'il vous plaît, monsieur, fis-je, je vous en supplie, dites-moi où je puis loger. Mon voyage fut long et je suis fort fatigué.

— Je suis désolé, mais je dois vous laisser, *Sir*. L'on m'attend ailleurs. Et de fait je suis déjà en retard, la cloche vient de me le signaler. Quant aux logements, vous devrez tenter votre chance dans les étages supérieurs. Il y a beaucoup de monde à Versailles en ce moment, comme vous pouvez en juger. Le mieux pour vous est d'offrir à quelqu'un de le payer pour qu'il accepte de partager un petit coin avec vous.

— Comment ? Que voulez-vous dire par « un petit coin » ?

L'homme haussa ses minces épaules.

— C'est ce que vous trouverez de mieux. Ici, même un marquis doit parfois dormir dans un couloir.

Il fait nuit à présent.

Je suis allongé sur un lit de fortune, de guingois dans une chambre froide, en haut. Un voile en tissu m'offre un peu d'intimité, mais le reste de la pièce est occupé par un horloger hollandais à qui j'ai donné trois shillings pour partager sa pièce et son pot de chambre. Il est étendu sur un lit étroit et ronfle comme un pourceau.

J'ai ouvert mes valises – que j'ai fini par retrouver là où je les avais laissées – afin de me procurer une chemise et un bonnet de nuit, que j'ai enfilés, mais je n'ai pas le moindre endroit où accrocher mes habits ni poser mes quelques affaires, juste ce coin dans une très petite pièce sous les combles du Grand Commun.

Je tombe dans une sorte de sommeil fluctuant et suis réveillé presque aussi vite, ou du moins c'est ce qui me semble, par la faim qui ronge un ventre passé de l'état d'attente à l'état d'agonie, douleur si féroce que j'en pousse un cri. Et je pense soudain qu'il s'agit là du genre de faim que Will Gates endurerait si je le chassais de Bidnold et je sais alors que je ne pourrai jamais en arriver là, à aucun prix et quoi qu'il m'en coûte. Et je me jure de tenir cette promesse.

Mon esprit retourne une fois de plus aux cuisines tout en bas. L'horloger m'a informé que la nourriture qui y est préparée est destinée en totalité aux grands appartements, où le Roi et sa cour en consomment de grandes quantités.

Aucun des habitants du Grand Commun n'est nourri, le Roi estimant cette dépense trop élevée.

— Et comment sommes-nous supposés survivre ? demandai-je.

En guise de réponse, le Hollandais (dont la peau est très rose et saine mais dont la mâchoire semble occupée en permanence par le grincement de ses molaires inférieures contre les supérieures) ouvre une caisse de bois qu'il a apportée avec lui et me montre son contenu, composé de quantité de pots de confiture et de sacs de flocons d'avoine. Voilà sa nourriture, m'informe-t-il. Et il boit l'eau des fontaines du jardin. Dix jours durant il a tenté d'obtenir une audience avec Mme de Maintenon, la maîtresse et confidente du Roi, parce qu'il est un lointain cousin de son époux, le poète Scarron, et qu'elle est supposée être grande admiratrice d'horloges hollandaises, mais à ce jour elle n'a pas eu « le loisir » de le recevoir.

— J'essaierai de nouveau demain, ajouta-t-il. Et le jour d'après.

Je n'ai ni confiture ni flocons d'avoine, et je ne puis décemment en dérober au Hollandais. Mais voilà qu'en plus de la faim je souffre à présent d'une soif terrible, et je sais que je ne puis rester allongé ici un instant de plus. Je dois essayer de trouver de quoi manger et boire.

J'enlève mon bonnet de nuit que je remplace par ma perruque. J'enfile par à-coups mes culottes tachées, ma redingote poussiéreuse et mes bottes, fort usées pour avoir tenté de garder mes pieds par terre dans le coche cahotant et incliné.

Armé d'une chandelle, je sors dans le couloir, obstrué ici et là par des hommes endormis sur des paillasses identiques à celles sur lesquelles les fous dormaient à Whittlesea. Je les enjambe et, après moult tâtonnements et quelques mauvaises bifurcations, je me retrouve à nouveau au rez-de-chaussée, face à la porte des cuisines.

Je tourne la poignée. Une délicieuse odeur de viande rôtie y traîne encore, et je me vois déjà, d'ici quelques instants, avec une cuisse de lapin froide qui fera taire la douleur dans mon estomac. Mais la porte de la cuisine est fermée.

Je m'assieds sur place dans le froid couloir de pierre et me frotte les yeux. Je me fais la réflexion qu'il n'y a qu'à Whittlesea où j'ai souffert d'une faim comparable, et même là-bas il était en général possible de se procurer un bol de gruau ou de porridge, misérable festin.

Le simple fait de penser à Whittlesea m'évoque des images de mon ami décédé. J'ai toujours été gourmand, mais Pearce a vécu sa courte vie en mangeant si peu que je me suis souvent demandé comment sa peau tenait sur ses os. Une fois que je l'interrogeais là-dessus sur le ton de la plaisanterie, il me répondit avec simplicité : « Ne sois pas idiot, Merivel. »

Comme toujours, ce souvenir de Pearce me calme un peu, et je lui chuchote : « Que dois-je faire, Pearce ? Nul doute que je serai mort au petit matin... »

Dans ma tête, j'entends son rire croassant. Il me reprochait souvent d'être un grand exagérateur, et de prétendre que ma destinée était encore et toujours pire que ce qu'elle était. À présent, je l'imagine me disant : « Pense aux gens devant le portail extérieur, Merivel. Pense à l'homme tombé de ses échasses quand ton coche lui a foncé dessus. Peut-être s'est-il cassé un bras ou la clavicule, et alors qui lui viendra en aide, et où posera-t-il la tête ? Tu as une chambre et un lit de fortune, mais où dormira-t-il ce soir, lui, si ce n'est sur la terre froide ? »

Et puis je vois que cette pensée m'a rendu un fier service. Parce que je me souviens qu'au milieu de ce rassemblement de pauvres, il y avait des vendeurs de pain et de pois en saumure. Et je me dis que bien que l'on soit au cœur de la nuit, peut-être sont-ils toujours là et susceptibles d'être réveillés pour me vendre quelques-unes de leurs maigres victuailles.

Mais entre moi et cet espoir de nourriture se trouve la grande étendue de la place d'Armes, et la seule idée de la traverser dans le froid et l'obscurité pour finir par découvrir que les colporteurs ont tous disparu m'emplit de détresse. « Je suis un minable, me dis-je, et il me faut rester dans cet état-là jusqu'au petit matin un point c'est tout. »

Mais voilà que soudain, comme si j'y étais encouragé par le fantôme de Pearce, je me lève et je sors. Des rangées de Gardes suisses, immobiles au clair de lune, leurs ombres serrées projetées sur les silex de la place telles des statues tombées à terre, endurent une garde glaciale. Et tandis que j'avance en tremblant, je me demande combien de choses dans la vie relèvent de l'endurance et de rien d'autre. Je pense alors à Margaret en Cornouaille et prie pour qu'elle dorme dans un lit bien chaud.

Devant la grande grille, tout est désert et silencieux. Agrippé aux barreaux, je regarde de l'autre côté, à la recherche d'une personne endormie par terre, que peut-être je ne verrais pas. J'appelle doucement en faisant tinter les quelques pièces trouvées dans la poche de ma redingote. Mais rien ne bouge.

Je suis sur le point de tourner les talons et de m'acheminer vers mon lit de fortune – si je parviens à retrouver la chambre où il est – lorsque j'entends le cliquetis de roues et l'ébrouement d'un cheval. J'attends et je regarde. Tirée par une grande jument, une lente carriole finit par apparaître, dans laquelle je distingue deux silhouettes féminines pelotonnées et enveloppées dans des châles.

Et puis je reconnais le bruit : ce lourd attelage arrivant bien avant l'aube aux grilles du palais, c'est la carriole du laitier.

Je n'aurais jamais imaginé le lait pouvant se parer à mes yeux d'une telle beauté et me procurer un tel émerveillement. Je paye pour une chope remplie à ras bord et servie par l'une des filles de laiterie. Le lait est crémeux et frais, rafraîchi par l'air nocturne, et je le bois avec toute la joie et la satisfaction d'un bébé suçant le sein de sa mère. Puis j'achète une seconde chope et l'avale d'un trait aussi, et les laitières emmitouflées dans leurs houppelandes de laine me dévisagent en souriant.

6

J'ai bien arrangé mon coin de la chambre du Hollandais en bougeant mon lit de quinze centimètres vers la gauche ; ainsi puis-je accrocher certains de mes habits avec des pinces à linge de fortune et mes bottes peuvent s'aérer.

Je vis de pois en saumure, de pain et de lait que j'achète aux pauvres vendeurs devant les portes et, tout comme le Hollandais – il s'appelle Jan Hollers –, je bois de l'eau aux fontaines. Généreux, Hollers m'a prêté une assiette et une cuillère en bois et nous nous asseyons côte à côte sur son lit pour engouffrer des portions de pois et de flocons d'avoine dans nos bouches voraces.

Je me fais alors la réflexion que, à la cour la plus riche du monde (et malgré une lettre du roi d'Angleterre), je vis comme un misérable, un paradoxe qui me pèse et me fait rire tout à la fois. Je tente de m'accrocher à ce rire comme à une arme contre la mélancolie. Car je ne vois pas comment ma fortune pourrait changer de si tôt, et l'idée de retourner dans le Norfolk avec le terrible fardeau de l'échec sur mes épaules me semble quelque peu difficile à envisager.

Hollers m'a conseillé les seuls moyens de présenter ma lettre au roi Louis. Il semble n'y en avoir que trois :

1. Je dois me mettre en quête, si je le puis, d'un certain M. Bontemps, le valet de chambre en chef du Roi. « Si Bontemps vous prête son oreille, alors le Roi vous prêtera la sienne », m'explique Hollers. Mais il a beau m'avoir décrit

à quoi ressemblait Bontemps, aisément repérable dans la cohue entourant le monarque grâce à sa petite perruque bouffante, je ne suis point encore vraiment parvenu à poser les yeux sur lui.

2. À huit heures du matin, quand le Roi quitte l'appartement afin d'assister à la messe dans la chapelle, je dois m'arranger pour être dans le coin de la salle des gardes proche des portes de l'appartement. Parce qu'ici, le roi Louis a pour habitude de faire une pause et de recevoir une ou deux requêtes d'un des courtisans dans la foule.

« J'ai entendu dire qu'il était gracieux. Et que, quoi qu'il promette, il tient sa promesse, ou bien la fait exécuter », m'apprend Hollers.

J'informai ce dernier que je ferais une tentative, et il grinça des molaires en signe d'approbation. Mais le premier matin où je devais m'exécuter, je dormis trop tard. Et les matins suivants, après avoir brossé ma perruque et secoué les plis de ma meilleure redingote puis fait briller avec de la salive les boucles de mes chaussures et m'être dépêché vers la salle des gardes, tout cela avant que la cloche ne sonne huit heures, voilà que je découvre une vaste foule déjà rassemblée, gens pressés tels des animaux en cage dans le coin et se poussant les uns les autres de façon odieuse dès que les portes s'ouvrent et que le Roi s'avance, lui qui poursuit alors son chemin sans jeter le moindre regard dans ma direction.

Néanmoins, cela me permit d'enfin l'observer. Il n'est pas aussi grand ni aussi beau que mon maître, le roi Charles. Mais son allure est pleine de dignité et il se tient droit et posé, comme s'il était sur le point d'entamer une gavotte formelle. Son nez est très long.

3. Vers l'heure du déjeuner, c'est-à-dire aux environs de onze heures trente, le roi Louis aime souvent (mais ce n'est pas systématique) se promener dans la galerie des Glaces, l'une des pièces les plus somptueuses de Versailles puisqu'elle ne possède pas moins de dix-sept fenêtres et plus de cent

miroirs. Il semblerait que là l'on puisse parfois l'aborder. J'essayerai donc en temps et en heure. Il me semble néanmoins que, pour le moment, je manque de courage. Parce que si je devais subir ici une rebuffade, ce rejet serait chose publique et horrible et je n'aurais d'alternative que de faire mes valises et de reprendre la route pour Dieppe.

De nombreuses journées se sont à présent écoulées. Je n'ai fait aucun progrès dans mes tentatives pour retenir l'attention du roi Louis, mais je suis heureux de dire que Mme de Maintenon a convoqué M. Hollers ce jour même.

Hollers a revêtu sa meilleure redingote en batiste et pris dans ses mains, où il la tenait avec une tendresse enfantine, la très jolie petite horloge enveloppée dans un tissu en feutre qu'il avait apportée de Hollande comme échantillon de son travail.

Je lui demandai si je pouvais examiner cet objet avant qu'il ne se mette en route pour sa grande mission. Je ne connais rien aux horloges, mais j'étais néanmoins en mesure d'admirer son cadran fort délicat et les aiguilles en laiton, fabriquées avec la beauté la plus simple. Je ne pus néanmoins m'empêcher de revoir Hollers ronflant sur son lit, se gobergeant de confiture, épouillant sa perruque, grinçant des dents, pétant et chiant dans notre pot de chambre commun, ce qui effaça soudain l'adorable symétrie de l'horloge.

Et je me dis que l'on devrait faire l'effort d'éviter de juger la sensibilité d'un homme à l'aune de ses habitudes quotidiennes, ou à l'état de ses vêtements. Afin de racheter mes grossières pensées, je confiai à Hollers :

— Mon bon ami, je ne comprends pas pourquoi, avec un travail de cette qualité, vous avez éprouvé la nécessité de venir en France. Vos compatriotes ne vous commandent-ils pas assez d'horloges ?

Hollers entreprit d'envelopper une fois de plus l'horloge dans le feutre, la pliant et la repliant un nombre infini de fois.

— Peut-être est-ce la malédiction de notre époque, mais avoir une petite réputation en Hollande ne m'a point semblé suffisant, m'expliqua-t-il. Il semblerait que je ne vive que pour *désirer davantage*. Si Mme de Maintenon devient ma protectrice, je déménagerai mon affaire à Paris et je deviendrai célèbre.

Je lui souhaitai bonne chance mais, une fois l'homme parti, mon cœur se mit soudain à craindre pour lui. Avoir enduré une vie de confiture et de flocons d'avoine aussi longtemps pour, au bout du compte, repartir les mains vides, me parut tout à coup une lamentable perspective et je me trouvai à prier que cela n'ait point lieu.

Mentalement, je suivis Hollers, se dirigeant avec nervosité vers les appartements de Mme de Maintenon. Je ne l'avais entrevue qu'une fois : c'était une femme corpulente d'âge mûr, sans beauté particulière, toujours vêtue de velours noir. De réputation je la savais fort intelligente et pleine d'esprit, ce qui lui attachait le Roi. Rien ne m'indiquait cependant si elle était susceptible d'être émue ou non par une délicate horloge hollandaise.

Je m'assis sur le lit de Hollers, où l'on voyait encore le creux laissé par son corps. Je tentai d'imaginer ses rêves devenant réalité : l'enseigne au-dessus de sa boutique à Paris, près de la Seine, avec la lumière de la rivière tremblotant sur le laiton étincelant des innombrables aiguilles et pendules.

Tandis que défilaient secondes et minutes, je réfléchis sur les efforts de l'homme pour représenter ou « capturer » le temps, et je vis comment, pour des horlogers comme Hollers, la matière même avec laquelle ils tentent de travailler était un ennemi capricieux et sans cœur, les volant tout du long et sans répit.

Quand Hollers revint, il faisait presque noir dans notre petite chambre. Il entra et s'assit sur mon lit de fortune puis se frotta les yeux.

— Eh bien, Hollers ? Comment cela s'est-il passé ? Madame a-t-elle pris l'horloge contre son cœur ? Votre avenir est-il assuré ? lui demandai-je en me levant.

Hollers laissa échapper un long soupir et tendit la main vers la boîte contenant les flocons d'avoine et la confiture. Il l'avala cuillerée après cuillerée, secouant la tête en même temps.

— Je ne sais pas si j'y survivrai, Merivel, finit-il par lancer.

— Que voulez-vous dire ?

— Regardez cette confiture. Elle baisse.

— C'est ma faute. J'en ai trop mangé.

— Non, non. Vous avez partagé vos pois avec moi. Mais combien de temps chacun de nous peut-il survivre ?

— Donc Mme de Maintenon n'a pas admiré l'horloge ?

— Elle a dit qu'elle trouvait son cadran « très joli ». Mais elle a souligné qu'elle ne jugeait rien sur terre en fonction de son apparence et que je devrais attendre quelque temps (elle ne m'a pas dit combien), durant lequel elle verrait si les mécanismes de l'horloge étaient précis. Elle souhaite que l'heure indiquée ne dévie pas de plus d'une minute par jour, en avance comme en retard, par rapport à l'heure donnée par la grande horloge de la chapelle. Selon elle, si elle n'observe pas « l'heure de Dieu » elle ne lui sera d'aucune utilité.

— Je vois, mais je note quelques failles dans ce raisonnement, mon ami. Et si votre horloge était *plus précise* que la lourde horloge de la chapelle, avec tous ses puissants échappements et roues dentées ? Comment pourrait-elle s'en assurer ?

— Elle ne le pourrait pas. Selon elle, l'horloge de la chapelle est l'arbitre infaillible du temps et elle n'admettra jamais que son mécanisme puisse être défectueux. Ma pendule doit sonner en même temps, ou je suis perdu.

Nous n'eûmes point d'autre choix que de laisser s'écouler d'autres jours encore, durant lesquels l'agitation de Hollers devint fort tangible et ne fut soulagée un temps que par notre bienheureuse découverte, tôt un matin, de bains publics derrière le pavillon des Gardes suisses, où nous plongeâmes nos corps crasseux et puants dans ses eaux fumantes, nous savonnant et nous rinçant avec une joie enfantine.

Je tentai de persuader Hollers que cette propreté soudaine signalerait un changement de nos destinées, mais l'angoisse du Hollandais diminua juste pendant notre bain, et aussitôt que nous sortîmes dans l'air froid, il se voûta en signe de désespoir.

Quant à moi, je choisis ce moment pour enfiler le plus beau costume que j'avais apporté (d'une douce et flatteuse couleur taupe, et orné de coûteuses soutaches argentées) et tenter ma chance en arpentant la galerie des Glaces. Je brossai ma perruque avec sincérité et tendresse (comme s'il s'était agi de mon petit épagneul de retour d'une chasse à la truffe dans le parc de Bidnold), déposai une touche discrète de rouge sur mes joues, pris ma canne et me mis en route.

Dans la galerie des Glaces, le soleil brillait à travers chacune des dix-sept fenêtres et rebondissait sur la centaine de miroirs, si bien que l'on avait l'impression d'être emprisonné à l'intérieur d'un énorme diamant, dont la luminosité fit couler mes yeux. Je tentai de marcher avec élégance, imitant les grandes enjambées du roi Charles (bien que mes jambes soient un peu plus courtes et mon profil plus replet), mais n'obtins en retour qu'une succession de regards hilares de la part des autres courtisans se promenant là.

Rentrant le ventre, et sur un qui-vive permanent, guettant l'éventuelle perturbation qui signalerait l'apparition du roi Louis, je poursuivis ma flânerie, mais je trouvai mon chemin résolument barré par un groupe de dandys qui m'entourèrent et qui, dans une synchronisation mystérieuse, se mirent à rire de moi.

L'un des élégants me gratifia de cette chiquenaude sur l'épaule dont j'avais déjà fait l'expérience, tandis qu'un autre s'enhardit au point de se baisser et de m'attraper le genou.

— Messieurs, pourquoi me retenez-vous avec une telle impudence ? Je vous en prie, expliquez-moi ce qui ne va pas, leur demandai-je.

— Ah, dit l'un, vous voulez dire que vous ne savez pas ?

— Non. Je crains que non.

— Il ne sait pas ! hurla l'homme qui me tenait la jambe. Il doit venir d'un autre pays ! Peut-être de la lune !

D'autres rires résonnèrent autour du diamant et rebondirent sur son millier de facettes. Je tendis les mains en signe de capitulation.

— Je vous en prie, éclairez-moi. Quel *faux pas* ai-je commis ?

Le groupe des dandys me traîna alors sans cérémonie devant un miroir, où ils se plantèrent autour de moi.

— Regardez-vous, dirent-ils en chœur. Et puis regardez-nous. Ne voyez-vous pas la *grave* énormité dont vous êtes coupable ?

Je me regardai, ainsi qu'on me l'avait ordonné. En dépit de mes récentes ablutions, je vis tout de suite que je ne donnais pas une impression de santé rayonnante. Mon teint était cireux, mes yeux un peu rouges et ma perruque terne, en dépit de mes efforts d'embellissement. Mais je compris vite que ce n'était pas mon visage qui préoccupait ces messieurs, mais plutôt mes épaules et mes genoux.

Avec une hilarité renouvelée, ils déclarèrent mes épaules *nues*. Je remarquai alors sur leurs magnifiques atours de grosses grappes de rubans cousues dans la couture de l'épaule et tombant en cascades élégantes jusqu'aux coudes. Ma redingote n'avait pas de rubans du tout. Bien qu'avant de quitter l'Angleterre, j'aie demandé à ce qu'elle soit exécutée par un tailleur renommé dans St. James's Street à Londres, cet excellent homme n'avait pas eu l'idée de mettre des rubans là où les dandys français avaient décrété qu'il devait y en avoir. Le mot « ruban » n'avait effectivement jamais été évoqué dans ma conversation avec lui.

Quant à mes genoux, je voyais à présent qu'autour de la jambe de chaque courtisan m'entourant dans la galerie des Glaces, entre la couture au bas des culottes et le bas en soie, était entrelacée une sorte de collerette en satin, apparemment connue sous l'appellation de *canon*. Et mes pauvres jambes étaient *nues*, elles aussi, sans les moindres canons en vue, avec des genoux qui, à mes yeux perçants, ressemblaient soudain aux articulations noueuses et tournées vers l'extérieur de mon serviteur, Gates.

— Je suis désolé, vous arrivez d'Angleterre si j'en crois votre accent irritant, lança l'un des courtisans moqueurs. Nous compatissons. Mais ici, en France, tout le monde sait que l'on ne peut tout bonnement pas se montrer en société, et encore moins *à la cour*, sans des canons. Nous vous recommandons vivement de consulter votre tailleur.

Un tailleur ? J'avais envie de protester : « Où vais-je dénicher un tailleur dans ce tohu-bohu, alors que je ne parviens même pas à trouver de la nourriture correcte pour sustenter le corps sur lequel mes habits doivent être accrochés ? » Mais je vis combien cette remarque me donnerait l'air pitoyable aux yeux de ces élégants bien nourris, alors je dis à la place :

— Ah ! Comme je suis sot. Hier encore l'on m'a livré une paire de canons – d'un merveilleux bleu-vert superbement assorti à cette redingote couleur taupe – mais j'ai oublié de les mettre.

— Eh bien, si j'étais vous, je ne reviendrais pas me promener ici sans avoir effectué les ajustements nécessaires en termes de canons et de rubans de manches, dit un autre. Quant à la couleur taupe, elle n'est pas à la mode cette saison-ci bien sûr. Versailles est le centre du monde, monsieur « l'Eeenglish-man ». Le Roi souhaite que notre apparence extérieure contribue en permanence à faire l'honneur de la France, et cela vaut aussi pour les étrangers.

Ils s'éloignèrent de moi.

Resté seul, je fixai mon reflet inadéquat qui, sous cette lumière impitoyable, semblait me montrer chacune de mes cinquante-sept années plus quelques autres en prime, et pourtant – en dépit de cela et de l'humiliation vestimentaire tout juste subie –, je remarquai encore dans mon comportement une désinvolture obstinée, ce qui m'offrit une mince occasion de réjouissance.

J'aperçus alors – dans le miroir – une femme debout derrière moi. Comme elle tenait un éventail, je fus incapable de voir tout son visage, mais je pus néanmoins deviner qu'elle souriait.

Avant que je puisse me retourner, elle s'approcha de moi et dit, dans un anglais mélodieux mais avec un accent :

— Excusez-moi, monsieur, mais je n'ai pu faire autrement que d'entendre ce qui vient de se passer. Les gens à la cour sont fort grossiers. Ils se sentent obligés de l'être, je crois. Ils voient cela comme l'un de leurs nombreux devoirs sur la route menant à l'ascension sociale. Laissez-moi m'excuser à leur place, je vous prie.

Je me retournai pour saluer une inconnue qui me semblait avoir dans les quarante-cinq ans, vêtue d'une robe en soie bleu foncé très seyante, bien que modeste. Je vis tout de suite que son sourire possédait une beauté tranquille.

— Merci, madame. C'est fort aimable à vous de vous intéresser à mes défauts ! Je vais m'atteler à y remédier, si je le puis. Mais permettez-moi de me présenter. Sir Robert Merivel, du comté du Norfolk, dans l'est de l'Angleterre.

Elle me fit une petite révérence, son éventail voletant pendant ce temps contre sa joue.

— Je suis ravie de faire votre connaissance, Sir Robert, dit-elle. Je suis madame de Flamanville. Mon époux est colonel dans le régiment des Gardes suisses.

— Ah, les Gardes suisses ! Quelle inoubliable impression ils m'ont faite. Une telle discipline dans les rangs. Un tel stoïcisme alors que les nuits sont froides. Et la délicatesse des tambours...

— Oui. Je les trouve émouvants aussi : autant d'instruments ensemble qui produisent un son aussi feutré. Et pourtant, peu de gens le remarquent. J'en ferai part à mon mari. Je m'inclinai à nouveau. Mme de Flamanville avait à présent éloigné son éventail de son visage et je fus frappé de voir combien ses yeux noisette étaient clairs et vifs.

— Concernant les rubans et les canons..., ajouta-t-elle avec une hésitation, pour ma part je considère que c'est une sorte de folie que de mettre l'accent sur de tels objets. Mais si, à la réflexion, le fait de ne pas en avoir sur votre costume par ailleurs admirable commence à vous fâcher, je connais un tailleur parisien très adroit qui pourrait ajuster votre redingote et confectionner les canons, pour un prix très raisonnable.

— Merci, madame, merci de vous soucier de moi...

J'étais à court de mots, ne sachant que répondre de plus à cette suggestion de faire appel à un tailleur parisien. Me vinrent alors à l'esprit les images affligeantes de la pièce partagée avec Hollers, ainsi que les misérables repas avec lesquels nous nous maintenions en vie, et je pris conscience que durant ce court séjour à Versailles, je m'étais fort éloigné du genre de normalité qui pouvait inclure une visite à un couturier parisien.

Il n'est point impossible que mon visage ait été assombri par ce torrent de pensées, car Mme de Flamanville s'approcha de moi et posa la main sur mon bras avec douceur.

— Mon coche va à Paris mercredi, m'annonça-t-elle. Je suis à Versailles pour être auprès de mon époux, mais j'avoue trouver la cour dénuée de toute stimulation intellectuelle. Vous êtes peut-être à présent au courant que la seule préoccupation des personnes ici présentes, ce sont les cancans royaux, surtout quand ils ont trait à leur propre ascension sociale. Aussi m'échappé-je à Paris, où nous avons une maison, aussi souvent que je le puis. Je serais ravie de vous offrir une place dans le coche.

Je plongeai mon regard dans ses clairs yeux noisette. Je tentai de lire les pensées de madame, mais son regard était tellement fixe que je ne sus que penser. Néanmoins, quand sa main toucha mon bras, je me rendis compte que c'était si agréable que l'idée de parcourir la vingtaine de kilomètres nous séparant de Paris en sa compagnie me rendit soudain fou de joie. Pourtant, je me surpris à répondre bêtement :

— Oh, madame, c'est fort aimable de votre part, mais je ne puis accepter.

À ce moment-là il y eut une agitation dans la pièce et, aux yeux de tous ici présents, qui se tournèrent soudain dans la même direction, il fut clair que le Roi était entré dans la Galerie. Mme de Flamanville se tourna également et, à mon grand étonnement, nous vîmes tous deux le roi Louis et sa cour avancer à grands pas directement vers l'endroit où nous nous trouvions.

Il portait une magnifique redingote or et écarlate. Posée sur son visage charnu, doté d'un long nez, sa perruque aussi était dorée, et perchée de manière audacieuse. Chaussé de talons légèrement surélevés afin de lui offrir plus de hauteur, les pieds tournés vers l'extérieur et le dos fort droit, il avait l'allure d'un danseur beau et réservé.

Il s'arrêta devant nous et Mme de Flamanville plongea pour sa révérence, tandis que je me pliais en deux pour en effectuer une ainsi qu'elles étaient pratiquées à Whitehall il y a longtemps, mais que maintenant, avec un dos récalcitrant, je trouvais un peu difficile à exécuter.

— Cette chère madame de Flamanville, Nous sommes toujours heureux de vous voir à la cour, s'exclama le roi Louis. Mme de Maintenon est une fervente adepte de votre conversation. Elle se dit entourée d'ignares ! Rendez-lui visite ce soir à six heures, je vous prie. Et apportez votre broderie. Ainsi que vous le savez, elle aime s'occuper les mains tout en parlant.

— Je n'y manquerai point, Sire, répondit Mme de Flamanville. Avec grand plaisir. Dites à madame, je vous prie, que j'en serai ravie. En attendant, puis-je vous présenter Sir Robert Merivel d'Angleterre...

Je me préparai à articuler d'humbles mots d'appréciation appropriés au fait que le souverain daigne baisser les yeux sur moi, mais avant d'avoir pu libérer mon corps de son douloureux hommage, je vis que le Roi avait poursuivi sa route, et qu'il était à présent accaparé par ce cercle de dandys m'ayant affligé plus tôt.

Bien qu'intérieurement déçu, je voulus rassurer Mme de Flamanville que ce passage péremptoire ne signifiait pas que, dans ma préoccupation antérieure pour ma perruque, mes habits, *et cetera*, j'avais oublié de mettre la lettre du roi Charles dans ma poche. Mais alors même que j'ouvrais la bouche, je pris conscience que toute la vaste galerie des Glaces était devenue silencieuse et que l'unique son que l'on percevait était le chuchotement séducteur du roi Louis, murmure de ceux qui savent qu'ils seront encore et toujours entendus.

Nous subîmes ce silence pendant un bon moment, comme si le temps lui-même s'était arrêté, ce qui me rappela soudain et une fois de plus le dilemme de Hollers. Je décidai à l'instant même de tenter de l'aider et, une fois le Roi sorti de la Galerie et le temps normal ayant repris son cours, je me risquai à questionner Mme de Flamanville :

— Puisque vous allez rendre visite à Mme de Maintenon ce soir, madame, puis-je vous demander une petite faveur pour le compte d'un ami ?

— Ah, fit Mme de Flamanville en détournant la tête avec un soupir, *les faveurs*. De nos jours, c'est un mot que j'en suis venue à prendre en grippe.

— En effet..., bégayai-je. Non, en effet. Ou peut-être voulais-je dire « oui, en effet ». Quoi qu'il en soit, vous avez tout à fait raison. Je vous en prie, n'y pensez plus.

— L'ennui avec les faveurs, voyez-vous, me répondit-elle en tournant à nouveau son regard dans ma direction, c'est que la réciprocité s'impose. Si je vous en accorde une, comment allez-vous me payer de retour ?

Le regard qu'elle m'adressa était provocant et pourtant je détectais à présent, aux coins de sa bouche, la naissance d'un sourire qu'elle entreprit de réprimer.

— Je ne sais pas, madame, répondis-je sans conviction. Mais je m'exécuterai. Demandez-moi ce que vous voulez. Peut-être pourrais-je m'autoriser à vous confier que je tiens de sa majesté le roi Charles une éprouvante leçon concernant les promesses à honorer. J'en ai rompu une que je lui avais faite, et le prix à payer fut horriblement élevé et de longue durée. Depuis ce moment-là, j'ai toujours tenté d'être honnête et vrai dans toutes mes entreprises.

— Vraiment ? « Honnête et vrai » ? C'est extraordinaire ! Car, regardez un peu autour de vous, Sir Robert. Combien de gens « honnêtes et vrais » voyez-vous dans la Galerie, je vous le demande ?

Mon regard s'éloigna à regret du doux visage de Mme de Flamanville et embrassa la foule composée de courtisans pommadés et de dames mouchetées scintillant dans la lumière transparente.

— Eh bien, je subodore une fidélité absolue à leurs aspirations et à leurs désirs, lui répondis-je.

Le sourire était à présent radieux et Mme de Flamanville m'effleura le menton de son éventail dans un geste de provocation.

— Vous me plaisez, Sir Robert, lança-t-elle. Alors maintenant, je vous prie, dites-moi quelle est cette faveur. Je suis dans les bonnes grâces de Mme de Maintenon et elle présente ce rare atout à Versailles d'être une femme de parole.

Je lui racontai l'histoire de l'horloge de Hollers. Je ne lui décrivis pas les conditions sordides dans lesquelles lui et moi vivions en ce moment, mais mentionnai juste son angoisse face à la longue attente à endurer avant de savoir si son travail était accepté ou non. Je poursuivis en disant que, à mon œil de néophyte, l'horloge était un ouvrage rare, d'une grande beauté, et que je priais pour que Mme de Maintenon pense peut-être de même.

— Je comprends tout à fait. Espérons que l'horloge hollandaise soit à la même heure que Dieu et que votre M. Hollers obtienne le parrainage souhaité. Je me renseignerai pour lui.

— Merci, madame, fis-je, exécutant une fois de plus une révérence quelque peu ridicule. Je vous en suis très reconnaissant.

— Eh bien, la gratitude est un sentiment admirable, bien sûr, mais *tiens*, à ce propos, j'ai trouvé le parfait moyen pour vous de me retourner cette faveur.

— Dites-moi ce que cela pourrait être, et je ferai de mon mieux…

— Mon attelage partira pour Paris de la place d'Armes à neuf heures mercredi matin. Je vous y attends.

7

À Paris, les de Flamanville habitaient un adorable hôtel particulier bâti en pierre dans le faubourg Saint-Victor, tout près de l'entrée du Jardin des plantes (ou Jardin du roi) créé par le père du monarque français, le roi Louis XIII.

— La maison est grande, m'expliqua Mme de Flamanville tandis que le coche pénétrait dans une allée circulaire et que je voyais des domestiques élégamment vêtus plantés en rang d'oignons pour nous saluer, donc vous séjournerez ici, bien sûr, Sir Robert.

Je ne protestai pas. S'il y avait bien une chose que j'avais apprise lors du très agréable voyage depuis Versailles, c'était que Mme de Flamanville, prénommée Louise (me rappelant, non sans délices, « Fubbs », la maîtresse du roi, qui portait le même nom), était une femme habituée à ce qu'on ne lui résiste pas. J'en déduisis qu'elle avait peut-être été la fille d'un père gâteux (comme Margaret) ou que le colonel de Flamanville était un époux gâteux, lui aussi, ou bien un homme faible, ou encore les deux à la fois.

Mais j'avais remarqué que si Mme de Flamanville souhaitait parvenir à ses fins, c'était aussi parce que son esprit était fort vif et s'intéressait à tout ce qui l'entourait. L'éducation qu'elle avait reçue, pour l'essentiel en Suisse où elle était née, avait été selon ses propres termes « suffisante », mais au fur et à mesure du voyage, elle me fit l'impression d'avoir été bien plus que cela.

Elle parlait quatre langues, dont le latin. Elle composait de la musique. Elle connaissait les Écritures, « suffisamment pour marcher la tête haute dans un couvent, si cette destinée devait jamais m'échoir ». À l'image de Margaret, elle s'enflammait pour la géographie. Mais elle me confia que ce qui lui procurait le plus de satisfaction, c'était l'étude des plantes médicinales et de leurs propriétés, et dans l'hôtel du faubourg Saint-Victor, elle avait aménagé pour elle-même « un petit laboratoire – avec des fenêtres pouvant s'ouvrir en grand en cas d'explosion ! – dans lequel je pratique une sorte de chimie amateur ».

Vous pouvez imaginer le ravissement que cet aveu me procura. Cela me permit de parler de ma connaissance intime du laboratoire du roi Charles à Whitehall et de mon propre intérêt, en ma qualité de médecin, pour les remèdes naturels ; j'allai même jusqu'à mentionner mon défunt ami, John Pearce, et son prophylactique contre la peste à base de racine de bouton d'or, dont je fis usage et qui me sauva de la mort en 1666. Et, juste comme je l'espérais, ces révélations de notre intérêt et de notre savoir communs créèrent un lien entre nous, un lien tel que je déclare n'en avoir jamais ressenti de pareil avec une femme auparavant.

Avec, en toile de fond, une froide pluie hivernale qui rendait lugubre la morne campagne autour de nous, nous entretînmes une conversation des plus tonifiantes durant les longs kilomètres nous séparant de Paris, si bien qu'à notre arrivée j'étais conscient que mes joues étaient surchauffées et que mon cœur battait à tout rompre.

Une fois à l'hôtel, on me fit entrer dans une grande et confortable chambre à coucher, avec une large chaise percée cachée derrière un rideau. La vue de cet objet, sans parler de l'apparition dans ma chambre d'un grand broc d'eau chaude, faillit me faire monter aux yeux des larmes de gratitude.

La même domestique qui avait apporté l'eau m'informa ensuite que le dîner serait servi à sept heures. Et ceci aussi – le fait d'imaginer avec délices un repas qui ne consisterait pas de pois et de confiture – me noua la gorge, à tel point que je faillis éclater en un de ces sanglots qui incommodaient tant Will Gates et qui avaient usé d'innombrables mouchoirs au fil de ces années si vite écoulées.

Une fois que j'eus fait ma toilette et choisi l'habit à porter pour le dîner, lavé, secoué, houspillé et brossé ma perruque jusqu'à ce qu'elle retrouve miraculeusement son éclat et son lustre d'antan, je m'assis devant une petite table en bois de cerisier et entamai la lettre suivante :

À : Mlle Margaret Merivel,
Aux bons soins de Sir James Prideaux, baronnet,
Mevagissey,
Cornouaille

Ma chère Margaret,
Ton papa négligent t'envoie toute son affection doublée de ses vœux les meilleurs et te prie de l'excuser pour l'absence de tout courrier depuis son arrivée à Dieppe.

Son séjour à la cour de Versailles a été quelque peu difficile à cause du grand nombre de gens présents là-bas, et je ne suis point encore parvenu à obtenir un poste parmi les médecins du Roi.

Mais ne t'inquiète pas pour moi. J'ai eu, il y a peu, la bonne fortune de faire la connaissance d'amis délicieux, le colonel et Mme de Flamanville, et je suis à présent leur invité à Paris.

Tout ce que je puis voir de la ville est ordonné et superbe, avec les allées et les parterres du Jardin du roi s'étendant à mes pieds, pour ainsi dire, allées où j'espère me promener demain et où l'on me dit qu'un ours en captivité attend d'être transporté dans la ménagerie du Roi à Versailles.

Donc, comme tu le vois, je suis entouré de merveilles. La mélancolie dont j'ai souffert il y a peu et qui t'a tant alarmée, ma chère Margaret, a tout à fait disparu je crois. Je regrette juste que tu ne sois pas avec moi, sinon nous aurions pu aller rendre visite à l'ours ensemble, et j'aurais pu tenir ta main dans la mienne.

Pendant ce temps, je pense à toi, à Mary et aux autres qui empruntez vos sentiers parfumés jusqu'à la mer et qui constituez de petites collections de minuscules coquillages, aussi lisses que les doigts d'un bébé...

J'avais imaginé que, lors du dîner, Mme de Flamanville et moi-même serions seuls et pourrions poursuivre notre conversation animée, mais ce ne devait pas être le cas, et j'eus quelque peine à réprimer ma déception.

Nous fûmes rejoints par la sœur du colonel, Mlle Corinne de Flamanville, vieille fille vivant ici à demeure aux bons soins de son frère, et dont il apparut qu'elle n'aimait pas s'éloigner de Paris, « à cause de ma grande crainte de me perdre ».

C'était une femme très mince d'environ mon âge, toute de noir vêtue, édentée, si bien que prendre un repas en sa compagnie s'avérait un passe-temps dangereux, entre la nourriture volant de sa bouche dans des directions fort lointaines et sa conversation qu'il était impossible de suivre (mes propres manières à table, dont ma femme se plaignait avec vigueur, semblaient, je crois, impeccablement coordonnées en comparaison).

Je souhaitais néanmoins me rendre agréable à Mademoiselle. Les vieilles filles éveillent en mon cœur une sorte d'angoisse terrible, car je sais que leurs vies sont amères. Elles ne possèdent rien hormis leurs âmes.

Ne sachant pas vraiment quel sujet aborder, je lui dis que je m'intéressais beaucoup à sa crainte de se perdre, parce que parfois je souffrais du même souci et avais trouvé que Versailles, par exemple, était un lieu prêtant à la désorientation.

Mlle Corinne me dévisagea avec stupéfaction.

— Qu'a-t-il dit ? Quelle langue parle-t-il ? demanda-t-elle à Mme de Flamanville.

À ces mots, je ne pus réfréner un éclat de rire. J'étais incapable de regarder Mlle Corinne, qui avait un morceau de panais mou accroché tel un ver à sa lèvre inférieure pendante, mais je regardai dans la direction de Louise (car c'est ainsi que je la nommerai à partir de maintenant) et je la vis rire aussi.

— Veuillez excuser mon horrible français, réussis-je à dire à Mlle Corinne, supprimant du mieux que je le pouvais le tumulte qui m'habitait. Je sais qu'il est fort inélégant. Préféreriez-vous que je parle en anglais ? J'ai été très impressionné de voir combien nombre de vos compatriotes comprennent cette langue.

— Je n'ai pas la moindre idée de ce dont il parle, répondit Corinne. Il est flamand ? A-t-il un nom flamand ? Ces gens-là sont toujours impossibles à comprendre.

— Il s'enquérait juste de votre répugnance à quitter Paris, lui expliqua Louise. Il comprend vos peurs. Il dit qu'il y a de nombreux endroits où l'on est susceptible de se sentir perdu.

— De nombreux endroits où l'on est susceptible de se sentir perdu ? Mais quelle remarque idiote ! Je lui ai dit que je n'allais *pas* dans ces endroits-là. Je reste dans le faubourg Saint-Victor. De quelle ville est-il ?

— Il vient d'Angleterre, répondit Louise. Il est médecin, et il habite en Angleterre.

— Médecin ? Vous avez dit médecin ? Il ne ressemble pas à un médecin.

— Ah, voilà qui est très intéressant, m'aventurai-je à placer. Et comment devrait être un médecin, selon vous ?

Mlle Corinne s'essuya la bouche, ôtant enfin de notre vue le panais en forme de ver qui tomba sur ses genoux, prit sa lorgnette et me dévisagea des pieds à la tête au travers des verres nacrés.

— Plus mince, répondit-elle.

Ce commentaire suscita en moi un nouvel éclat de rire que je fus incapable de réprimer. Après qu'ils eurent bataillé

avec une admirable grouse rôtie, je posai couteau et four-
chette à regret et cachai mon visage dans ma serviette de
table ; mon gloussement désespéré emplit l'air de la salle à
manger. Et, hélas pour Mlle Corinne de Flamanville, mon
rire était diablement contagieux et Louise fut vite submer-
gée par une hilarité aussi ingérable qu'irrépressible, de celle
qui manque de vous faire tomber de votre chaise.

Absolument consternée, Mlle Corinne nous fixa du regard
l'un et l'autre. Puis elle lança sur un ton sec au maître
d'hôtel debout près de la chaise de Louise :

— C'est le vin, Bertrand. Il les a transformés en hyènes.
Ne leur servez pas une goutte de plus !

Peut-être était-ce le vin, mais le stimulant voyage, l'excellente grouse et la vue d'un lit propre contribuèrent à
mon épuisement une fois la nuit tombée. J'avais espéré finir
ma lettre à Margaret, mais j'étais juste bon à m'habiller
pour la nuit et à grimper entre les draps de lin pour m'abandonner ensuite au doux sommeil que je sentais approcher.
Fermant les yeux, je me dis que cela faisait bien des années
que je ne m'étais point senti aussi heureux.

La nuit m'offrit un repos merveilleusement épicurien, et
quand je me réveillai, un peu après huit heures, je trouvai
mon cœur empli d'une joie soudaine.

Après le petit déjeuner, Louise me demanda si j'avais
envie de visiter son laboratoire et j'acceptai volontiers.

Ce dernier occupait une étroite pièce, avec deux grands
plateaux de marbre qui couraient de chaque côté le long
des murs. Au-dessus des tables, sur des étagères en bois bien
entretenues, étaient empilés moult petits bocaux d'apothicaire étiquetés avec soin et possédant, je le vis tout de suite,
des éléments aussi forts qu'instables : arsenic, calomel ou
encore céruse.

— Mon Dieu ! m'exclamai-je. Vous avez ici des poisons
à foison. Vos connaissances sont-elles à la hauteur de leurs
exigences ?

— Point du tout, me répondit Louise du tac au tac. Mais j'apprends. De temps en temps je suis autorisée à regarder les expériences pratiquées dans le laboratoire du Jardin du roi, qui se situe juste de l'autre côté du portail là-bas. Au départ, les chimistes ne souhaitaient pas ma présence à cause de mon sexe. Mais je leur ai expliqué : « On nous tient à distance. Même nos sentiments sont supposés suivre un schéma fixe et immuable. Mais pourquoi ne pourrais-je pas juste assister à vos expériences ? Quel danger y a-t-il à cela, à part que mon admiration pour vous ne croisse !

» Certains grommelèrent que cela pouvait être "mauvais pour mon esprit", et, selon un autre, cela risquait de me "transformer en sorcière, comme l'infâme La Voisin", mais pour finir ils m'acceptèrent, à la condition expresse que je ne fasse aucun commentaire et que je n'essaye jamais de participer à la moindre expérience. Ils ne pouvaient néanmoins pas m'empêcher de me ruer ici ensuite et de noter ce que j'avais vu. Et c'est ainsi que j'ai commencé à apprendre...

Tout en parlant, les mains nerveuses de Louise glissaient pourtant avec tendresse le long de la table, examinant les bocaux, les alambics et les paniers d'herbes à sécher, ainsi qu'un aquarium grouillant d'escargots. Je la regardais avec beaucoup d'attention, me faisant la réflexion que je n'avais sans doute jamais rencontré de femme comme elle, mélange aussi délicieux d'esprit et de sérieux. Et je me rendis compte que chaque moment passé en sa compagnie était devenu ensorcelant.

— Maintenant, lança-t-elle en faisant une pause au bout de l'une des tables où plusieurs pots identiques formaient une petite pyramide, je vais vous montrer ma seule réussite.

Elle déboucha l'un des bocaux et me le tendit. Je le pressai contre mon nez et l'odeur me rappela sur-le-champ cette époque trouble de mon ancienne vie, lorsque je m'étais essayé au travail d'artiste avant de l'abandonner par désespoir.

— Un baume pour les plaies, m'expliqua Louise. Efficace aussi sur les brûlures. Mon cuisinier s'est brûlé la main et mon baume l'a guéri en deux jours !

— Bravo. Je devrais en emporter en Angleterre pour mon cuisinier, Cattlebury, qui s'est si souvent brûlé qu'on le croirait tout juste échappé du bûcher.

Louise sourit et poursuivit :

— Longtemps j'ai eu du mal avec les proportions des ingrédients, mais maintenant elles sont correctes. Il y a du suif de mouton, de la cire d'abeille, de l'huile essentielle de térébenthine, des feuilles de plantain bouillies une heure sur des charbons, jusqu'à l'obtention de la réduction que l'on désire. La cire a fondu très lentement, puis la réduction et l'huile ont été ajoutées à feu très doux. La difficulté semblait être d'obtenir un baume assez mou pour pouvoir l'appliquer une fois refroidi. C'est le cas à présent. Plongez donc votre doigt dedans.

Je pris un peu du baume, que je frottai sur le dos de ma main.

— Qu'en dites-vous ? En votre qualité de médecin, vous savez bien que nombre de baumes ont une odeur rance, mais pas celui-là, si ?

— Non. Son odeur est très fraîche. La térébenthine...

— Oui. Je l'ai ajoutée comme parfum. Les vertus médicinales sont contenues dans la cire et le plantain, mais pour moi le parfum est important. Permettez-moi de vous offrir ce pot.

Après l'avoir remerciée, je levai les yeux vers Louise et toute mon admiration pour elle se lut sûrement sur mon visage, parce qu'elle soutint mon regard l'espace d'une seconde puis détourna vite les yeux. « Une femme comme Louise de Flamanville agit comme un baume sur la vie d'un homme, c'est certain », me dis-je. Par lents degrés la vie inflige ses blessures à ce dernier, et elle les guérit.

Elle me montra d'autres préparations sur lesquelles elle travaillait, notamment une lotion pour « masquer ou réduire la puanteur des aisselles ».

— Ah, voilà qui est fort nécessaire à Versailles !

— Tout à fait, Sir Robert. Saviez-vous que Mme de Montespan sentait très mauvais ?

— Non, je l'ignorais.

— Peut-être que ma lotion l'aurait empêchée de tomber en défaveur, qui sait ? Mais elle n'est pas encore au point. J'utilise du vin blanc, de l'eau de rose et des graines de roquette sauvage. Je les ai d'abord mis à bouillir dans un alambic en verre, afin de pouvoir observer leur limpidité ou leur trouble, mais mon feu était trop vif, mon alambic a explosé et j'ai été entaillée par des éclats de verre brûlant !

— Oh, mon dieu ! Vous auriez pu être aveuglée.

— En effet, mais ce ne fut point le cas. Et, étonnamment, je n'ai pas souffert du tout. En fait, cela m'a plutôt plu. Car j'ai été frappée par l'idée que ces chocs et ces retournements étaient ce que subissaient les *vrais chimistes*, et que maintenant je pouvais me compter comme étant des leurs.

Elle me tendit une fiole contenant le résultat de cette préparation et je la reniflai avec prudence, comme les connaisseurs de vins reniflent leurs chères libations.

— Qu'en pensez-vous ? demanda-t-elle. Il faut que ce soit fort, mais pas au point que la lotion elle-même sente plus mauvais encore que la sueur et la saleté. Les graines de roquette limiteront la transpiration, c'est prouvé, et le vin et l'eau de rose ont des propriétés nettoyantes, mais...

— Mettez de la citronnelle. N'ajoutez pas plus de quelques feuilles bouillies. Ainsi vous aurez une teinture qui tiendra plus longtemps.

— Ah, de la citronnelle ? Je n'y avais pas pensé. Quel plaisir d'avoir un aide laborantin aussi compétent.

Malgré le froid, c'était une belle journée de décembre qui se préparait, et lorsque nous quittâmes le laboratoire pour aller marcher dans le Jardin du roi, le soleil conférait aux allées soignées et aux parterres de plantes aromatiques un air éclatant de beauté hivernale.

Louise et moi étions presque seuls dans les jardins, ouverts à un public trié sur le volet.

— Les chimistes royaux m'autorisent à prendre de temps à autre des feuilles ou des brins pour mes propres petites expériences, m'expliqua Louise, et, quand nous tombâmes sur un parterre de citronnelle, dont la saison hivernale avait émoussé la fraîcheur depuis longtemps, elle se baissa pour ramasser une poignée de tiges déchiquetées, qu'elle me tendit.

Ce faisant, elle me lança :

— Pour avoir lu quelques-uns de ses articles qui circulent en France, je ne comprends pas grand-chose à Newton, mais l'on m'a expliqué le principe de la diffraction de la lumière en spectre grâce à un prisme, et je trouve cela tout à fait extraordinaire. Je suis attirée par la distinction qu'il fait entre l'hypothèse, qu'il dit être de la « pure spéculation », et la théorie, qui a subi l'examen de la preuve. Dès que j'eus compris cela, je sus que je devais suivre son exemple et ne rien affirmer concernant mes composants tant que je n'avais pas la certitude de leur efficacité. Ma seule preuve est la guérison.

— Tout à fait. Mon ami John Pearce était fort pointilleux sur cette question-là, en écho à son héros, William Harvey, qui basait tout sur la dissection et l'observation plutôt que sur les autorités anciennes. Pearce me dit un jour que ma tendance à émettre des hypothèses le rendait malade.

— Ah. Votre « tendance à émettre des hypothèses ». C'est toujours le cas ?

— Moins. Mon esprit entre toujours en ébullition de temps à autre à cause de suppositions et de questionnements, car sinon l'on ne tenterait jamais rien de nouveau. Mais à bien des égards, je crois que je ressemble de plus en plus à Harvey.

— Ah bon ? Et de quels égards s'agit-il ?

— Eh bien, par exemple, Harvey adorait l'obscurité. Il avait fait creuser des grottes près de sa maison dans le Surrey, où il prenait plaisir à s'asseoir et méditer. Je n'ai pas été jusque-là, car je ne suis pas très épris des créatures qui vivent dans ces grottes, chauves-souris, serpents, etc., mais quand je suis seul dans ma demeure du Norfolk, j'aime rester dans la pénombre sans allumer ni lampe ni chandelle. De cette façon, je sens parfois mon esprit devenir très calme, ce qui me permet alors de voir avec clarté ce qui auparavant était flou.

Louise pressa un peu plus de citronnelle dans ma main et m'observa de près. La lumière du soleil hivernal étincela sur sa joue, qui, malgré ses quarante-cinq ans, était fort lisse et d'une couleur olive très pâle. Je dus me faire violence pour ne pas me pencher en avant et y poser mes lèvres. À la place, j'approchai mon bouquet de tiges de citronnelle de mon nez et inspirai leur vague parfum.

— Elles sentent encore un peu le citron, dis-je.

— Tant mieux. Nous ferons bouillir les tiges et nous verrons ce que la réduction ajoute à ma teinture. Lorsque votre fille s'absente chez des amis, vivez-vous seul ou avez-vous une épouse dans votre demeure du Norfolk, Sir Robert ?

Je gardai le silence. Je trouvais la compagnie de Louise de Flamanville si agréable que je fus tenté à l'instant, dans la froide lumière du Jardin du roi, de lui raconter toute l'histoire de mon mariage avec Celia et de son annulation quelques années plus tard après avoir retrouvé les faveurs du Roi. Mais je savais aussi que cet épisode de ma vie avait surtout l'art de me faire paraître importun et ridicule, aussi je me retins.

— Je n'ai pas d'épouse. Elle a quitté ce monde il y a longtemps. De temps à autre, le Roi me rend visite, avec une partie de sa cour et de nombreux chiens, ce qui me vaut d'être emporté dans un tourbillon de sociabilité, une fois de plus. Mais je suis seul une grande partie de l'année.

— Je vois, murmura Louise, et nous poursuivîmes notre promenade.

Nous traversâmes une allée de platanes dont les grandes feuilles étaient tombées, ce qui découvrait leurs branches ornées de gousses pendantes semblables à des bijoux ternis. Et ce fut à ce moment-là que nous prîmes tous deux conscience d'un bruit étrange, un hurlement lamentable, signe d'une grande détresse. Suivant l'allée jusqu'au bout, nous tournâmes à gauche vers une pelouse herbeuse et vîmes devant nous un bien triste spectacle.

Dans une cage carrée faite de branches d'orme, un grand ours brun était debout sur ses pattes arrière qui griffait le bois en pleurant comme un loup. Sa mâchoire ouverte laissait voir une langue écumante et desséchée, et le son qui sortait de sa gorge était plus désespéré qu'aucun jamais entendu de ma vie.

Nous nous arrêtâmes et le regardèrent. Louise tendit la main pour me toucher le bras et je la pris dans la mienne.

— Je connais son ultime destination, me confia-t-elle.

— Moi aussi. La ménagerie de Versailles.

Nous nous figeâmes, la détresse de l'animal nous faisant suffoquer ; sa terreur était tangible, ainsi que son chagrin, tandis que tout ce que nous pouvions éprouver dans nos gorges était sa soif.

Je sentis la main de Louise trembler dans la mienne. Je la tins plus serrée contre moi et, pour tenter de l'apaiser, je me lançai très doucement dans l'histoire de l'un de mes voisins du Norfolk, un certain nobliau du nom de Sands, qui fouetta le cheval de trait qui tirait sa charrue avec un tel acharnement que ce dernier mourut de ses blessures.

— Sands n'avait pas d'argent avec lequel acheter une autre monture, poursuivis-je. Toute une saison durant, ses champs furent livrés aux mauvaises herbes. Mais quand il vit que s'il ne plantait pas son blé et ses légumes, il allait mourir de faim, il n'eut d'autre choix que de s'atteler lui-même à la charrue. Et je le vis dans sa condition de cheval, épuisant son cœur et ses poumons afin de labourer son propre sol. L'espace d'un moment, j'eus pitié de lui. Mais je me souvins de ce qu'il avait fait subir à son cheval et mon cœur se vida de toute pitié en un instant.

Louise resta immobile et silencieuse un moment. Puis elle se retourna pour me faire face, mit ses bras autour de mon cou et m'embrassa.

8

Vingt-quatre heures s'écoulèrent qui furent remplies d'incidents et de sentiments forts.

Autour d'un déjeuner d'huîtres dans une admirable auberge – Louise et moi nous léchions les doigts avant de les essuyer, rafraîchissant nos gorges salées avec un vin délicat de la vallée de la Loire –, elle se pencha vers moi et me demanda :

— Je souhaiterais vous parler de ma vie, Sir Robert. Ou bien allez-vous me trouver trop directe ?

— Non. Je serais honoré de la découvrir...

Louise sirota son vin, s'essuya la bouche et chuchota :

— J'aimerais vous expliquer – dans la plus stricte confidence bien sûr – comment mon mariage avec le colonel Jacques-Adolphe de Flamanville, en dépit du fait que ce soit un soldat très courageux et digne de mon respect, est aussi aride qu'un lac asséché.

— Ah. Je suis triste de...

— Nous n'avons pas d'enfant. J'aurais aimé être mère, mais de Flamanville m'a toujours martelé : « Vous ne pouvez être mère, madame, à moins que je consente à être père, et je n'y consentirai point. »

Je touchai la main de Louise.

— Je suis désolé. Je sais combien un enfant peut être précieux.

— Je pense que j'aurais été une mère aimante, Sir Robert, mais il est trop tard à présent. Aussi amateur qu'il soit, mon travail de chimie donne néanmoins un peu de sens à mon existence, mais je suis lasse de chaque année qui passe. J'aime Paris ; je ne puis souffrir Versailles. Mais je pense que je vais peut-être bientôt quitter les deux pour retourner en Suisse m'occuper de mon père, qui est vieux et seul. Je suis sa seule enfant, je l'aime beaucoup et ne voudrais point qu'il meure seul. Jacques-Adolphe protestera, mais je ne lui manquerai pas, sauf en ma qualité d'alibi social.

— D'alibi social ?

— Il est très exigeant à ce sujet, même si je vois mal pourquoi. Il existe à Versailles une société nommée *La Fraternité*. Vous devinerez sans peine de quel genre de société il s'agit. Ses membres n'aiment que les hommes et de Flamanville en fait partie. Mme de Maintenon demanderait bien au Roi de les dénoncer sur la place publique, mais que peut-il faire alors que son propre frère, le duc d'Orléans, est l'un de ses membres fondateurs ?

— Ah. Je comprends.

Louise but encore un peu de vin. Ses yeux noisette étaient lumineux et son regard intense.

— Peut-être ne devrais-je pas vous raconter ces choses-là, Sir Robert, mais j'ai l'impression de trouver en vous un esprit très similaire au mien. Ma vie, voyez-vous, a été plutôt solitaire, et je crains que cela ne me rende trop intrépide. J'ai eu des amants…

— Louise, car c'est ainsi que je vous appellerai à partir de maintenant – et vous devrez m'appeler Merivel, le nom que je préfère –, je me réjouis que vous en ayez eu. J'espère qu'ils étaient déchaînés comme des léopards et tendres comme des chiots.

Louise sourit.

— Je m'en souviens à peine, c'était il y a si longtemps.

Je pris une gorgée de mon vin, dont le goût ne m'avait jamais paru aussi merveilleux qu'en cet instant.

— J'aimerais que vous prononciez mon nom. Dites « Merivel ».

— Merivel, répéta-t-elle tranquillement.

Et cela me donna un petit coup au cœur.

Puis je pris sa main.

— Dites « Merivel, serez-vous mon amant ? ».

Je m'attendais à ce qu'elle me réponde sans hésiter. C'était une femme audacieuse que rien ne semblait choquer et qui, d'après ses récentes révélations concernant son mari et ses amants, semblait m'avoir attiré plus près de son lit. Mais à ma grande gêne, elle retira soudain sa main, rougit et dit qu'elle ne pouvait accéder à ma demande. Et maintenant c'était moi qui me demandais si, au souvenir de la fougue avec laquelle je l'avais embrassée dans le Jardin du roi, je n'avais pas été trop ardent et trop calculateur.

*

Dans l'après-midi, nous visitâmes un tailleur renommé, M. Durand, rue de l'Oiseau, près de la porte Saint-Antoine, afin qu'il prenne en main les modifications à apporter à mes vêtements, ainsi qu'il avait été décrété lors de mon séjour à Versailles.

Je posai les yeux sur des rubans d'épaules et essayai des canons de différents styles et couleurs, me faisant la lugubre réflexion que si Louise n'avait pas décidé de devenir ma maîtresse, je ne pourrais pas abuser longtemps de son hospitalité parisienne et devrais vite m'en retourner à Versailles pour y reprendre ma vie d'indigent.

Ce souvenir amer se doubla d'une vision de mon lit de fortune, de l'odeur des pois en saumure et du spectacle de Hollers assis sur le pot de chambre.

— Hé ho ! lançai-je soudain. Nul doute que la vie est pleine de contrastes et de contradictions !

Je laissai échapper un long soupir. Une paire de canons écarlates me pinçait les jambes de manière infernale et je les enlevai. Je sentis monter en moi un sentiment de frustration et de colère immodérées, ainsi que j'en souffrais si souvent dans mon ancienne vie, et je sus que je devais faire l'effort de les brider, ou alors perdre toute possibilité d'obtenir ce que je souhaitais plus que tout au monde.

— À quoi pensez-vous ? me demanda Louise d'un air sévère tandis que le tailleur ramassait les canons que j'avais jetés avec humeur de l'autre côté de la pièce.

— Je pensais à Hollers. Tandis qu'ici le temps passe si vite, et d'une manière si plaisante pour moi, pour lui il se traîne, je n'en doute pas. Et je sais que c'est très pénible à supporter.

— Ça l'est. Mais votre ami doit apprendre la patience. Mme de Maintenon a raison : l'on ne peut prendre de décision à propos d'une horloge avant d'avoir vu comment elle se comporte plusieurs jours et plusieurs nuits d'affilée.

La nuit.

J'espérais à la fois qu'elle vienne et ne vienne pas.

Nous dînâmes consciencieusement, regardant la soupe aux poireaux couler sur le menton de Mlle Corinne, puis sa robe de soie noire se tacher de morceaux de canard. Je tentai de lui parler des myriades d'articles que l'on pouvait acheter rue de l'Oiseau. Mais tout ce qu'elle trouva à répondre fut : « Oui, oui, je connais cette rue, mais je n'y vais plus à présent. Pourquoi faudrait-il y aller ? Pour acheter des balais, des cages à oiseau ou des jouets ? Pour quoi faire ? D'ailleurs, pourquoi souhaiter aller où que ce soit ? »

Je n'avais point de réponse à cela. Je jetai à Louise un regard impuissant, mais elle ne me le rendit pas. Nous ne partageâmes aucun rire.

Après dîner, nous nous retirâmes tous au salon et mademoiselle s'amusa en dessinant des profils de visages sur du papier noir et en les découpant laborieusement pour obtenir des silhouettes. Un peu triste pour elle, je les admirai, dans le français le plus clair que je puisse articuler, mais elle ne me remercia point. Elle fit remarquer que, durant les soirées d'hiver, il n'y avait rien d'autre à faire que découper des silhouettes dans du papier noir et que, au fil des ans, elle en avait découpé plus de cinq cents.

— Vous comprendrez donc, monsieur, que je ne manque pas d'occupations.

— Je le comprends tout à fait, mademoiselle. Et j'aimerais beaucoup voir de mes propres yeux les cinq cents silhouettes...

— Vous ne me croyez donc pas ?

— Bien sûr que si.

— Alors pourquoi m'embêtez-vous pour les voir ? L'important, c'est de les découper.

Je regardai à nouveau dans la direction de Louise, mais elle était silencieuse, travaillant sur une broderie compliquée, et elle ne releva pas la tête. Abandonnant la conversation avec Mlle Corinne, je me retrouvai donc le seul de la pièce sans occupation, et ce soudain désœuvrement me parut irritant. Je me souvins de ce que disait Pearce quand j'allais pêcher avec lui – que j'étais toujours « trop agité » –, et donc j'essayai de rester tranquille dans mon fauteuil, de regarder le feu dans l'âtre et d'écarter de mon esprit toute pensée sur ce que la nuit apporterait, ou n'apporterait pas.

Je baissai les yeux sur mes jambes. J'avais enfilé une paire de canons couleur taupe achetée au tailleur rue de l'Oiseau pour une somme considérable. Mais voir mes jambes, qui sont plutôt minces, voire malingres (en contraste avec mon ventre toujours conséquent en dépit de mon régime de flocons d'avoine et de pois à Versailles), encerclées de ces collerettes ridicules ainsi qu'en ont les vautours sur leurs horribles pattes squameuses, me fit à présent l'impression d'un ridicule achevé et je ne pus retenir une grande vague de mélancolie.

« Tu es un mortel ridicule, Merivel, me dis-je en moi-même. Tu as été séduit par une relation sans avenir. Et la prochaine fois que tu porteras ces canons, ce sera dans la galerie des Glaces à Versailles, où ton rôle de solliciteur ne connaîtra pas de fin, hormis l'échec. »

Impossible de rester plus longtemps tranquille sur ma chaise. Je me levai, saluai ces dames et, sur un ton aussi enjoué que possible, les priai de m'excuser, arguant que toutes mes « merveilleuses errances géographiques en ville » m'avaient fatigué au point de souhaiter aller me coucher.

— Qu'a-t-il dit ? siffla Mlle Corinne.

— Qu'il était fatigué, lui répondit Louise. Je l'ai épuisé.

Déterminé à me comporter comme si je n'attendais rien de plus ce soir-là, je me déshabillai, me lavai et me mis au lit. J'accrochai ma perruque à la poignée de la porte, m'étendis entre les draps en lin et me grattai la tête.

Craignant d'avoir attrapé des poux au contact de Hollers, je me sentis soudain modérément ravi que mes cheveux, raides et rêches (comparés dans *La Cale* à des « soies de porc »), soient encore bien épais tandis que beaucoup d'hommes de mon âge étaient affligés d'une calvitie enlaidissante. Contrairement à certains, je ne craignais pas d'être vu sans ma perruque, et je me dis que si Louise *devait* entrer dans ma chambre, elle ne serait pas trop effrayée en me voyant.

Mais hélas elle ne viendrait pas. J'en étais presque certain. Elle avait été tendre et très séductrice avec moi, mais lorsque je lui avais grossièrement suggéré qu'elle me prenne pour amant, elle avait soudain reculé. J'avoue n'avoir absolument pas anticipé ce recul, et j'admets avoir encore du mal à comprendre son comportement, même si j'imagine qu'elle avait ses raisons.

Je restai étendu dans l'obscurité en me demandant : « Que ferait le roi Charles maintenant, dans cette position ambiguë ? » Mais je me fis ensuite la réflexion que, selon toute probabilité, ce genre de problème ne devait jamais se poser à lui car aucune femme ne l'avait *jamais* rejeté ni n'avait fui son étreinte. Elles se pâmaient devant lui comme des jonquilles devant la faux. Au lieu d'être étendu, seul, à se gratter, comme moi-même en cet instant, lui serait déjà dans le lit de Louise de Flamanville.

Mais une nouvelle question m'assaillit ensuite. Était-il possible que, m'ayant titillé au point de me parler de ses anciens amants et du grand handicap de son époux, Louise souhaitât en fait que *je* prenne la *baguette* et dirige le prochain mouvement de notre petite partition à deux ?

Son intelligence et sa finesse étaient grandes. N'était-il donc pas très probable que sa sensibilité féminine ait été quelque peu bouleversée à l'idée de m'inviter à une union physique susceptible d'être lourde de conséquences pour tous deux ? Le seul moyen d'avancer, dans ce cas-là, c'était que *moi* j'agisse.

Tout à fait immobile, je restai étendu à écouter les bruits nocturnes de Paris, qui semblaient beaucoup moins forts que ceux de Londres. J'étais effectivement très las, et une partie de mon esprit me suggérait de dormir sans plus me tracasser. Mais l'autre partie ne pouvait s'empêcher de m'imaginer, dans un merveilleux et glorieux défilé, allongé dans les bras de Louise, et de fantasmer les jours suivants si je devenais son amant.

J'étais vraiment sur le point de me lever et de me diriger vers la chambre de Louise quand il m'apparut que si j'y allais et qu'elle me renvoyait, je me sentirais bien *plus mal* que si je n'y avais pas été du tout. Je tentai donc de confronter ce *pire* putatif au risque que, pendant que j'étais étendu ici et ne bougeais pas, *elle* ne m'attende et se sente contrariée et humiliée de ne me voir point la rejoindre...

Ne cessant de tourner et retourner ces deux termes de l'alternative dans ma tête, je finis par m'endormir.

Je me réveillai dans la semi-pénombre de l'aube et entendis chanter un merle solitaire.

Sans peur et sans reproche, j'avalai un peu d'eau pour me rafraîchir la bouche, enfilai ma redingote par-dessus ma chemise de nuit, ouvris ma porte et me dirigeai vers la chambre de Louise.

J'ouvris la sienne. Elle dormait, la chandelle à côté de son lit se consumant toujours mais sur le point de fondre tout à fait. Ses cheveux châtain étaient étalés en douces vagues sur son oreiller, et sur ses traits flottait l'esquisse d'un sourire. Je me plantai à côté d'elle et admirai sa tranquillité et sa beauté, quand elle ouvrit les yeux.

— Oh, Merivel. Je suis si contente que vous ayez compris.

La joie que j'avais prévu de ressentir si je devenais l'amant de Louise de Flamanville ne se fit point attendre, elle pénétra en moi et emplit mon être au moment où je la tins et sentis qu'elle me retournait toute ma passion.

L'ardeur de deux amants est rarement identique, croyais-je ; il y en a toujours un qui éprouve davantage. Mais il me sembla qu'avec Louise, nous partageâmes notre plaisir avec une même vénération et ce fut exquis, nous n'étions ni pressés ni lents mais juste forts et tendres l'un pour l'autre, nous chuchotant tout du long des mots d'attachement passionné.

Puis une douce langueur amoureuse s'empara de nous. Enlacés, nous dormîmes un peu et nous réveillâmes avec le merle qui chantait fort tandis qu'une froide lumière grise pointait à la fenêtre.

— Vous devez partir, chuchota Louise. Les domestiques vont s'agiter. Et Corinne...

Mais je ne pouvais pas partir avant de l'avoir à nouveau aimée, cette fois avec grande douceur de peur de perturber la maisonnée, et elle s'accrocha à moi en silence, sa bouche contre la mienne, se contentant de crier en retenant son souffle quand elle atteignit le plaisir.

C'est lorsque ce second ébat divin prit fin que, étendus côte à côte dans une sueur soyeuse, laissant nos cœurs battre à nouveau normalement, nous prîmes conscience d'une agitation en bas dans l'allée. Un attelage tiré par quatre chevaux arrivait, semblait-il.

Un moment s'écoula durant lequel aucun de nous ne bougea. Puis Louise rejeta draps et couvertures avec un air terrifié.

— De Flamanville ! chuchota-t-elle. Je reconnais le bruit de son coche.

Je sautai hors du lit, tâtonnai par terre à la recherche de ma chemise de nuit sans parvenir à la trouver. Avisant alors ma redingote posée sur une chaise, je l'enfilai en vitesse.

— Vite, Merivel ! dit Louise. Il ne doit pas savoir ! Il ne *doit pas* savoir !

Je lui envoyai un baiser de la main et me précipitai vers la porte. Je tendis quelques instants l'oreille, mais, n'entendant rien dans le couloir, je m'y faufilai aussi silencieusement que je le pus et me dirigeai vers ma chambre en tentant d'imiter la furtivité et l'agilité du rat.

Avec ma redingote déboutonnée, mes jambes nues, ainsi que mes cheveux mouillés et hirsutes à cause de mes récentes entreprises, j'avais l'air pour le moins ridicule, mais je ne m'en rendis compte qu'une fois de retour dans la sécurité de ma chambre, où je surpris mon reflet dans le grand miroir. Je ne m'arrêtai néanmoins pas pour contempler mon image.

Je fis voltiger ma redingote et me cachai, nu et glacé, sous les couvertures, où je fis semblant d'être endormi. J'entendais à présent des allées et venues incessantes dans les escaliers : réveillés à l'aube, les domestiques se précipitaient pour accueillir leur maître dont le pas bruyant se fit bien vite entendre sur les dalles du hall d'entrée.

À mon grand soulagement, ces pas n'entreprirent pas de monter les escaliers mais se dirigèrent vers la salle à manger, où le colonel Jacques-Adolphe de Flamanville demanda à prendre son petit déjeuner.

9

Fort heureusement pour Louise et moi, le colonel de Flamanville avait cessé de faire chambre commune avec sa femme depuis longtemps. Après qu'il eut pris son petit déjeuner, il monta droit vers la chambre de sa sœur et n'eut donc point à subir la vue du lit froissé de Louise, parfumé de mon indubitable présence.

Et de fait, il ne s'approcha pas de sa femme, ce qui donna à Louise l'occasion de se laver et de s'habiller, descendant dans la salle à manger à neuf heures pour son repas matinal, l'air propre et calme.

Moi aussi je réussis à m'occuper suffisamment de ma personne pour qu'aucune trace du parfum de Louise n'y restât inscrite. Je me savonnai même la tête, la séchai et me rasai. Seule mon oreille gauche, très rouge là où Louise avait mordu le lobe, suggérait une mauvaise conduite sous le toit des de Flamanville ; mais comme ma perruque la cachait, l'un dans l'autre je donnais l'apparence même de l'invité innocent après une nuit chaste, debout grâce à un sommeil réparateur.

Mais je souffrais d'un appétit d'ogre et consommai en un rien de temps pas moins de quatre côtelettes d'agneau, ainsi qu'un plat d'œufs pochés et trois bols de chocolat.

Voyant Louise sourire à ce spectacle, je lui dis :

— Will Gates, mon domestique dans le Norfolk, s'amuse toujours de ma voracité. Selon lui ce n'est pas très bon pour mon cœur.

— Oh, j'espère bien que ce n'est pas le cas.

C'est à ce moment-là, alors que mon museau était une fois de plus plongé dans le bol de chocolat, que le colonel de Flamanville entra dans la pièce à grands pas.

*

Trait commun à nombre de militaires, je suppose, de Flamanville était grand et se tenait fort droit. Même sa tête était férocement relevée, comme s'il effectuait en permanence un exercice d'étirement du cou. À l'instar de son long nez, ce détail donnait à sa personne un genre d'autorité dédaigneuse dont je présumai qu'elle lui était nécessaire pour parvenir à ses fins avec des gens qu'il considérait inférieurs à lui, moi par exemple.

Pourtant, il avait dans son maintien quelque chose de la girafe, si bien qu'à cette évocation, et en dépit de tout ce que j'avais fait en secret, susceptible de lui occasionner un mécontentement extrême, je me rendis compte que je ne le craignais pas le moins du monde.

Il s'assit à la table et demanda à Louise à quoi nous nous étions occupés depuis notre départ de Versailles. Je mis mon bol de chocolat de côté et m'essuyai le visage.

Très calme et immobile, Louise lui répondit :

— Nous avons surtout travaillé dans mon laboratoire, mon chéri. Vous vous souvenez que Sir Robert Merivel est médecin ? Ses connaissances concernant mes composants sont impressionnantes.

— Ah, je l'ignorais. Un médecin ? Vous n'en avez pas l'air. Êtes-vous sous les ordres de M. Fagon ?

— Monsieur Fagon ?

— Le chirurgien du Roi. Vous ne le connaissez point ?

— Non. Je suis arrivé d'Angleterre avec une lettre du roi Charles, pour qui j'ai travaillé durant de nombreuses années, me recommandant pour un poste de médecin au sein du cercle de Sa Majesté. Malheureusement...

— Vous savez combien il est difficile d'obtenir l'attention du Roi, et Versailles est tellement surpeuplé en ce moment, intervint Louise. Mais je me suis dit aussi que c'était important pour Sir Robert de venir à Paris, pour que sa tenue anglaise soit... euh... *ajustée* aux standards de la cour française. Ses plus belles redingotes sont chez M. Durand, qui effectue en ce moment même les retouches nécessaires.

La girafe étira encore un peu plus le cou et baissa le nez pour me fixer, le plissant légèrement comme si j'étais un simple arbuste dont il n'allait faire qu'une bouchée.

— Et quels sont vos projets ensuite ? demanda-t-il. Une fois que vos redingotes seront prêtes ?

— Eh bien (et l'horrible image de la pièce que je partageais avec Hollers me traversa à nouveau l'esprit sans y avoir été conviée), je retournerai à Versailles, bien sûr. Je compte énormément sur la lettre du Roi.

De Flamanville me regarda avec un peu plus d'insistance, renifla et se leva.

— Le matin, je joue au billard. Vous joindrez-vous à moi ?

Je regardai Louise, elle hocha la tête en guise d'assentiment discret, et je me levai, l'air docile. Pourtant, je dois l'avouer, l'idée d'une partie de billard avec le colonel de Flamanville m'ennuyait à un point qui frisait l'intolérable. Je souffrais le martyre rien que d'y penser. Je n'avais jamais été doué pour ce jeu, qui consistait à avoir une main ferme (et l'esprit vide) capable d'envoyer des heures durant des boules en ivoire dans des cerceaux en bois sur une table recouverte d'un tapis. Cela m'avait toujours semblé le contraire d'un « passe-temps » : plutôt une activité idiote durant laquelle le temps était étiré jusqu'à un degré si insoutenable que l'on désespérait qu'il « passe » jamais.

Mais me voici à présent dans la pièce que le colonel de Flamanville nomme sa bibliothèque, mais qui ne semble point contenir beaucoup de livres. Je médite sur le fait que si l'on est colonel dans les Gardes suisses, ainsi qu'un membre de l'infâme Fraternité, il est possible que l'on dispose de peu de temps pour lire.

L'immense table de billard, recouverte d'un tapis très sophistiqué, trône dans la pièce, et je suis tout de suite convié à choisir mon « arme » parmi une pile d'armes en apparence semblables, afin de pousser les boules de-ci de-là.

J'ai oublié l'appellation correcte de ces instruments. Le roi Charles s'amuse à les appeler « cuillères », parce qu'elles sont inclinées vers le haut à leur extrémité la plus large, et j'imagine que l'on pourrait en effet s'en servir pour boire un bouillon si l'on n'avait rien d'autre sous la main. J'en choisis une et j'observe sa belle facture (je commence à me demander si la plupart des objets ne sont pas mieux fabriqués en France qu'en Angleterre).

Les boules de billard peuvent être en plomb ou en ivoire, et celles-ci sont bien sûr en ivoire, travaillées avec une très grande finesse. Le colonel de Flamanville se plaît à en tenir une en réserve dans la main pendant qu'il me regarde entamer mon jeu lamentable. Il semble aussi avoir l'habitude de renifler et de grogner avec dédain quand son adversaire joue mal. J'imagine le mucus dans son nez de girafe comme un flux de confusion perpétuelle.

Le score monte inexorablement en sa faveur, et ceci malgré le fait que, en plus de renifler, il me parle tout le temps, m'interrogeant sur mon travail pour le roi Charles, mon poste à Whitehall et la superficie en hectares de mon domaine de Bidnold, ainsi que sur d'autres choses (comme mon statut marital, fort ambigu dans un pays catholique, et sur lequel je suis obligé de mentir tout comme j'ai menti à Louise) que je n'ai pas particulièrement envie d'évoquer, et que je tente de contourner au mieux.

Au bout d'un moment, l'une de mes boules erratiques rebondit contre l'armature d'un cerceau alors que, échouant à passer au travers, le voici qui lance soudain :

— Je retourne à Versailles demain. Je suggère que vous m'accompagniez. De temps à autre, j'ai moyen de parler au

Roi et je ferai de mon mieux pour vous arranger une audience.

Mon cœur s'emplit de crainte.

— Colonel de Flamanville, c'est fort aimable à vous. Mais je ne pense pas que mes redingotes seront prêtes d'ici là.

— Ah, vos redingotes. Et que leur fait-on au juste ?

— Eh bien, elles étaient hélas dépourvues de rubans d'épaules…

De Flamanville me toise avec tout le dédain qu'une girafe peut afficher pour un petit chien tracassier jappant à ses pieds.

— Et c'est tout ce dont il s'agit ? D'y coudre des rubans ?

— Oui.

— Comment cela pourrait-il prendre plus d'une après-midi ?

— Il ne s'agit pas que de rubans, réponds-je, me dépêchant de mentir. Durant ma visite dans les admirables locaux de M. Durand, j'ai vu que l'on pourrait m'y faire une redingote plus belle qu'aucune de celles déjà en ma possession, et j'ai commis l'extravagance d'en commander une. Je dois me rendre à mon premier essayage lundi matin.

De Flamanville joue avec habileté, envoyant sa boule à travers le cerceau, et ce faisant éloignant la mienne du voisinage. Il se redresse, évaluant son prochain coup, qui est de tenter de frapper le pôle terminal. Puis il se tourne vers moi et dit :

— Et pendant que vous effectuerez ces essayages et tout ce qui s'ensuit, où avez-vous l'intention de loger ?

Sa question me prend au dépourvu. Je donnerais cher pour que Louise soit dans la pièce et intervienne à ma place. Mais je sais que je dois répondre avec le plus grand calme.

— J'admets ne pas y avoir réfléchi, colonel, parce que votre épouse a eu la grande amabilité de m'inviter à loger ici. Si cet arrangement ne vous agrée point, je partirai sur-le-champ pour l'une de ces auberges aperçues le long de la rivière, et qui m'ont l'air excellentes.

De Flamanville ne fait aucun commentaire, mais continue d'aller et venir et de grogner de son côté de la table de billard, toujours occupé à mesurer la distance qui sépare sa boule du pôle terminal, dirait-on.

— Êtes-vous absolument sûr d'avoir en votre possession une lettre du roi Charles ? me demande-t-il au bout d'un moment.

— Oui. Elle est en haut, dans ma valise.

— Très bien. Peut-être aurez-vous l'amabilité d'aller la chercher.

Dans l'escalier, en route vers ma chambre, je croisai Mlle Corinne. Louise m'avait prévenu qu'elle n'apparaissait jamais pour le petit déjeuner, préférant le prendre dans sa chambre sous le regard aveugle et vigilant de ses cinq cents silhouettes de papier.

— Ah, fit-elle, tandis que j'attendais avec patience et courtoisie qu'elle descende. *Vous.*

— Bonjour, mademoiselle Corinne. Vous avez bien dormi, j'espère ?

— Non, je n'ai pas bien dormi. J'ai été réveillée avant l'aube par le bruit de gens qui circulaient. S'il n'avait pas fait aussi froid, je me serais levée pour en avoir le cœur net.

— Je suppose qu'il s'agissait des domestiques préparant l'arrivée fort matinale du colonel.

— J'en doute. Ces domestiques ne sont rien d'autre qu'une bande de paresseux et de crétins qui font tout à la dernière minute. Non. Je pense que c'était vous. Les pas avaient un écho anglais.

— Un écho anglais ?

— Oui. Les Français marchent avec plus d'élégance. Vous, vos pieds frappent à plat comme ceux des pingouins. Et j'ai bel et bien entendu un pingouin.

Je ne pus m'empêcher de rire à cette remarque, ce qui fâcha un peu plus mademoiselle.

— Et il y a un autre souci, monsieur le « médecin ». Je ne comprends pas ce qui vous fait rire en permanence. Les souffrances du monde ne vous suffisent-elles pas ? N'avez-vous pas assisté à la mort d'assez de vos patients ? Nombre d'entre eux ne sont-ils pas trahis par ceux qu'ils aiment ? Jésus-Christ n'a-t-il pas été assassiné sur la croix ?

— Si, si, fis-je. Mais il a ressuscité. Voilà d'où vient mon rire : la joie de la résurrection, qui nous offre de l'espoir à tous, pauvres pécheurs.

Entendant cela, elle referma sa bouche édentée et ne dit plus rien. Elle descendit les escaliers avec une lenteur infinie, mais au moment de passer devant moi, elle m'enfonça un doigt osseux dans la poitrine et déclara :

— Je vous surveille ! Vous pouvez y compter. Et Jacques-Adolphe aussi. Car j'ai tout raconté à mon frère.

Cela suffit à réveiller ma crainte de la girafe. Je maudis le destin qui m'a fait tomber amoureux de la femme d'un colonel des Gardes suisses. Je sais que les blessures, à la fois sociales et physiques, qu'un tel soldat peut décider d'infliger (même s'il est membre de la Fraternité) afin de défendre son supposé « honneur » peuvent être sans limites. Lâche que je suis, j'inspectai ma chambre d'un regard désespéré, me demandant si je devais m'enfuir sur-le-champ de la maison. Mais je ne tardai pas à me rendre compte que ce serait ridicule, et sans doute fatal.

Une nuit... me dis-je avec tristesse. J'aurai passé une seule et unique nuit avec Louise, et voilà que je vais être mis à la porte comme un gueux par un époux qui ne l'a même jamais aimée...

Je décidai de jouer à l'innocent dans la mesure du possible. Je me dis que ni mademoiselle ni le colonel ne savent quoi que ce soit pour sûr, sauf si – et cette idée est très perturbante ! – quelqu'un a retrouvé ma chemise de nuit dans la chambre de Louise.

Inspirant profondément, posé et calme en apparence, je m'en retournai vers la salle de billard et présentai ma lettre au colonel, qui me l'arracha des mains.

— Le sceau est brisé, dit-il au premier coup d'oeil.

— Par l'un des surintendants du Grand Commun. J'ai gourmandé l'homme, mais cela l'a laissé indifférent.

— Si le sceau est brisé, votre lettre n'a aucune valeur.

— Eh bien, elle est compromise, je vous l'accorde, mais pas inutilisable. Je ne doute pas que le roi Louis reconnaîtra l'écriture du roi Charles, son cousin. Au fait, saviez-vous que, enfants, ils jouaient ensemble ?

— Cela ne change rien.

— Mon maître, le roi Charles, me dit qu'ils jouaient avec beaucoup de gravité, parfois presque en silence, tant les deux princes étaient conscients de la grande destinée qui les attendait...

— Je pense que vous vous écartez du sujet, monsieur. Retournons à ce qui nous occupe. Le sceau brisé, votre lettre de Whitehall est dénuée de valeur, et il y a de fortes chances pour que le roi Louis la considère comme un faux.

— Sur mon honneur, colonel, ce n'en est pas un. Le fait que le sceau ait été brisé ne signifie pas qu'il n'ait jamais existé. Car le voici. Vous pouvez clairement voir ici les initiales gravées dans la cire, C.R.

De Flamanville parcourut la lettre un bref moment, puis me la rendit.

— Elle n'a aucune valeur et ne vous mènera nulle part. Vous avez gaspillé votre argent en nouveaux atours à la mode. Votre retour à Versailles est à présent tout à fait inutile.

Cette assertion était si pleine de venimeuse certitude que pendant un moment je ne trouvai rien à lui répondre.

— Ma suggestion, c'est que vous fassiez vos valises, puis mon coche vous emmènera à l'auberge de votre choix. De cette manière, vous pourrez rester à Paris le temps nécessaire afin d'aller chercher vos nouveaux habits que vous exhiberez en Angleterre dès votre retour. Je suis sûr qu'ils y feront l'admiration de tous.

— Si vous souhaitez mon départ, répondis-je aussi calmement que possible, alors bien sûr je partirai. Je ne suis point homme à abuser de l'hospitalité de quiconque, ce dont mon roi se porterait garant pour sûr. Mais puis-je me permettre de vous rappeler que si je suis ici, c'est parce que votre épouse m'a expressément convié à y loger, et qu'un refus était hors de question ?

Le colonel de Flamanville frappa le bord de la table avec sa cuillère d'un geste dur.

— Mon épouse ne fait rien sans ma permission ! Son invitation est annulée ! aboya-t-il.

Je baissai les yeux vers la partie de billard inachevée. Dans l'arrangement désordonné des boules sur le tapis, j'imaginais voir avec clarté les dispositions vagabondes de ma main, et la trajectoire sûre, droite comme une flèche, de la sienne.

— Très bien, comme vous voudrez, dis-je.

Je posai ma cuillère, saluai le colonel et me dirigeai vers la porte. En l'ouvrant, j'entendis une douce musique jouée à l'épinette et je sus que c'était Louise, ce qui emplit mon cœur de douleur. J'hésitai à la porte tout en écoutant la mélodie.

Derrière moi, de Flamanville cria :

— Et laissez-moi encore vous dire, monsieur, que je ne *laisserai pas* ma sœur subir sous ce toit un comportement obscène qui lui est une véritable torture ! Si elle me rapporte que vous êtes revenu dans ma maison, je vous ferai tuer.

10

Cet événement dérisoire, la reprise de mes redingotes, qui me retint à Paris un peu plus longtemps, ne fut point sans conséquence, ainsi que l'on aura l'occasion de le voir. N'y connaissant personne, je n'avais guère d'idées sur la façon de passer le temps, si ce n'est en marchant ici et là et en admirant la grande ville glaciale, ce qui m'offrit l'occasion de réfléchir sur ma situation.

C'est deux jours après mon départ de la maison des de Flamanville, à l'intérieur de la grande cathédrale de Notre-Dame de Paris, que je réfléchis. J'arpentai la longueur de la nef, traversai le transept et m'assis sur une dalle en pierre dans la chapelle des Sept-Douleurs, à l'extrémité est du chœur. Ici, je partageai la compagnie de saints à l'apparence mélancolique, fresque aux pâles couleurs sur le mur sud.

Ces fresques, réalisées trois ou quatre siècles auparavant selon mes estimations, quand leurs couleurs avaient dû être éclatantes et lumineuses, étaient si fanées par le temps qu'elles me semblaient personnifier le caractère éphémère de toute chose vivante – même quand on tente de rendre ces choses éternelles par le biais de l'art. Il suffit que les années passent pour que, par une imposture terrible et silencieuse, nous percevions que l'art s'est fané et écaillé à son tour.

L'une de ces figures de saint, vêtue d'une sombre chasuble marron, me rappelait Pearce. Son visage était émacié et son expression agitée. Dans ses mains il tenait une grande croix, serrée contre lui comme Pearce tenait serrée sa louche, craignant peut-être qu'à tout moment un voleur, ou bien un bandit de grand chemin, ne soit déterminé à s'en emparer.

— Pearce, ma vie m'a une fois de plus jeté dans la confusion et le désordre. Et je ne sais vraiment pas où aller, murmurai-je à cette fresque.

Le visage inflexible du saint coloré me dévisagea avec tristesse. Dans le silence de la cathédrale, j'eus l'impression d'entendre Pearce soupirer.

— Dois-je rentrer dans le Norfolk ? demandai-je à mon ami décédé. Ou dois-je essayer, d'une quelconque manière, de contacter Louise pour qui... (et je m'empresse d'ajouter ceci, Pearce, parce que je sais que tu considères toutes mes amours comme étant creuses et motivées par le seul désir) ... pour qui j'ai le plus grand respect... et dont je possède quelque preuve d'une affection réciproque.

— Une affection réciproque ? s'étonna Pearce. J'en doute.

À ce moment-là, un jeune prêtre passa devant la chapelle des Sept-Douleurs et, me voyant occupé à me parler à moi-même, fit une pause et me demanda :

— Puis-je faire quelque chose pour vous, mon fils ?

— Ah, non, je ne pense pas.

— Souhaitez-vous vous confesser ?

— Me confesser ?

— Oui. Seulement si vous le souhaitez.

Je ne révélai pas au prêtre que j'avais été élevé dans la foi protestante, ni que cette foi m'avait déserté après l'incendie qui avait causé la mort terrible de mes pauvres parents. Je ne le révélai pas car, à ce moment particulier et pour une raison que j'ignore, l'idée d'une confession – déposer le fardeau de mon péché, de mes échecs et de mon indécision sur les frêles épaules de cet homme d'Église – m'attirait beaucoup.

Je suivis le prêtre jusqu'au confessionnal qui, en tant qu'espace très confiné, m'a toujours rappelé une sorte de cellule de prison, ou d'oubliettes, mais je m'en accommodai.

Après être resté assis sur la dalle en pierre dans la chapelle des Sept-Douleurs, mon postérieur était froid et douloureux, et la planche en bois du confessionnal ne me fut d'aucun soulagement. J'en vins à me demander s'il ne serait pas judicieux de mettre des coussins dans les confessionnaux, afin que les pécheurs ne soient pas tentés de réciter trop vite leurs fautes, voire d'en oublier quelques-unes, pour la bonne et simple raison que leurs culs étaient malmenés.

À travers la grille, je vis l'œil du prêtre me dévisager, très brun et vif ; il me fit penser à une grive.

— Allez-y, mon fils. Parlez.

Je me détournai de la grive et baissai les yeux sur mes mains. Je savais que je devais entamer le récit de mon plus grand péché, la fornication avec la femme d'un autre homme, mais un élan de loyauté à l'égard de Louise m'empêcha de le faire, mes amours avec elle me semblant à présent à la fois privées et précieuses et ne regardant pas le moindre prêtre.

À la place, je dis :

— Mon père, je confesse que je suis perdu. Par ambition et cupidité, et à cause d'une sorte de solitude agitée, je suis venu en France dans l'espoir d'y trouver quelque avancement. Mais je n'y suis point parvenu, et maintenant je ne sais plus vers où me tourner.

— Continuez, mon fils.

— C'est tout. Je ne sais quoi ajouter. Je confesse ma cupidité. Mais je n'en tire nulle récompense, juste une amère déception. Et maintenant il ne me reste plus beaucoup d'argent. J'aimerais que Dieu me dise ce que je dois faire.

Il y eut un court silence du côté du confessionnal où se trouvait le prêtre. Puis il se gratta la gorge et répondit :

— Dieu ne donne pas de conseils. Pour découvrir ce que vous devriez faire, vous devez sonder votre cœur.

Je passai quelque temps assis tout seul dans ma chambre à l'auberge Saint-Denis située dans l'île de la Cité, où le cocher des de Flamanville m'avait déposé, avec vue sur la rivière scintillante.

Je pris un certain plaisir à suivre tout le commerce qui défilait sur le cours d'eau. Je vis des péniches transportant du bois, de la houille et des balles de laine, des monticules de sable et de schiste. J'en vis une remplie de fourrures, une autre d'oignons, et encore une autre de canards vivants enfermés dans des caisses en bois. Les cris des mariniers et des rameurs transportant des passagers vers le haut, vers le bas ou de l'autre côté de la Seine avaient à mes oreilles les mêmes tonalités que sur la Tamise, s'élevant au sujet du commerce et uniquement autour de lui. Et je pensai combien l'Angleterre et la France étaient à l'unisson dans leurs âmes commerçantes, et comment ces deux pays mériteraient d'être entassés dans un confessionnal spacieux afin d'y avouer leur cupidité.

Comme à Londres, des bandes de clochards dépenaillés aux mains tendues et aux yeux agrandis par la faim étaient rassemblées autour des marches et des promenoirs en bois descendant vers l'eau. Me souvenant de ma première nuit à Versailles, et de la douleur terrible que peut causer la vraie faim, je leur distribuai ici et là quelques sous.

Mais je n'avais pas menti au prêtre quand je lui avais dit que je n'avais plus beaucoup d'argent, aussi je ne pus me départir de beaucoup. Et ce fut cette prise de conscience de ma propre misère à venir qui, lors de ma seconde nuit à l'auberge Saint-Denis, m'amena à écrire la lettre suivante :

À Wm. Gates,
Bidnold Manor, comté du Norfolk
Angleterre

Mon cher Will,
Je t'écris de Paris, où je réside en ce moment, et non de Versailles où j'espérais me trouver mais où je ne suis point, pour la bonne et simple raison que sa majesté le roi Louis a assez de médecins autour de lui et n'a nul besoin que je vienne grossir leurs rangs.

J'ai donc décidé d'effectuer mon retour vers Bidnold avant Noël. Je sais que Mlle Margaret restera en Cornouaille jusqu'à l'Épiphanie, mais je rentrerai quoi qu'il en soit afin de nous concocter un petit divertissement qui nous déridera à Noël, qu'aucun ange de la mélancolie ne nous rende plus visite et que l'on n'use plus de mouchoirs.

Merci de préparer la maison pour mon retour d'ici une semaine à peu près.

Je demeure,
Ton maître affectionné et ton ami,
Sir R. Merivel

Je restai longuement assis devant ma fenêtre, avec une chandelle qui s'amenuisait.

J'ignorais si je devais écrire une seconde lettre, à Louise cette fois, avant de quitter Paris. Même si de Flamanville était reparti pour Versailles ainsi qu'il l'avait prévu, je me dis que je ne pouvais point être certain qu'une quelconque lettre de ma part ne tombe entre les mains ennemies – celles de Mlle Corinne – avant d'être donnée à l'admirable femme à laquelle elle était destinée.

Je finis par me décider à écrire une simple note, disant ceci :

Chère Madame,
Je suis désolé d'avoir dû quitter votre maison sans avoir eu le temps de vous faire mes adieux.
Je rentre bientôt en Angleterre.
Je vous prie de bien vouloir me faire l'honneur de votre présence dans le Jardin du roi, près de l'endroit où l'ours est détenu en cage, mardi après-midi à deux heures.
Je demeure,
Votre humble serviteur,
Merivel

Je scellai mes lettres et les emportai en bas en demandant qu'elles soient glissées dans le sac postal sur-le-champ. Une fois que ce fut fait, j'éprouvai une sorte de soulagement,

une atténuation de mon angoisse et de mon tracas, parce
que j'avais enfin établi un plan.

Aujourd'hui nous sommes mardi.

Hier, je suis allé chercher mes redingotes chez M. Durand,
et je suis heureux des retouches qui y ont été faites. La
sensation des rubans voletant et cascadant le long de mes
bras est curieusement plaisante, comme s'il s'agissait d'ailes
prêtes à m'enlever vers le ciel blanc et hivernal. Grâce à
elles, mon pas semble léger.

Quand je passe les portes du Jardin du roi expliquant au
garde que je suis une « proche connaissance » de Mme de
Flamanville, je vois du respect se peindre sur son visage
tandis qu'il m'inspecte des pieds à la tête. Et pourtant, je
sais que ce respect ne m'est point destiné mais concerne
mes vêtements, et je m'émerveille à nouveau de la magie
que produit la mode, et elle seule.

Entre les dernières feuilles de plantain volant et flottant
pour finir par se poser sur les allées de graviers et de sombres
nuages annonciateurs de pluie, la journée est lugubre. Mais
l'idée que, d'ici quelques instants, je verrai peut-être Louise
fait éclore en mon cœur une pépite toute chaude, et je pose
ma main gantée à l'endroit du cœur, après quoi le froid
dans mes doigts est moins vif.

Je m'approche de l'ours. Il a cessé de hurler et, assis dans
une flaque d'excréments, il dévisage son environnement.

J'ignore pourquoi l'état critique des animaux me remue
tant. Peut-être parce que je n'ai jamais transcendé ma propre
nature animale, et que si les animaux pouvaient me parler
et rire de mes plaisanteries, pourquoi ne pourrais-je donc
avoir pour amis proches des chiens, mais aussi des vaches
et des moutons ?

Je m'approche de la cage. Il en émane une puanteur faite
à la fois d'excréments et de terreur animale. Je ne puis faire
grand-chose à part rester planté là et contempler la créature.
Elle ne bouge pas, mais ses yeux chassieux m'observent avec

une sorte de tendresse passive, comme si elle était consciente de ma propre impuissance à son égard. Puis elle se met soudain à marcher pesamment sur ses quatre grandes pattes, se dirige vers moi et fourre son museau entre les barreaux de la cage.

De la bave coule de sa gueule. Je brûle de lui donner de l'eau ou de la nourriture, mais je n'ai ni l'un ni l'autre en ma possession.

Je m'approche un peu plus, tends la main, et l'ours émet un bruit qui n'est pas précisément un hurlement, juste un murmure d'envie.

Une voix dans mon dos lance :

— Je vois que l'ours n'est pas parti pour Versailles. Je crains qu'il ne soit pas assez élégant pour le Roi.

Je me retourne et vois Louise, vêtue d'une cape garnie de fourrure blanche. Je m'éloigne alors de l'animal pour m'approcher d'elle, la salue, attrape sa main et y dépose un baiser ardent.

— Louise, je suis si désolé pour mon départ précipité. Je voulais venir vous voir avant de partir. Il y avait des centaines de choses que je voulais vous dire, mais le valet de chambre de votre époux était collé à mes basques, même pendant que je faisais mes valises ; ensuite il m'a emmené directement vers la porte ouverte et le coche…

— Je sais. Et je ne pouvais pas venir à *vous* par crainte des réactions de Jacques-Adolphe. Et ainsi nous fûmes séparés.

Debout, nous nous fixâmes, tous deux conscients que cette réunion serait brève et ne serait, en vérité, que le prélude à un nouveau départ. Je brûlais tant de prendre Louise dans mes bras que je regardai autour de moi pour m'assurer que nous étions bien seuls dans cette partie du Jardin et, n'imaginant personne près de nous, je fus fort contrarié de voir deux gardes s'approcher d'un pas vif, un mousquet à la main.

— Louise, je crois que je suis sur le point d'être tué.

Elle se retourna et vit les soldats. Sa main vola vers sa bouche et elle se planta courageusement devant moi.

— Il n'oserait pas ! chuchota-t-elle.

Les hommes s'approchèrent encore. D'un moment à l'autre, je m'attendais à ce qu'ils s'arrêtent et lèvent leur arme, comme s'il s'agissait d'un peloton d'exécution. Mais au lieu de cela, ils firent claquer leurs talons et nous gratifièrent d'un petit salut, ce qui pacifia le rythme accéléré de mon cœur. Louise tendit la main et m'attrapa le bras.

— Madame, Monsieur, pourriez-vous reculer un peu…, lança l'un des gardes.

Je les dévisageai, et compris alors ce qu'ils étaient sur le point de faire : ils allaient tuer l'ours.

Je me demandai si je ne devais pas m'en réjouir tant l'existence de cette créature était misérable. Mais quelque chose en moi était rebuté à cette idée. Mes connaissances de l'anatomie animale étaient suffisantes pour me dire que, en dépit de son état pitoyable, cet ours était encore jeune. Et l'idée que sa vie entière aurait consisté à être mis en cage, affamé et tourmenté par la soif, m'offensait profondément.

— J'ai cru comprendre que l'ours devait être transporté à Versailles, dis-je avec fermeté.

— Oui, répondit l'un des soldats, mais Sa Majesté a changé d'avis. Elle s'est lassée des gros animaux.

— Donc vous allez le tuer ?

— Oui, monsieur. Si madame et vous pouviez avoir l'amabilité de vous éloigner…

— Non ! m'écriai-je soudain. Je vous en prie, ne le tuez pas !

— Je suis désolé, monsieur. Ce sont nos ordres.

En un instant, je fis quelque chose de très étonnant. J'enlevai mon gant d'un geste brusque et tendis la main, celle où je porte la bague en saphir donnée par le roi Charles, celle-là même qu'un bandit de grands chemins avait failli m'enlever sur la route de Douvres.

— Vous voyez ce bijou ? dis-je aux gardes. Il m'a été donné par le roi d'Angleterre. Il vaut dix pistoles, peut-être plus. Et il sera à vous si vous déposez vos mousquets et faites ce que je vous demande.

Louise me regarde, sidérée – ce qui est compréhensible. Tout ce que je puis lui chuchoter c'est : « Cela m'offense, Louise. Et cette offense m'est insupportable ! »

Les soldats s'entretiennent entre eux. Je suis sûr qu'ils me croient fou à lier, et pourtant, ils se disent en leur for intérieur que très peu de fous peuvent s'offrir le genre de rubans d'épaules qui ornent ma redingote, et voici que la mode entre une nouvelle fois en ligne de compte.

— Écoutez-moi, dis-je. Je pars pour l'Angleterre demain ou après-demain. Je vous paierai afin de commander une charrette qui emportera l'ours dans sa cage jusqu'à Dieppe, et vous vous assurerez qu'il sera remis en toute sécurité au port. À partir de là, je le ferai convoyer vers l'Angleterre. Le roi Louis n'a point besoin d'en être informé. Mais vous, cette bague de valeur, que n'importe quel bon joaillier parisien sera ravi de vous acheter, subviendra largement à vos besoins pour un temps. »

Les soldats me dévisagèrent, bouche bée. J'enlevai le saphir éclatant et le tins sous leurs yeux. Ils le regardèrent un moment puis secouèrent la tête.

— Comment savoir si c'est un vrai bijou et non un faux ? demanda l'un d'eux.

— Mais enfin, il vous suffit de regarder ! Cette bague provient des coffres royaux de Whitehall : c'est la réparation que m'offre Sa Majesté pour m'avoir aussi souvent battu au tennis.

— Au tennis ? *Au tennis ?* De quoi s'agit-il, monsieur ? Et qu'allez-vous faire avec un ours, grands dieux ?

— Je m'en occuperai ! éclatai-je. Le parc qui entoure ma demeure en Angleterre est très beau. Je ferai fabriquer un enclos où il pourra couler des jours paisibles. J'étudierai sa nature et en apprendrai beaucoup. Cela m'offrira bien plus de savoirs et d'enseignements qu'une bague en saphir !

Les mains de Louise voletaient autour de mon bras, comme pour réfréner ma folle idée, mais j'étais en colère et rien ne pouvait m'arrêter. Voyant que j'étais sérieux, les gardes se retirèrent quelques instants pour discuter entre eux. Puis ils se tournèrent vers moi et annoncèrent :

— Nous le ferons pour dix pistoles. À condition que vous vendiez la bague et apportiez l'argent.

Je soupirai. Je n'avais aucune envie de passer le restant de mon séjour à Paris à marchander avec des joailliers, mais force m'était de constater qu'il n'y avait sans doute pas d'autre choix. Je calculai aussi, sur l'instant, que si j'avais la chance d'obtenir plus de dix pistoles pour le bijou, alors c'en serait fini de mes angoisses pécuniaires.

Je pris une petite bourse dans ma poche et la donnai aux gardes.

— Très bien, dis-je. Je vendrai le bijou. Mais vous devrez acheter de la viande. Et donner à manger et à boire à l'animal cette après-midi. Et nettoyer la cage. Jeudi après-midi, j'entends trouver tout impeccable sur le quai à Dieppe, et c'est là, en temps et en heure, que je vous donnerai les pistoles.

Les gardes examinèrent la bourse. Ils chuchotèrent entre eux une fois de plus et je les imaginai comploter pour s'acheter de la viande à leur usage personnel et ne rien donner à l'ours.

— Si cet animal n'est pas nourri, c'est à *vous* qu'il s'attaquera, leur dis-je. Est-ce un risque que vous êtes prêts à prendre ?

— Et il n'y a pas à douter qu'il le fera, affirma Louise avec courage. Vous remarquerez à sa salive à quel point il est affamé. Moi je crois qu'il aura envie de vous manger les mains.

Comme s'il s'agissait là d'un signal, l'ours ouvrit la gueule et fit entendre un rugissement puissant. Les gardes s'éloi-

gnèrent davantage de lui et lui lancèrent un regard angoissé.
Ils agrippèrent encore plus fermement leurs mousquets.

— Eh bien ? dis-je. Qu'avez-vous décidé ? Dix pistoles
ou rien du tout ?

Ils chuchotèrent entre eux une fois encore. Ils avaient
l'air plutôt pâle.

— Nous le ferons, répondirent-ils, presque à l'unisson.

— Bien. Sage décision.

Je m'avançai vers eux, leur tendis la main qu'ils serrèrent
l'un après l'autre. Ils étaient encore convaincus que cet
Anglais enrubanné avait perdu l'esprit, ce qui, vu sous un
certain angle, était vrai, mais cela serait ni la première fois,
ni la dernière.

Du côté est du Jardin du roi, il y a un labyrinthe d'arbres
à feuilles persistantes dont les allées boisées montent vers
un petit bosquet, où la vue sur la ville est on ne peut plus
sereine et agréable.

Main dans la main, Louise et moi grimpons vers ce fabu-
leux endroit, et lorsque nous avons assez admiré Paris, nous
nous tournons l'un vers l'autre dans une douce étreinte. Je
ne tiendrai peut-être plus jamais cette femme dans mes bras
et cela me serre tant le cœur que des larmes me montent
aux yeux et roulent sur mes joues.

Louise les lèche avec tendresse. Nous nous embrassons à
nouveau et je sens en elle la même passion que dans son
lit. Et donc nous nous enfonçons dans le petit bois, cachés
de l'allée ; j'enlève ma nouvelle redingote, l'étale sur le sol
de la forêt, et là, par cette froide après-midi hivernale, nous
voici à nouveau amants.

Étendus côte à côte, immobiles et sans le moindre désir
de bouger en dépit de la fraîcheur de l'air et de la lumière
finissante du jour, Louise me dit :

— J'ai pris ma décision, Merivel. Cet été, j'irai en Suisse.
J'y resterai longtemps. Peut-être pourriez-vous m'y rejoindre ?
Je sais que mon père serait heureux de faire votre connais-

sance. Il n'a jamais approuvé mon mariage et il sait combien je suis malheureuse. Je m'assurerai qu'il vous accueillera dans sa demeure.

Je caresse les cheveux de Louise. En esprit j'imagine de merveilleuses montagnes, des fleurs sauvages et des cieux cobalt, ainsi qu'un noble château parmi les sapins et autres conifères. Je demande à Louise de m'envoyer un mot dès son arrivée, prêt une fois de plus à confier ma personne aux routes ainsi qu'à la mer.

DEUXIÈME PARTIE

La Grande Captivité

11

Je vis l'ours dans sa cage, que des marins français avaient fermement arrimée sur le pont du bateau ; ils me demandèrent quelle sorte d'animal c'était là.

— C'est un ours. Il vient des forêts d'Allemagne.

— S'agit-il d'un mets délicat en Angleterre, la viande d'ours, monsieur ?

— Non. Je n'ai pas l'intention de le manger.

— Qu'allez-vous en faire, alors ?

Je ne sus que répondre à cette question. Déterminé à sauver l'animal, je n'avais pas beaucoup réfléchi à sa destinée. J'avais juste envisagé un enclos sûr et spacieux semblable à une palissade dans le parc de Bidnold, où l'ours serait nourri et où l'on s'occuperait de lui ; Margaret et moi irions lui rendre visite, ce serait un nouveau passe-temps merveilleux, et quand j'aurais des invités à Bidnold (y compris le Roi), cela les amuserait aussi de passer du temps à contempler une créature jamais vue jusqu'ici.

Je m'entendis néanmoins répondre aux marins français :

— J'ai dans l'idée de monter une ménagerie, semblable à celle de Versailles. En temps voulu, j'espère avoir capturé une girafe.

Par une matinée nimbée d'un brouillard glacial et impénétrable, le bateau s'éloignait sur la Manche, avec le cri des mouettes pour seul rappel que notre vaisseau n'était pas le dernier vestige à la surface du monde. Je ne descendis pas

dans ma cabine ; je pris place sur des cageots en osier contenant des poulets et restai assis, immobile, à observer mon
prisonnier.

C'était compter sans les poulets, qui tentaient de temps
à autre de me picorer impoliment les fesses au travers des
interstices dans l'osier ; je trouvai des sacs et en recouvris
le cageot, et ils firent alors preuve à mon égard d'un peu
plus de courtoisie, s'imaginant peut-être que la nuit était
soudain tombée.

Plus calme que dans le Jardin du roi, l'ours s'occupa
quelque temps avec un morceau de viande, puis tourna sur
lui-même pour chier copieusement, but de l'eau dans un
seau métallique, et s'installa ensuite pour m'observer avec
une tranquillité placide, de la même manière que je l'avais
observé, moi.

Quelques mots de mon cher Montaigne, écrits, je pense,
à propos d'un chien ou d'un chat, me vinrent en tête. « Chez
les animaux, le silence peut être une supplication. » Je me
demandai ce que l'ours pouvait bien me supplier de lui
donner, à moins que ce ne fût le contraire.

Parce que je perçus clairement que nous étions tous
deux en transit entre deux périodes, tourmentés par nombre
de confusions. L'ours ne comprenait pas l'élément – la
mer – sur lequel il se trouvait ; quant à la moindre notion
du futur, il en était dépourvu. Pour ma part, il ne m'était
point difficile de m'imaginer à la place de l'animal en cage,
entravé dans mes espérances de succès possible après le
lamentable échec de mes efforts à Versailles, autant que
dans le choix de la personne que je pouvais aimer, pour
laquelle je risquais de me retrouver transpercé par une
épée.

J'expliquai à l'ours :

— Le bateau au-dessous de nous avance sur l'eau en
direction de l'Angleterre, mon pauvre ami, mais le brouillard
nous enveloppe dans un suaire fantomatique tissé d'inconnu.

Le froid m'occasionna des crampes dans les membres, mais je demeurai assis sur le cageot de poulets et me réconfortai grâce à mon souvenir de Louise, de sa douce chaleur et de sa conversation animée, ainsi que de sa belle poitrine, me demandant si, après cinquante-sept années de ma vie, je n'aurais pas fini par trouver l'amour.

— Qu'en penses-tu ? demandai-je à l'ours. Je me trompe ?

En guise de réponse, l'animal s'allongea doucement et ferma les yeux.

Je passai une nuit à Douvres, dans une misérable auberge où ne brûlait aucun feu.

De là, j'effectuai les préparatifs pour qu'un chariot transporte l'ours dans le Norfolk. Il me fallut m'acquitter d'une jolie somme pour ce faire, car il était difficile de trouver un homme prêt à effectuer ce périple depuis Douvres. Par leur proximité avec l'eau salée, je suis convaincu que tous les hommes de cette ville sont devenus de vieux loups de mer et qu'ils n'aiment pas s'éloigner de l'océan. Si je leur avais demandé de conduire une baleine à Bidnold dans une grande barrique pleine d'eau, ils l'auraient peut-être fait, par affinité naturelle avec ce monstre des profondeurs ; mais l'ours au sang chaud, ainsi que la distance durant laquelle ils auraient à voyager en sa compagnie, les effrayèrent suffisamment pour m'extorquer dix-sept shillings.

Heureusement, ayant promis dix pistoles aux gardes du Jardin du roy, pour le saphir et en ayant obtenu douze d'un joaillier qui se trouvait être une connaissance de M. Durand, j'avais assez d'argent et devais me féliciter dans les jours à venir des deux cents livres supplémentaires que cette transaction m'avait valu.

Par moments néanmoins, je m'en voulais d'avoir vendu un objet aussi précieux que je ne retrouverais plus jamais de ma vie.

L'attelage que j'avais loué finit par tourner dans l'allée cavalière de Bidnold et, lorsque je vis le parc saupoudré de neige, j'eus la sensation soudaine que quelque chose m'attendait là qui n'allait pas me plaire. Impossible de dire pourquoi j'éprouvai cette sensation, mais, arrivé à la tombée du crépuscule, tout m'apparut empli d'ombres et de mort, sans le moindre cerf en vue, ni le moindre oiseau ou animal, et je ne retrouvai rien de ma joie habituelle à l'idée d'être une nouvelle fois dans mon Bidnold bien-aimé.

Mon attelage s'avançait vers la porte, et Will Gates sortit pour me saluer, ainsi qu'il avait l'habitude de le faire. Mais je pus tout de suite lire une très grande angoisse sur son visage, et quand je descendis il tendit le bras, prit mes deux mains dans les siennes et leva vers moi des yeux brillant de larmes.

— Will, dis-moi tout de suite ce qui se passe.

— Oh, Sir Robert, j'ai du mal à trouver les mots. C'est Mlle Margaret, Sir. Elle est tombée très malade. Et personne ne sait quoi faire pour la soigner.

Aucune nouvelle n'aurait pu m'être plus terrible que celle-ci, à part celle de sa mort. Ankylosé par le voyage, je me sentis vaciller, m'affaisser presque sur place, devant ma porte. Tout courbé qu'il était, Will fut néanmoins capable de m'attraper et de m'aider à avancer dans l'entrée, où ma carcasse s'effondra sur un banc en bois à haut dossier.

— Où *est* Margaret ? parvins-je à dire. N'est-elle pas là-bas en Cornouaille ?

— Non, Sir. Sir James et sa famille n'ont pas pu y aller. Mlle Margaret est tombée malade la veille du départ. Impossible pour elle de voyager. Ils la soignent à Shottesbrooke, où ils espèrent et prient...

— De quoi souffre-t-elle, Will ?

— Tout ce que je sais, c'est qu'elle est alitée depuis plus d'un mois. Et il n'y a aucun signe d'amélioration. J'ai envoyé Tabitha là-bas pour aider à s'occuper d'elle. On s'en serait volontiers occupé ici à Bidnold, Sir Robert, mais Lady Prideaux a jugé qu'il valait mieux qu'on ne la déplace pas. Du coup je n'ai pas su quoi faire de plus...

Je demeurai recroquevillé sur le banc, et quand Will se pencha sur moi, j'entendis sa respiration congestionnée et vis ses vieilles mains noueuses se tordre de désolation. C'est alors que je pris conscience que Cattlebury et quelques-uns des autres domestiques étaient dans l'entrée et m'entouraient en silence.

— Nous sommes fort désolés, Sir Robert, entendis-je Cattlebury. Je prépare des bouillons avec le meilleur os à moelle et je les porte moi-même à Shottesbrooke. Lady Prideaux, elle me dit : Cattlebury, vos bouillons la maintiennent en vie, elle refuse tout le reste...

— Merci, mon bon Cattlebury. C'est très aimable à toi.

Je regardai ma maisonnée, autour de moi, et vis tous ces visages silencieux m'observer avec une grande tendresse et cette loyauté, qui m'emplit de reconnaissance, me poussa à me reprendre. Je me levai, sans l'aide de Will, et annonçai :

— Je vais me rendre à Shottesbrooke sans plus tarder. Apporte-moi une tasse de vin d'Alicante, Will. Fais-y infuser un peu de clous de girofle et de cannelle, pour me réchauffer. Je la prendrai dans la bibliothèque. Ensuite je me mettrai en route.

— Vous feriez bien de manger un peu aussi, Sir Robert.

— Je n'ai pas d'appétit.

— Je vais vous apporter un peu de bouillon, ça vous remontera, dit Cattlebury.

Je le remerciai, lui et les autres domestiques, de leur gentillesse et me dirigeai à pas lents vers la bibliothèque où, à mon grand réconfort, brûlait un feu.

Will m'aida à m'installer dans un fauteuil. En enlevant ma houppelande, il entrevit les nouveaux rubans cousus dans les coutures de ma redingote et ne put s'empêcher de me demander :

— Que sont donc ces drôles de décorations, Sir ? Je n'en ai jamais vu de semblables.

— Moi non plus, Will, jusqu'à mon arrivée à Versailles. Et elles étaient coûteuses ; cela étant, elles m'ont valu une rencontre heureuse. Mais rien de tout cela n'a d'importance à présent. Ma fille va-t-elle mourir ?

Will plia ma houppelande sur son bras avec des gestes théâtraux, ne cessant de l'aplatir jusqu'à ce qu'il ne le puisse plus.

— Je n'en sais rien, Sir Robert.

Il faisait nuit noire lorsque j'arrivai à Shottesbrooke Hall.

Sir James et son épouse descendirent en chemise de nuit pour me saluer et ordonnèrent que l'on me prépare un lit. Puis Arabella Prideaux se pendit à mon cou et se mit à pleurer.

— C'est notre faute, Merivel ! gémit-elle. Nous avons fait venir des crevettes bouillies de Lowestoft pour donner une idée à Margaret de ce qu'elle pourrait manger en Cornouaille. Cela ne lui a pas plu, mais Mary et Penelope ont insisté pour qu'elle en mange davantage… Et durant la nuit, elle a été très malade, vomissant tout ce qu'elle avait mangé, puis elle a eu une forte fièvre, un grand mal de tête et une douleur au ventre…

— Nous avons réussi à calmer un peu la douleur avec du lait d'ânesse et l'excellent bouillon que votre cuisinier insiste pour nous apporter, mais la fièvre refuse de tomber et la douleur atroce dans sa tête ne part pas, ajouta Prideaux. Elle a été purgée et saignée. Nous avons essayé les cantharides et tout ce à quoi le Dr Murdoch a pu penser pour tenter de faire tomber la fièvre. Parfois cette dernière descend quelque temps et la douleur s'atténue. Mais elle remonte toujours. Et Margaret s'affaiblit de plus en plus.

Je sentis une sueur froide inonder ma peau.

— Êtes-vous en train de me dire que personne n'a pu mettre un nom sur ce dont elle souffre ?

— Le Dr Murdoch ne sait pas, répondit Arabella.

— Le Dr Murdoch est un charlatan, et il l'a toujours été. Qui d'autre avez-vous fait venir ?

— Un autre médecin d'Attleborough, le Dr Sims. Mais lui non plus n'a pu diagnostiquer d'autre cause qu'un empoisonnement dû aux crevettes, répondit Prideaux.

Nous sommes restés silencieux pendant un moment. Puis je lui demandai :

— Y a-t-il, sur son visage ou sur son corps, un signe de rougeur ou une éruption ?

— Oui, répondit Arabella. Dans la région du cou et de la poitrine. Nous avons essayé de la laver avec du savon à l'ortie pour atténuer la morsure de la maladie, mais c'est tenace...

Je sentis à présent la sueur dégouliner le long de mon corps et j'eus l'impression que c'était de la glace. Je dévisageai Prideaux et son épouse, désemparés dans leurs chemises de nuit, les cheveux tellement en bataille que c'en était gênant, tenant chacun une chandelle tremblante à la main. J'avais beau savoir qu'il s'agissait là de bonnes et honnêtes personnes, j'avais envie de hurler et de maudire leur ignorance et celle des docteurs.

— Elle a le typhus, lançai-je.

Elle est étendue dans une grande pièce spacieuse, couchée dans des draps en lin doux et propres. Un feu brûle dans l'âtre.

Dehors, dans la nuit glaciale, des hiboux ululent. Et ce bruit, synonyme de grande désolation, trouve un écho dans celui que j'entends à l'intérieur de mon propre corps alors que je suis assis au chevet de ma fille.

J'ai donné ordre à la maisonnée qu'aucun visiteur ne s'approche plus de Margaret, car le typhus est mortellement contagieux et je ne voudrais point voir la douce Mary et ses sœurs suivre ma fille là où elle se trouve.

Tabitha refuse de quitter le chevet de sa maîtresse ; je lui ai donné pour instructions de nouer des chiffons autour de son propre visage lorsqu'elle sera près d'elle, ainsi que je le ferai moi-même, comme je le fis lorsque je rendis visite à des victimes de la peste en l'an 1666. « Et quand nous la lavons, nous devons ensuite nous laver, et nous laver encore, afin de ne pas être contaminés par sa peau et sa bouche », expliquai-je.

Margaret dort d'un sommeil agité. Je vois l'éruption gagner son menton et sa joue. Je voudrais tant la caresser, mais je me retiens. Ses cheveux mouillés sont emmêlés sur l'oreiller, et je voudrais les caresser aussi, les démêler de ma main, mais je me retiens.

Je lui parle avec douceur. Je lui dis que je ferai arranger une voiture avec des fourrures et des coussins et que je l'emmènerai à Bidnold demain.

— Notre Bidnold me fut jadis décrit par le Roi comme « le lieu où Nous viendrons rêver », dis-je. Il avait compris que c'était une demeure apte à offrir de grandes consolations. Si, en dépit de la froideur de l'hiver, tu ne parviens pas à te rétablir à Bidnold, tu ne te remettras nulle part sur terre. Et je te le jure, au nom du Roi et au nom de mon ami John Pearce disparu il y a longtemps et que je n'ai pu sauver de la mort, que je ferai, en ma qualité de père et de médecin, tout ce qui est en mon pouvoir pour que tu guérisses.

Elle bouge et se réveille, me découvre à son chevet et, à voir ses yeux, je sais qu'elle m'a reconnu. Cela me réconforte un peu car, dans sa phase ultime, le typhus fait divaguer, et c'est à cela que l'on reconnaît que le malade est aux portes de la mort.

Je lui répète que je vais l'emmener à la maison.

— Et quand tu iras bien, nous sortirons dans la neige et là, dans le parc, tu trouveras un gros animal marchant pesamment, un ours que j'ai sauvé et ramené de France. Un jour, nous finirons par connaître ses habitudes, et peut-être dansera-t-il pour nous.

— Je ne savais pas que les ours pouvaient danser.

— Oh, c'est juste une autre de mes sottises. Je craignais que tu ne me reconnaisses pas à moins que je ne te raconte une bêtise.

— Je vous reconnais, papa, mais vos vêtements sont un peu différents.

— Ah. Encore une folie : des rubans d'épaules ! Même Will les a remarqués malgré ses mauvais yeux.

— Ils vous vont bien...

Elle sourit, et voir ce sourire me réjouit tant le cœur que j'ai envie de la soulever et de la tenir contre moi, mais je me retiens.

Je la questionne sur sa douleur à la tête et elle me répond que c'est la pire des choses, et la plus difficile à supporter ; je lui dis que je vais lui trouver de l'opium chez mon apothicaire à Norwich, la douleur diminuera quand elle l'aura pris.

Elle ferme les yeux et je l'imagine se laissant dériver vers le sommeil, mais elle demande avec douceur :

— Parlez-moi du roi de France.

Je m'entends soupirer. C'est à ce moment-là seulement que je me rends compte combien je suis épuisé, et à quel point je brûle de dormir, mais je me force à me lancer dans quelques petites anecdotes sur Versailles afin de la divertir et de la calmer.

— Le roi de France se fait appeler Louis *Dieu-donné*. C'est un homme nimbé de gloire qui aime aussi se comparer au soleil : le *Roi-Soleil*.

— Est-ce qu'il lui ressemble ?

— Oui, beaucoup, il s'habille couleur or et coiffe une perruque cuivrée aux reflets dorés, comme ta magnifique chevelure ; et le rayonnement qui émane de lui dans une pièce est très palpable, je l'ai senti moi-même et en ai vu d'autres se pâmer presque devant lui.

— Se pâmer et tomber ?

— Oui. S'évanouir d'un seul coup ! Parce qu'il est à peine mortel, vois-tu. L'on m'a raconté qu'il était né avec deux dents translucides comme des perles, et que ce fut le signe qu'il était bel et bien un élu de Dieu, qu'ainsi il dépasserait sa petite enfance et régnerait à tout jamais...

— Rien ne dure pour toujours, papa.

— Tu es sûre ? Et mon amour et mon affection pour toi ? Je ne vois pas comment ils prendraient fin.

12

Jamais aucun hiver ne fut plus rigoureux que celui de cette année-là.

Dans le parc, les grandes gelées avaient étendu leur cruelle morsure sur chaque feuille, brindille, pierre et brin d'herbe. Perchés dans les arbres, les oiseaux tombaient de leur branche et mouraient. Des écureuils rouges griffaient et mordaient la terre où ils avaient caché leurs provisions, mais cette dernière était dure comme du granit. Épuisés, décharnés, les écureuils disparurent.

J'ordonnai que l'on rassemble les cerfs et qu'on les mette à l'abri dans les étables, mais même là l'eau de l'abreuvoir gelait pendant la nuit. Les animaux se regroupaient pour se tenir chaud, et leurs doux regards emplis de reproches silencieux m'évoquaient des bouquets de pensées.

— Cela aura un terme, leur dis-je. Cette saison n'a qu'un temps.

Mais il n'y eut aucun signe de fin. Les bûcherons chargés de construire l'enclos pour l'ours vinrent m'informer que même avec les pioches en fer les plus pointues ils ne parvenaient pas à creuser le moindre trou dans la terre pour y planter les pieux. L'ours ne put donc être libéré et dut rester en cage, et les enfants des forestiers, vêtus de haillons de laine retenus par une ficelle et entrés sans permission sur mes terres, vinrent tourmenter la créature en lui jetant des bâtons et des glaçons.

— Ils ne doivent pas faire ça ! m'exclamai-je en colère

aux bûcherons. Vous devez les en empêcher, ou je vous chasse tous de mon domaine.

Mais où les chasser ? Vers les ateliers de charité ? Je dépendais de ces gens pour ma réserve de bûches, que ce soit pour les fourneaux de Cattlebury, pour les foyers chauffant mes pièces, ou encore pour le feu vif brûlant nuit et jour dans la chambre où était alitée Margaret.

Et quand je comparai la vie de ces bûcherons et de leurs familles, dans de pauvres masures faites de boue et de planches avec un toit de roseaux, et ma vie personnelle, mes meubles à la française, mes cheminées en pierre et mes tapisseries et brocarts aux murs, j'éprouvai une pointe de tristesse pour leur condition, et me sentis fort heureux que Pearce ne soit pas à Bidnold pour me reprocher toute l'injustice du monde et m'en accuser.

Et pourtant, les railleries infligées à l'ours me mirent en colère. « Si vous devez jeter des bâtons, jetez-les-moi, avais-je envie de dire à ces sales gosses et à ces petites souillons en haillons, mais épargnez cet animal qui ne vous a fait aucun mal. »

Noël arriva, mais j'ordonnai qu'il n'y ait point de réjouissances.

Tombant en silence, la neige édifia autour de nous murs et monticules là où auparavant il n'y en avait pas, et je me mis à craindre le manque de nourriture, car aucune carriole de boucher ou de poissonnier ne pourrait traverser la pesante étendue de neige sur l'allée, nombre de nos poulets mouraient et tous nos légumes d'hiver étaient enterrés à trente centimètres de profondeur.

Je fis venir Cattlebury et lui demandai où en étaient nos provisions, et il m'assura qu'ayant « senti dans ses os venir une saison froide », il avait rangé des pommes de terre, des oignons, des navets, des carottes et des sacs de farine dans l'obscurité du cellier, et que nous pourrions tous vivre làdessus sans souffrir.

— Et quand ce sera épuisé ?

— Nous tuerons les cerfs. C'est une viande délicieuse, Sir Robert.

Je le renvoyai et grimpai les escaliers menant à la chambre de Margaret, où Tabitha la veillait attentivement, le visage entouré de mousseline. En dépit du feu brûlant là, et bien que chaque fenêtre soit hermétiquement fermée, la chambre était fraîche. J'approchai du lit et aperçus pour la première fois un chancre dégoûtant faisant une cloque sur la lèvre de Margaret.

Chaque tourment supplémentaire que lui occasionnait le typhus – selles liquides, convulsions de l'estomac ou atroces céphalées que seul l'opium soulageait – me plongeait dans un désespoir et un sentiment d'impuissance tels que j'en avais presque perdu le sommeil.

Lorsque Tabitha et moi-même entreprenions de laver Margaret, ce que nous faisions très souvent car elle se souillait sans le faire exprès, je pus découvrir que son corps s'émaciait.

Et je fus à nouveau renvoyé mentalement à l'époque où John Pearce était mourant : je me souvins avoir perçu sa mort prochaine en voyant qu'il n'avait plus que la peau sur les os, et que – en dépit de mes longues études de médecine – je ne pourrais rien faire pour le sauver.

Je fixai cet horrible chancre sur la lèvre de Margaret et eus la sensation qu'elle était perdue. Je m'agenouillai à son chevet et m'accrochai à son drap, le tordant entre mes mains. Et j'adressai ma prière à Pearce : « Aide-moi ! Au nom de notre vieille amitié, aide-moi à la sauver ! »

Sa seule réponse fut ce silence soudain – dans lequel le monde entier semble retenir son souffle pendant une longue minute –, que j'ai nommé « le silence de Pearce ». Même si à plusieurs reprises dans ma vie cette étrange absence de bruit et de mouvement m'avait consolé, son inutilité aujourd'hui manifeste à mes yeux me mit dans une colère soudaine. J'eus envie de crier, de pleurer et de taper contre les murs à m'en briser les mains.

Je descendis en courant, attrapai ma houppelande la plus chaude d'un geste vif et sortis dans la neige, dans l'espoir qu'une promenade dans le parc gelé me calmerait. Les domestiques avaient dégagé un passage à travers les congères entre la maison et les granges et je suivis l'étroit sentier qu'ils avaient tracé, lorsque soudain une poule, sortie je ne sais d'où, décida de m'accompagner, trottinant avec délicatesse à mes côtés.

La poule et moi regardions le paysage gelé avec des yeux vifs et fiévreux.

Les hêtres, magnifiques, que le gel avait nervurés avec une grâce somptueuse, semblaient maintenant totalement informes, écrasés par tant de neige. Je craignais que le poids ne casse leurs branches, et à l'idée de mes arbres ployant ainsi, ma colère ne fit que croître.

Je poursuivis ma promenade. Je vis mon souffle s'élever en volutes de vapeur bleuâtre, et je sentis la lame acérée de l'air glacial dans mes poumons. Le parc verdoyant autour de moi n'était plus que grandes dunes blanches façonnées par le vent. Je fis remarquer à la poule, qui devait courir un peu tout en battant des ailes pour rester à ma hauteur, et qui semblait déterminée à le demeurer, comme si elle manquait de compagnie :

— Ces dunes de neige ressemblent aux sables d'un désert.

Ce même soir, trouvant quelques minutes le sommeil, étendu sur un tapis dans la chambre de Margaret, je rêvai de Pearce.

Il marchait dans ma direction le long d'une rivière argentée par le soleil ; sur la berge, tout ce qui poussait était luxuriant, vigoureux et brillant.

— Pearce, te voici enfin, m'exclamai-je dans mon rêve. Dis-moi ce que je dois faire pour sauver ma fille. Je t'en *supplie*.

Pearce s'assit parmi les herbes folles, qui semblaient ériger autour de lui un siège de verdure. Il ne daigna pas lever les yeux vers moi, mais après un moment, et tandis que l'eau continuait de couler gentiment, il me répondit :

— Va là où tu vas toujours. Va là où tu ne peux t'empêcher d'aller.

Je restai silencieux. Cela avait toujours été l'une des ruses les plus perturbantes de Pearce que de me parler par énigmes, et très souvent ces dernières n'offraient pas la moindre solution tandis que perdurait le sentiment de ma propre stupidité.

— Cela se trouve où ? lui demandai-je en rêve. Tu dois m'indiquer où, Pearce.

Mais à mon grand désarroi, il se leva de son doux siège de verdure et fit mine de s'éloigner de moi.

— Ne t'en va pas ! suppliai-je. Dis-moi ce que je dois faire !

Il s'arrêta, immobile, et je vis qu'il portait dans ses mains la louche blanche et bleue ; je m'écriai alors :

— Je suis content que tu aies toujours la louche, Pearce ! Je suis très content pour toi qu'elle n'ait pas été perdue !

N'en faisant pas cas, et berçant pourtant l'objet contre son corps mince, il répondit :

— Imagine que tu sois un esclave du temps de Jules César. Tout comme toi, cet esclave a depuis longtemps oublié le manque de liberté dont il souffre, n'est-ce pas ?

— Eh bien...

— Alors, si tu étais ce même esclave, envahi d'une terrible affliction ou tristesse : où irais-tu chercher de l'aide ?

J'hésitai un moment, puis je répondis :

— Je suppose que j'irais voir César.

— Bien sûr. Parce que dans ton cœur, tu *aimes* ta servitude à son endroit ; c'est pourquoi tu es toujours un esclave. Donc la voilà, ta réponse. Tu dois te rendre auprès de César.

Votre Majesté, écrivis-je,
Votre serviteur Merivel vous envoie ses affectueuses salutations depuis les déserts enneigés du Norfolk, où nous sommes emmurés dans une blancheur comme je n'en ai jamais vu.

Je ne sais comment cette missive vous parviendra, car aucun porteur de lettre, aucune carriole ne peut se frayer un chemin jusqu'à Bidnold. Mais j'écris en partie pour tenter d'apaiser mon esprit plongé dans une angoisse mortelle.

Sir, Margaret se meurt du typhus.

J'essaie tous les remèdes de ma connaissance, mais je vois bien, à mesure que le temps passe, qu'ils ne fonctionnent pas. Si un médecin de Whitehall, avec une meilleure connaissance que moi de cette immonde maladie, avait un conseil que je puisse suivre, je vous supplie en toute humilité de me l'écrire. Car je suis convaincu que perdre Margaret entraînerait ma propre mort tout aussi vite, et je ne pourrais plus distraire Votre Majesté avec mes idioties et mes plaisanteries.

Je prie pour que vous alliez bien, Sire, et que vous ne souffriez point de cette période glaciaire qui s'est abattue sur notre pays.

De votre fidèle sujet et fou loyal,
Sir R. Merivel

Je priais tous les jours pour que la neige fonde afin que ma missive puisse être acheminée vers Londres, mais toujours point de dégel. Je finis par croire que la vie de Margaret était suspendue à cette lettre, et que si je pouvais la maintenir en vie jusqu'à ce que les routes soient à nouveau praticables, alors elle ne mourrait pas, sauvée par quelque conseil venu de Whitehall.

Selon mes manuels de médecine, il n'y avait pas de remède assuré contre le typhus. Tout ce que je découvris c'était que la maladie était supposée durer entre huit et douze semaines, au bout desquelles le patient montrerait très probablement un signe de guérison, tel qu'une nette baisse de la fièvre et une amélioration des troubles intestinaux. Mais si ces signes n'apparaissaient pas, eh bien il pourrait s'ensuivre une confusion croissante de l'esprit, puis une perte de connaissance, et enfin la mort.

Margaret et moi étions donc tous deux entre les mains du destin, ou (ainsi que mes parents, John Pearce et le Roi lui-même l'auraient souligné) entre les mains de Dieu. Tout ce que moi, pauvre mortel de docteur, je pouvais accomplir, c'était de soulager un peu ses symptômes. En même temps que les bouillons de Cattlebury, je lui donnais de l'opium. Je la saignais de temps à autre afin de tenter de calmer la mauvaise humeur dans ses veines. J'essuyais la sueur sur son front et sur son corps. Et j'étalais un peu du baume de Louise, à la cire d'abeille et au plantain, sur le chancre ; au bout de quelques jours, à mon grand bonheur, il avait réduit.

Ce petit succès m'égaya sur le coup et je bénis Louise pour son invention.

Je passai beaucoup de temps à parler. Je me disais que si je pouvais maintenir l'esprit de Margaret alerte, alors je conjurerais sa lente progression vers l'inconnu. Je lui racontais les récits de son enfance, en commençant par celui de sa naissance, l'année du grand incendie, et comment, pour les sauver, elle et sa mère, j'avais dû ouvrir le ventre de Katharine pour la mettre au monde.

Elle avait déjà entendu ce récit à plusieurs reprises : ma certitude de pouvoir les sauver toutes les deux, et comment j'avais échoué. La première fois que je le lui avais raconté, elle avait pleuré pour sa mère et demandé : « Pourquoi n'avez-vous pas réussi à la sauver aussi, papa ? »

Je lui expliquai que peu importait ce que nous avions tenté, moi ou la sage-femme, nous n'avions pu endiguer le saignement dans le ventre de Katharine, et que la vie s'était lentement écoulée d'elle. Je rassurai Margaret, lui disant que sa mère n'avait pas souffert, mais juste glissé dans un beau sommeil. Elle était donc morte très paisiblement.

Tout cela était vrai, mais Margaret avait aussi grandi avec un terrible mensonge concernant Katharine. Elle croyait qu'elle faisait partie des sœurs quakers qui aidaient Pearce et ses amis à s'occuper des fous de l'hôpital Whittlesea Bedlam. Or ce n'était pas le cas. Bien que superbe et séduisante, Katharine avait été l'une des pensionnaires les plus torturées de ce lieu. Pearce m'avait prévenu, à plusieurs reprises, de garder mes distances vis-à-vis d'elle. Mais je ne l'avais pas fait. Une fois de plus le désir m'avait emmené vers un lieu fatal dans lequel je n'aurais jamais dû pénétrer sans autorisation.

J'avais aussi dit à Margaret que sa mère et moi nous étions mariés à l'église Saint-Alphage, où Katharine est enterrée, mais cette cérémonie n'a jamais eu lieu, pour la bonne et simple raison que, toujours brouillé avec le Roi, je ne pouvais obtenir une quelconque annulation de mon mariage avec Celia. Et je n'étais pas prêt à me rendre coupable de bigamie en épousant Katharine.

Craignant à présent que Margaret ne meure, je me demandais si je ne devais pas rétablir auprès d'elle la vérité concernant la vie courte et agitée de sa mère.

Concluant que ce n'était pas juste d'infliger des révélations aussi cruelles à une malade, je savais que je me dérobais. Mais quand je fixais les flammes du feu se consumant en permanence dans sa chambre, j'imaginais aussi comment, entendant parler de la folie de sa mère et de la façon dont j'avais lamentablement profité de cette pauvre femme sans défense, Margaret se détournerait soudain de moi, son seul parent vivant, souhaitant me voir brûler en enfer.

La seule pensée que, morte ou vive, ma fille m'enlevât tout son amour était plus que ne pouvait supporter mon esprit épuisé. Aussi je gardai le silence.

Alors que j'arpentais la maison par un matin glacial afin d'évaluer la résistance du bâtiment à l'ire de la neige et des vents, j'entrai dans la pièce que j'avais toujours appelée la pièce Olive. Elle n'était plus décorée de nuances vert olive (avec des pompons violets au-dessus du lit), mais d'un bleu triste trop délavé, que le Roi aimait beaucoup mais que je jugeais un peu insipide à mon goût.

Depuis toujours, la pièce abritait une grande armoire à la française en noyer vernis ; j'ouvris ses portes pour imprégner mes poumons de la senteur de ce placard, qui était celle du passé.

Je restai planté là, inspirant fort par le nez. Je me faisais penser à un animal humant l'air pour voir quelle nourriture ou délice charnel le vent pourrait lui apporter ; ou à un connaisseur de vins, reniflant bruyamment son verre en prétendant sentir des mûres et du bois d'orme, ou que sais-je encore que l'on trouve dans un verre de bordeaux.

Ce que moi je sentais, c'était ma jeunesse. Un souvenir de délectation emplit mes veines et me réchauffa. Dans cette même pièce, je m'étais étendu avec Violet Bathurst, lui avais arraché ses vêtements et avais été réduit à néant par ses exigences sans vergogne. Dans cette même pièce, Will et moi avions soigné Pearce pendant trente-sept heures. En cet endroit j'avais tenu Margaret bébé, lui montrant chaque pièce de la demeure qui m'avait été restituée en 1668, et qui un jour serait à elle.

Ma jeune personne, je m'en souvenais, bouillonnait d'ardeur en permanence. Elle avait été si débordante, avec moult plans et émerveillements fous, que je ne me souvenais d'aucun hiver où j'avais senti le froid – sauf un. Alors que je m'en étonnais, je remarquai un gros ballot enveloppé dans du lin en bas de l'armoire. Et je me souvins de son contenu.

Je m'en emparai et le reposai, puis ouvris le drap de lin. Je vis alors un gros tas de fourrures de blaireau. Elles avaient été transformées en tabards par mon tailleur, le vieux Trench, durant l'hiver 1665 qui, je m'en souvenais à présent, avait été long et glacial, et durant lequel j'avais tremblé comme tout un chacun.

J'avais insisté pour que tous les domestiques de la maisonnée suivent mon exemple en portant ces fourrures, « afin de se garder des frissons et des fièvres ». Je les avais avertis que nous aurions tous l'air plutôt ridicules drapés dans ces drôles de vêtements (avec le museau d'un blaireau mort se dressant sur chaque épaule), mais que de ceux-ci pourrait dépendre notre survie face au froid. « Comparé à la mort, quelle importance que le simple ridicule ? » leur demandai-je.

Ils avaient tous été d'accord pour porter les fourrures. Tous sauf Will.

Ce dernier s'était détourné de moi et, en dépit de toute menace de punition, refusait de mettre son tabard. J'avais entrepris de l'amadouer et de le convaincre. Je l'avais prévenu qu'il risquait de souffrir toutes sortes de maux s'il ne gardait pas son corps au chaud, mais il m'ignora totalement.

— Je ne céderai pas, Sir Robert, et vous ne me ferez pas changer d'avis, m'informa-t-il.

Aujourd'hui, recouverts de la poussière déposée par le temps, les tabards étaient sales et mités, et les museaux, autrefois dressés, retombaient d'une manière un peu lugubre, tandis que de nombreux yeux de verre, cousus par Trench, s'étaient détachés. Cependant, secouant ces vêtements, je sentis qu'ils avaient toujours le pouvoir de réchauffer. J'eus donc l'idée de les brosser, de les laver et de les sécher, avec autant de soin que s'il s'était agi de ma perruque, puis de les étendre sur le lit de Margaret. J'en réservai un pour moi-même, et je distribuai les autres aux domestiques.

— Ne faites pas attention aux trous de mites, et ne pensez qu'à la chaleur dans votre poitrine, leur dis-je.

*

Debout dans ma bibliothèque, je distribue les tabards nettoyés.

Quand vient le tour de Will, je m'attends à ce qu'il refuse d'enfiler le sien, mais non. Il le soulève par-dessus tête et le lace autour de sa vieille carcasse voûtée.

— Très bien, Will. Je suis bien aise que tu y aies consenti, lui dis-je.

Il traverse la pièce avec lenteur en direction de la porte. Le tabard pend sous ses genoux quand il marche, et il me rappelle un pauvre bison vu jadis sur une gravure, la tête baissée et la fourrure en lambeaux.

Je ne sais si je suis sur le point de rire ou de pleurer à ce spectacle. Je sens quelque chose monter en moi, une grande émotion, mais elle semble se ficher dans ma poitrine pour ne plus en sortir.

Quand Will arrive à la porte, il se tourne et me dit :

— Je le fais pour Mlle Margaret, Sir Robert, pour participer à sa guérison ; uniquement pour cela.

13

Les premiers jours de février coïncidèrent avec la neuvième semaine de la maladie de Margaret. Il n'y avait eu aucun changement dans son état, ni en bien ni en mal. Il semblerait que le typhus soit un visiteur mal élevé, s'arrogeant un droit de séjour dans le corps où il s'endort et dont il s'abstient ensuite de repartir.

Regardant mon almanach un matin, et calculant le fastidieux écoulement des jours, je commençai à croire que nous allions rester emmurés à jamais dans notre funeste prison arctique, mourant à petit feu. Et cette pensée me rappela cet autre prisonnier privé de tout, l'ours, que j'avais fort négligé.

Je me dirigeai vers l'endroit où était placée la cage. Il était tombé tellement de neige à l'intérieur qu'il restait tout juste assez de place pour le corps de l'animal. Bien qu'il essayât encore de bouger, la neige entassée et gelée l'emprisonnait, quoi qu'il fasse. En clair, le climat se chargeait de lui bâtir un cercueil.

J'appelai l'un des palefreniers à la rescousse, et ensemble nous sortîmes à la pelle la neige, mélangée à des excréments animaux, d'entre les barreaux de la cage, ce qui était difficile, voire ardu, mais au bout d'une heure et après avoir sué tant et plus, nous avions libéré l'ours de son infortunée position, et il put à nouveau se mouvoir en cercle, avec une grande lenteur.

À la façon dont l'animal bougeait, je vis que son enfermement avait rendu ses membres raides et douloureux, et je demandai au palefrenier d'aller dans les étables me chercher des chaînes solides.

— Des chaînes pour quoi faire, Sir Robert ?

— Va les chercher et je te montrerai.

Il revint couvert de chaînes cliquetantes, l'on aurait dit un spectre sorti de la tombe, ce qui me fit sourire car c'était un homme très gros à qui la mort devait paraître sans nul doute très injuste et hostile ; je les lui enlevai et en choisis une dont je pouvais passer l'extrémité dans un anneau.

— Maintenant, je vais passer la main dans la cage et accrocher cette chaîne autour de son cou, comme une laisse à un chien, lui expliquai-je.

— Pour faire quoi, Sir ?

— Quand la chaîne sera bien accrochée, tu ouvriras la porte de la cage...

— Pas moi, Sir Robert !

— Si, toi, mon bon. Je ne puis y arriver seul. Mais ne crains rien. Je tiendrai l'animal en laisse. Tu dois juste te mettre en sécurité derrière la porte ouverte et je ferai sortir l'ours.

— Que Dieu nous protège ! Et s'il enlève la chaîne de votre main ?

— Il ne le fera pas. Il est faible. Tu as vu comment cette pauvre créature a été enfermée.

— Il pourrait quand même vous manger tout cru.

— Eh bien, comme ça il ne sera pas nécessaire de m'enterrer.

— Je plaisantais pas, Sir.

— Moi non plus. Parce que creuser une tombe dans cette terre gelée serait un labeur inhumain.

Le palefrenier me dévisagea comme s'il déplorait d'être employé par un fou, puis il regarda vers le ciel qui, tandis que nous œuvrions dans la neige, s'était assombri au-dessus de Bidnold, nous promettant encore un autre blizzard.

Pendant qu'il me regardait, je remontai mes épais gants de cuir presque jusqu'au coude et, tenant la chaîne, fis lentement entrer ma main dans la cage et encerclai le cou de l'ours. Sentant ma main sur lui, l'animal jeta la tête en arrière et faillit déloger la chaîne, mais je réussis à m'accrocher, et attrapant l'anneau de mon autre main, je tirai fort dessus, jusqu'à ce qu'il ait la tête prise dans un collier.

L'ours émit un petit bruit de protestation, mais cela ne ressemblait pas au hurlement entendu dans le Jardin du roi, aussi je m'enhardis jusqu'à lui parler.

Je lui expliquai :

— Mon pauvre ami, nous allons nous promener. Nous n'irons pas vite, car je veux que tu puisses en éprouver la sensation dans ton bassin et dans tes pieds. Nous n'irons pas très loin.

— Que Dieu nous protège ! s'exclama le palefrenier. Vous emmenez un animal sauvage en *promenade* ?

— Oui. S'il accepte de me suivre. Les animaux qui ne bougent pas meurent tôt ou tard.

— Et s'il se défait de votre chaîne ? Et s'il attaque férocement mes chevaux, ou les vaches ?

— Il ne le fera pas. Il a été nourri tous les jours, en tout cas ce sont les ordres que j'ai donnés. Des animaux comme celui-ci n'attaquent que lorsqu'ils sont affamés.

— Comment savez-vous ça, Sir Robert ?

— Simple logique. Égorgerais-tu un agneau pour le manger si tu n'étais pas affamé ?

— Certainement, Sir. Je le garderais pour plus tard.

Voyant ce gros palefrenier anéantir ma « logique » avec une telle facilité, j'estimais préférable de ne point discuter davantage. Pendant tout ce temps, le ciel s'assombrissait et l'idée de marcher très longtemps dans le blizzard avec l'ours ne me plaisait qu'à moitié. Ce dernier tentait de se débarrasser du collier en se secouant, mais la chaîne était solide et ma poigne était ferme, aussi ordonnai-je à présent que l'on ouvrît la porte.

Cette dernière était solidement fermée par deux verrous métalliques, mais le gel les avait pratiquement soudés à leurs gâches et je craignis que le palefrenier ne s'enfuie avant de les avoir persuadés de bouger. Tandis qu'il se débattait avec les verrous, l'ours lui jetait un œil affamé.

Pour éviter que l'animal ne songe à arracher la main du palefrenier d'un coup de dent, je caressai l'une de ses oreilles et il tourna sa gueule vers moi avec un air de vif reproche.

— Je sais, je t'ai promis un bel enclos. Je t'ai promis des branches auxquelles grimper et un endroit pour marcher ou courir. Mais nous ne pouvons pas encore les construire. Bidnold tout entier est prisonnier de l'hiver, lui expliquai-je.

Quand les verrous cédèrent enfin, et que le palefrenier ouvrit la porte d'un coup violent, l'ours regarda le paysage blanc devant lui, mais il ne bougea pas. Le palefrenier s'accrocha à la porte ouverte pour se protéger, terrifié. Je tins fermement la chaîne, tandis que de la main gauche je serrais un robuste bâton dont je savais qu'il ne me servirait presque à rien si l'ours décidait de m'attaquer, mais qui pourtant me donnait un courage trompeur et m'aidait à ne pas flancher.

Puis je m'avançai, tentant de tirer l'ours derrière moi, qui me suivit d'une démarche lente et boitillante. Je criai des instructions au palefrenier pour qu'il nettoie et essuie la cage, puis qu'il y mette de la paille et de l'eau fraîches.

J'entraînai mon malheureux otage le long d'un chemin dégagé dans le parc. Des corbeaux rassemblés au sommet d'un chêne gelé firent entendre de concert une clameur d'irritation, mais l'ours ne leur prêta pas la moindre attention et nous continuâmes d'avancer d'un pas tranquille.

Je ne cessai de me retourner vers la créature, surtout pour m'assurer qu'elle ne s'apprêtait pas à me griffer à mort. Je me souvins de cette journée d'automne avec Louise dans le Jardin du roi, et comment les soldats étaient venus pour tuer l'ours. Puis je me souvins du prix incroyablement élevé que sa vie m'avait coûté – le saphir du Roi m'avait toujours été très cher –, et je pensai combien il pouvait être difficile d'estimer la valeur d'une chose par rapport à une autre, et comment les hommes peuvent souvent courir à leur ruine à cause de ce genre de calculs compliqués.

Mais je ne m'attardai pas là-dessus. Après mes efforts pour pelleter la neige, je me sentais réchauffé, et en dépit du ciel sombre, il me sembla soudain que l'intensité du froid dans l'air avait diminué. Cela m'encouragea, et mon cœur ne s'était pas senti aussi léger depuis fort longtemps.

Nous marchâmes un bon moment à travers le parc, jusqu'à l'endroit où le chemin dégagé se terminait et où des monticules de neige se dressaient devant nous et nous bloquaient. Je m'arrêtai ; l'ours s'assit puis me regarda. Son regard était si triste et tendre que tout vestige de la peur qu'il m'avait inspirée disparut.

Je m'appuyai contre le mur de neige, tendis la main et lui caressai la tête. Il me vint alors à l'esprit que, capturé à l'état sauvage dans une forêt d'Allemagne, l'animal avait peut-être déjà été apprivoisé par l'homme avant d'avoir été emmené à Paris.

Et c'est alors que me vint l'idée suivante, indigne : afin d'offrir un grand spectacle de mon habileté et de mon courage, j'allais pouvoir prétendre auprès de mes futurs invités à Bidnold que moi seul (qui, il y a longtemps, avais connu une fabuleuse ascension sociale en sauvant la vie de l'un des épagneuls du Roi) l'avais rendu docile et obéissant grâce à ma compréhension particulière et unique des animaux et des mécanismes de leurs âmes, et que j'étais capable de leur parler directement.

Cela me fit sourire. Le moment d'après, il se passa une chose extraordinaire : un grand vent se précipita, balayant soudain l'endroit où je me reposais avec l'ours ; alors, il se mit à pleuvoir.

Toute la nuit j'écoutai le bruit d'une grande rivière tandis que la neige et la glace redevenaient de l'eau se déversant dans les fossés et entre les monticules, puis filant le long de l'allée en un torrent déferlant.

J'imaginai ma lettre au Roi portée par ce même torrent tel un bateau en papier, et arrivant en peu de temps dans la baignoire de Sa Majesté, où ce dernier s'exclamerait : « Ah ! Un message en forme de bateau ! Magnifique, et inhabituel ! »

Et ses longs doigts la cueilleraient hors de l'eau, il lirait mes mots puis, toujours dans sa baignoire, il ferait venir auprès de lui tous les grands médecins de Whitehall et dirait : « Écrivez-moi tous les remèdes connus contre le typhus. Écrivez-les maintenant, tout de suite, ou vous perdrez votre place à la cour ! »

Et ils se mettraient à griffonner anxieusement leurs recommandations qui, bien que leur écriture soit peut-être troublée par la vapeur de l'eau chaude versée sur le dos du Roi, arriveraient sous peu ici, à Bidnold.

Alors je filerais à cheval chez mon apothicaire, empruntant tous les chemins de traverse qui ne seraient plus engorgés par la neige. Il ne faudrait pas longtemps ensuite pour que Margaret soit tout à fait rétablie.

Au dégel succédèrent quinze jours d'une telle clémence que je m'imaginais sentir le printemps dans la douceur de l'air. La construction de l'enclos destiné à l'ours fut entamée. Ma lettre au Roi fut envoyée à Londres.

Je me dis que tout irait mieux à présent. Mais ce ne fut point le cas.

Alors que je marchais dans mon allée de hêtres blancs tard un matin de février, y guettant de nouvelles feuilles, Will Gates, toujours obstinément vêtu de son tabard dans lequel il suait un peu, se hâta vers moi – avec toute la célérité que lui permettait sa carcasse vieillissante – et me conjura de rentrer.

— Qu'y a-t-il, Will ? Pourquoi cette hâte digne d'un athlète olympique ?

— C'est Tabitha qui m'envoie, haleta-t-il. Mlle Margaret a perdu ses esprits, elle ne sait pas où elle est...

Je tendis la main pour attraper le tronc gris de l'un des hêtres blancs et m'y accrochai, évitant de justesse de tomber.

Will se dirigea vers moi et m'agrippa le bras pour me soutenir.

— Sir Robert, c'est peut-être une confusion temporaire…

— Non, Will, j'ai lu les articles médicaux. C'est le début de la fin.

Will secoua la tête d'un côté puis de l'autre avec fureur.

— Ce n'est pas possible ! Je porte toujours ma fourrure ! éclata-t-il.

Je m'assieds au chevet de Margaret. Je lui tiens la main. Je prononce son nom à voix haute.

Elle me répond :

— J'ai peur de la grotte.

— Quelle grotte ?

— J'y suis entrée et j'y ai vu un oisillon emprisonné, alors je l'ai pris dans mes mains pour le faire sortir…

— Et ensuite ?

— J'ai oublié. Il n'y avait rien dans ma main. Juste une mucosité dégoûtante.

Je lui caresse le front, qui n'est plus brûlant ainsi qu'il le fut, mais froid comme de l'argile. Je lui demande où peut bien se trouver cette grotte et elle répond :

— En Cornouaille.

Et cela me donne un peu d'espoir qu'elle se souvienne du nom de cette région où elle aurait dû être avec ses amies, plutôt que de me parler de Mésopotamie, d'Ipswich ou de Lyme Regis.

Je n'ai jamais été à l'aise avec cette pratique, mais j'envoie Tabitha chercher ma trousse et pour ouvrir une veine dans le bras de Margaret, laissant le sang s'écouler. Je constate alors que son pauvre bras est totalement décharné, et de voir mon enfant dans cet état me met une telle rage au cœur que c'est à peine si je peux me retenir de crier.

Tout en pliant son bras, je maudis ma propre incompétence médicale. Mais je sais une chose : j'ai sous les yeux un corps privé de nourriture ; j'envoie Tabitha auprès de Cattlebury, avec pour instructions de préparer un lait de poule.

— Il se souviendra de ce que c'est ? demande Tabitha. M. Cattlebury est devenu étourdi ces derniers temps, Sir.

— Du lait ! m'écriè-je. Du lait, du vin blanc, des jaunes d'œufs, du sucre, de la cannelle et de la noix muscade. Fouettés jusqu'à épaississement. Va, va !

Tabitha part en glissant comme une petite ombre, et je m'en veux de lui avoir crié après, c'est une très gentille fille qui a risqué sa vie et passé de nombreuses nuits blanches à soigner Margaret.

La chambre est très tranquille, ce qui ne me plaît guère tant cela m'évoque le silence de la tombe. Afin de combattre cette idée, je me mets à jacasser de manière désordonnée, lui reparlant de la mercerie de mes parents et des babioles toutes douces qu'elle contenait. « Il y avait des plumes de toutes les tailles, et des cartons sur lesquels on enroulait de la dentelle bretonne et de la dentelle entrelacée de fils d'or et d'argent. Il y avait des bouts de feutre finement brossés, des morceaux de fourrure et des rubans en satin semblables à ceux cousus aux épaules, dans les coutures de mes redingotes, ainsi que des boutons de toutes sortes, dont des boutons en os... mais le feu s'en est emparé et toutes ces choses ont brûlé, y compris l'or et l'argent... »

Margaret m'observe d'un air grave. Ses pupilles sont élargies. Je ne parviens pas à percevoir si elle m'entend ou comprend ce que je lui dis, ou si elle glisse déjà sur une mer solitaire l'emportant vers l'oubli. Cette réalité tragique, que ma fille risque de se retrouver seule dans le crépuscule approchant, fermée pour toujours à toutes les choses et toutes les personnes qu'elle a aimées, me submerge tant que je me mets à pleurer ; puis je m'y abandonne tout à fait et me retrouve inondé par une marée de larmes, cela dure une éternité et je ne sais comment en sortir. J'ai conscience que, dans cette pièce silencieuse, mon univers touche à sa fin. Il touche à sa fin.

Mes sanglots se font douloureux. Mais cette douleur n'est qu'une blessure bien légère comparée à mon âme déchiquetée qui adviendra lorsque Margaret aura disparu. Et je dis à voix haute :

— Je ne sais pas comment je le supporterai !

Impuissant, je répète cette phrase de nombreuses fois, la tête enfouie dans l'oreiller de Margaret, mes bras enserrant son corps frêle. *Je ne sais pas comment je le supporterai !*

Et là, dans mon obscurité humide, j'entends une voix me répondre. La voix est étouffée, presque inaudible. Elle dit :

— Vous n'aurez pas à le supporter, Merivel.

Je tente de retenir mes sanglots et de lever ma tête de l'oreiller.

La pièce est plongée dans l'obscurité, les rideaux tirés pour la protéger de cette journée printanière, et seule s'y consume une chandelle solitaire. J'essuie mes yeux sur un coin du drap et regarde vers la porte, où je vois une grande silhouette toute de noir vêtue, un bandage blanc lui masquant le visage. Me croyant face à la mort, entrée à pas feutrés dans cette chambre, mon sang se glace.

D'un pas lent, la mort s'avance vers le lit. Je sens son odeur à mesure qu'elle s'approche de moi, mais étrangement, cela n'a rien de dégoûtant, c'est un parfum très subtil et très raffiné. Je l'inspire et je le sais familier, mais je ne parviens pas à me souvenir où, ni quand, j'ai bien pu le sentir.

Je m'essuie à nouveau les yeux afin de tenter d'y voir plus clair. La mort se tient debout, immobile, au chevet de mon enfant. Elle porte des gants noirs. Au-dessus de la mousseline blanche entourant son visage, ses yeux m'observent avec une intensité terrible.

— Merivel, dit-elle. Je vais la toucher, comme je touche les hommes pour la vérole. Si le Roi touche, bien souvent Dieu sauve.

Affaibli par mes pleurs, je me redresse en trébuchant. J'essaye d'exécuter ma révérence cent fois pratiquée, mais je dois tendre la main pour ne pas tomber sur le lit.

— Votre Majesté..., bégayé-je. Je vous ai pris pour la mort.

— Vraiment ? Voilà qui est intéressant. Les monarques et la mort sont tous deux chargés du fardeau de la terreur qu'ils inspirent. Je suppose que telle en est la raison.

— Non. Dans mon âme il n'y a aucune terreur à votre endroit.

— Bon. C'est bien ce que je me disais.

— Juste un amour indéfectible.

— Je le sais. C'est pour cela que je suis ici, bien sûr. Restons donc tous deux silencieux un moment. J'imposerai les mains sur Margaret et nous prierons ; vous verrez qu'elle guérira bien vite. Les rois doivent croire en leur propre pouvoir, sinon ils sont perdus. Toute leur force et toute leur puissance résident dans cette croyance. C'est ce que m'ont appris de longues années d'exil. Même réfugié dans mon chêne à Boscobel, après avoir perdu toutes mes batailles, je le savais.

J'essaye de me tenir droit et silencieux, mais j'ai le nez qui coule et je sens une goutte de morve couler sur mes lèvres, filant vers mon menton et au-delà, vers mon col. Je n'ai pas de mouchoir pour l'essuyer et donc je me sers de la manche de ma redingote – me souvenant d'un coup que je porte une vieille veste marron effilochée que j'aime enfiler lors de mes promenades solitaires dans mon jardin ; de tous mes vêtements c'est celui qui ressemble le plus à une sorte de camouflage, et quand je le porte je me sens libre de parler aux hêtres et aux charmes. J'ai honte de cet accoutrement devant le Roi, mais je refuse de verser là-dedans, car cela n'a aucune importance. Ce qui a lieu dans cette chambre est si inattendu, si extraordinaire, que je dois y mettre toute mon âme. Et comme en écho, jetant un coup d'œil vers la porte, j'entrevois Will affublé de son tabard en blaireau, agenouillé par terre et les mains jointes bien fort pour une prière.

Le Roi s'approche du lit. Margaret ouvre les yeux, ils battent légèrement ; elle semble le reconnaître, puis ses yeux se referment à nouveau. Les mains gantées se tendent et se posent sur son front.

— Les souverains n'ont pas de pouvoir de guérison, dit le roi Charles, mais Dieu a ce pouvoir et nous pouvons travailler à travers lui. Au nom de Dieu, je te touche, Margaret. Que Dieu te guérisse et te rende la santé.

— Amen, murmure Will.

— Amen, dis-je.

14

N'ayant guère l'intention de passer plus d'une nuit à
Bidnold, le Roi était arrivé avec une très petite suite comprenant deux cochers, un officier de la garde royale, deux
valets et un chien, son épagneule préférée, Bunting.

Bunting et lui étaient logés dans la chambre autrefois
nommée la chambre Souci, où Celia avait logé aussi, se
plaignant de mes décorations vulgaires et de mon manque
de goût. Mais le Roi admire cette pièce, à présent tapissée
de corail et de magenta, assortis en un flamboyant coucher
de soleil que venaient un peu atténuer nombre de coussins
en satin couleur crème. L'on y a une vue splendide sur le
parc, et à peine y avait-il pénétré à nouveau que le Roi
s'exclama :

— Ah, oui. Ici je me sens en paix. À présent je vais me
reposer un peu.

Abandonnant Margaret aux mains de Tabitha, je convo-
quai tous mes domestiques et donnai mes instructions. Il
fallait qu'un abondant festin soit préparé avant ce soir afin
que le Roi puisse dîner dans toute la splendeur que ma
maison pouvait lui offrir en un délai aussi bref.

À Cattlebury, qui suggérait « une somptueuse tourte au
gibier accompagnée de marmelade », je répondis :

— Si tu veux, Cattlebury, mais laisse-nous naviguer
ensuite autour de la tourte avec des huîtres et des anchois,
une selle d'agneau nappée d'une sauce au madère puis une
longe de bœuf, le tout suivi d'un sabayon au rhum et de

pommes au four. Sa Majesté a voyagé longtemps pour être auprès de nous, et il aura une faim de loup.

— Ou d'ours, auriez-vous plutôt dû dire, Sir. Si vous voulez mon avis, cette créature dévorera des cerfs avant l'arrivée du printemps.

— Merci, Cattlebury, je suis toujours friand de tes opinions. Bien. Je veux que les boiseries, l'argenterie et l'étain de la salle à manger soient totalement nettoyés et astiqués, et que l'on sorte le meilleur linge de table, qu'on le repasse et qu'on l'étende. Personne ne se reposera ni ne s'arrêtera un seul instant avant que tout soit propre et étincelant. Et je veux que l'on allume cinquante chandelles avant de servir le dîner. Sa Majesté et moi-même aimons tous deux la lumière.

Puis je pris Will à part à l'office et lui dis avec gentillesse :

— Will, le moment est venu d'enlever ton tabard. Ce soir, tu mettras ta plus belle livrée afin de pouvoir servir le Roi à table.

Will souleva un coin de sa fourrure mitée et galeuse, contempla l'étendue du désastre puis secoua la tête avec tristesse.

— Sir, j'ai juré de ne pas enlever ça jusqu'à ce que Mlle Margaret aille mieux. À quoi sert ma promesse si maintenant je la romps ?

Je l'observai, tout voûté et triste, presque aussi piteux que la fourrure elle-même, et je compris que je ne pouvais plus le laisser remplir les moindres fonctions dans la salle à manger : il ne pouvait tout bonnement plus tenir assiettes ni plats.

C'est alors que je perçus, non sans un sentiment de gêne, que son insistance à porter le tabard m'avait peut-être sauvé d'une catastrophe faite d'huîtres éparpillées et de saucières renversées, un chaos général des plus contrariants lors du dîner ; aussi je lui proposai :

— Très bien, Will. Une promesse est une promesse et tu es un homme honorable. Garde le tabard. Seulement...

— Je sais, Sir Robert, je ne peux pas me présenter à table. Je donnerais cher pour servir à nouveau Sa Majesté, mais je resterai hors de sa vue.

Après un déjeuner élaboré à la hâte, le Roi m'invita à faire un tour dans le parc en sa compagnie. Sous le soleil éclatant, je vis très clairement les rides que le temps avait gravées sur le visage du roi Charles, et sa peau – qui avait toujours été d'une couleur caramel très douce – était devenue pâle et mouchetée de taches de vieillesse ; je voulais protester face à ces signes de l'âge et à la contrariété qu'ils suscitaient dans mon esprit qui, de manière puérile, pensait le Roi toujours jeune et immortel.

Je l'emmenai d'abord vers mon allée de hêtres blancs taillés qu'il admira, se déclarant amoureux des « jardins à la française où tout n'est qu'ordre et géométrie » ; là, j'entrepris de lui raconter (je connaissais son sempiternel intérêt pour les amours d'autrui) comment j'étais tombé amoureux à Paris d'une femme « possédant un savoir infini sur les plantes ».

— Ah, c'est exquis, Merivel. Je ne vous aurais pas cru susceptible d'être séduit par la botanique.

— Moi non plus, mais d'un autre côté, n'ai-je pas toujours été attiré par des choses surprenantes ? C'est comme si, en dépit des excellentes exhortations de Montaigne incitant les hommes à « se connaître eux-mêmes », je ne saisissais toujours pas ma propre nature.

— C'est très probable. Mais la raison pourrait bien être que vous aspirez toujours à vous distraire et vous surprendre vous-même. N'ai-je point raison ?

— Eh bien, j'aspire à *vous* surprendre et *vous* distraire.

— Ah ! Comme c'est prévenant de votre part. Et la plupart du temps vous y parvenez. Mais cette maîtresse à Paris, l'amusez-vous ?

— Je crois que oui, Sir. Mais je tente de l'oublier. Son époux est colonel dans les Gardes suisses et il a menacé de me tuer de sa propre épée si jamais je remettais un pied dans sa demeure...

— Oh, comme c'est infantile ! Les maîtresses devraient être mariées et les époux devraient savoir rester à leur place, ainsi que vous l'avez jadis appris à vos dépens. Peut-être que les Gardes suisses accordent trop d'importance à la dignité, non ?

Mon esprit fut traversé par une image du colonel Jacques-Adolphe de Flamanville reniflant et grognant tout en me massacrant au billard, et je rétorquai que sa dignité semblait en effet beaucoup compter pour lui, que j'avais par ailleurs surnommé « la girafe ». Mais, par équité vis-à-vis de ses compagnons d'armes, j'évoquai aussi pour le Roi (qui ne s'aventurait plus au-delà des côtes anglaises et n'avait donc pas vu Versailles depuis quelque temps) le stoïcisme des Gardes suisses, parfaitement immobiles sous la lune glaciale et jouant de leurs tambours avec une telle douceur que le son donnait l'impression de sortir du sol.

— Voilà qui me plaît, dit-il. Quand les puissants maîtrisent leur force tout en étant subtils.

Nous poursuivîmes notre promenade et arrivâmes assez vite à l'enclos nouvellement construit, à l'intérieur duquel l'ours faisait les cent pas.

Le Roi s'arrêta, agrippa les pieux en bois et observa l'ours avec une attention farouche. Bunting se mit à aboyer ; il la prit dans ses bras et la berça jusqu'à ce qu'elle se calme.

— Cette créature a-t-elle un nom ? demanda-t-il au bout d'un moment.

— Non. Je n'arrive pas à lui en trouver un qui soit assez imposant.

Le Roi sourit, puis il regarda l'ours en silence tandis que ce dernier s'éloignait d'un pas lourd et s'installait inconfortablement sous la branche d'un arbre. Il dit ensuite :

— Il devrait s'appeler Clarendon, comme mon ancien conseiller. L'animal est seul et abandonné. Il se pourrait qu'il meure bientôt.

Je restai coi. Je n'avais aucune envie d'imaginer que mon ours allait « mourir bientôt ». Mais à la vue de la créature affligée, je me souvins comment ce vieillard pompeux et riche, comte puis chancelier, qui avait cru rester aux côtés du Roi pour le conseiller et le guider toute sa vie, avait, pour finir, épuisé sa propre utilité.

Clarendon, qui avait atteint des sommets et amassé une si grande fortune, avait été envoyé en France et ne revint jamais habiter la grande demeure qu'il s'était fait construire. Lady Castlemaine, ainsi que d'autres à la cour, s'étaient réjouis de sa disgrâce, riant de ses armoiries déshonorées tandis qu'une accusation de trahison (jamais confirmée) circulait sur lui en son absence.

Au départ, le Roi, que la présence autoritaire de Clarendon avait fini par rendre furieux, s'était associé aux railleries et moqueries visant cet homme qui l'avait conseillé toute sa vie ; mais quelques années plus tard, après la mort de Clarendon à Rouen, il l'avait comparé au Falstaff de Shakespeare, et lui-même au prince Hal. « J'ai été cruel, Clarendon est mort le cœur brisé. Je n'aurais pas dû le punir à ce point-là », avait-il dit.

Alors la pensée que mon ours, dont je m'étais imaginé être le sauveur, endurait à présent un terrible exil ici, à Bidnold, me plongea dans un chagrin subit. Je n'avais pas été capable d'offrir à cette créature un seul moment de bonheur. Je l'avais sauvée de la mort ; un point c'est tout.

— Ai-je eu tort de lui sauver la vie ? demandai-je.

Le Roi tenait la chienne tout contre lui, tant pour se réconforter que pour la protéger, et il demanda :

— Pourquoi avoir voulu le sauver, Merivel ?

— Je crois m'être dit qu'il pourrait jouer un rôle...

— Dans quoi ?

— Dans la compréhension que je pourrais avoir de ma propre nature.

Le Roi se retourna et me regarda. C'était un regard de dédain non dissimulé, que je me souvenais avoir vu il y a longtemps, et qui me causa une douleur soudaine, car j'y voyais reflétées mes propres incapacités.

— Je vois que vous avez toujours l'habitude de tout orienter autour de votre personne, lança-t-il en reniflant.

Nous revînmes vers la maison et montâmes auprès de Margaret. Elle dormait.

Nous restâmes debout à la regarder. Son sommeil semblait calme et Tabitha nous informa qu'elle avait bu un peu de lait de poule avant de refermer les yeux. Son bras mince et bandé était étendu, immobile, sur son oreiller, dans une attitude d'abandon. Chacun de nous toucha ce bras alangui puis, l'humeur à présent sombre, le Roi alla se reposer une fois de plus et je descendis dans la cuisine, où je trouvai Cattlebury tranchant les têtes de deux colverts.

— Je n'ai pas demandé de canard, lançai-je.

— Non, Sir Robert, répondit l'impudent cuisinier, mais ils sont entrés de leur propre chef dans mon office et je leur ai dit : « Vous êtes fichus, mes gars ! » Alors ils ont caqueté en retour : « Est-ce que le Roi nous mangera ? » Et moi je leur ai répondu, parce que j'ai de l'humour – j'espère que vous l'avez remarqué, Sir Robert, depuis toutes ces années –, « vu que le Roi mange tout ce qu'il y a à manger dans le pays, pourquoi seriez-vous épargnés ? ».

— Que veux-tu dire par « le Roi mange tout ce qu'il y a à manger dans le pays » ?

— Juste ce que je dis, Sir. En cas de famine, est-ce que le Roi mourra de faim ? Non. Il prendra aux gens le peu qu'ils ont pour se goberger.

— Tais-toi, Cattlebury ! m'écriai-je. Je ne veux pas de propos séditieux sous ce toit.

Cattlebury abandonna le canard et se dirigea vers moi en brandissant le hachoir. Alors que je reculais face à sa menace, il lança :

— Il signera votre perte, Sir Robert. M. Pearce avait raison, le Roi signera votre perte.

Je sortis dans le jardin et ramassai quelques feuilles d'hellébore. J'avais cru ces plantes blessées et suffoquées par le gel et la neige, tellement qu'elles en seraient brunies et mortes, mais ce n'était point le cas.

J'en fis une infusion à laquelle j'ajoutai du miel, une autre recette de Pearce aidant au traitement de la maladie mentale, qui avait donné quelques résultats à Whittlesea. J'emportai ça dans la chambre de Margaret, où Tabitha veillait à nouveau. Je m'excusai auprès d'elle pour lui avoir crié après un peu plus tôt et lui suggérai d'aller se reposer.

Margaret n'avait pas bougé d'un millimètre dans son sommeil. C'était comme si, depuis l'apparition du Roi à son chevet, elle avait été jetée dans un doux oubli, semblable à celui ayant touché sa mère jadis, et je priai pour qu'elle ne glisse pas de cet oubli vers la mort.

Je tentai de me remémorer le drame du roi Lear, lorsque le pauvre monarque fou est guéri de sa confusion mentale par le sommeil et se réveille pour trouver sa fille Cordelia à son chevet ; au bout d'un moment, il la reconnaît, elle qu'il n'a pas vue durant une longue et cruelle période, et il s'écrie : « Ne vous moquez pas de moi, car, aussi sûr que je suis un homme, je pense que cette dame est ma fille Cordelia », et elle répond « C'est moi ! c'est moi ! ». À ces derniers mots, « C'est moi » – s'ils sont bien prononcés par la comédienne –, j'ai toujours du mal à retenir mes larmes, car ce qui m'émeut le plus au monde c'est de nous voir restitué ce qui nous fut ravi un jour.

Je réveillai Margaret avec douceur et elle ouvrit les yeux puis me regarda. Je l'aidai à se redresser un peu.

— Margaret, le Roi est à Bidnold. Il a posé les mains sur ton front et a prié Dieu de te rendre la santé. Maintenant, tu vas guérir.

Elle ne répondit rien, se contentant de me regarder avec cette compassion que les invalides éprouvent souvent pour leurs soignants. Je lui caressai la main.

— Je t'ai préparé une infusion, pour te calmer l'esprit.
Veux-tu essayer d'en prendre un peu ?

Je tins la tasse sous ses lèvres et elle but à petites gorgées ;
l'on aurait dit une enfant. La peau de son visage était pâle,
avec pourtant quelque rougeur due au sommeil, et sa main
était chaude et sèche.

J'entrepris de lui raconter comment le Roi était arrivé à
l'improviste tel Jupiter dans son chariot, forçant Will à se
précipiter à la porte d'entrée trébuchant et titubant, si bien
que son cœur avait failli s'arrêter avant même d'apparaître
devant le Roi.

— Mais il apparut, Margaret, et, à sa grande joie, Sa
Majesté le releva tandis qu'il essayait d'effectuer sa révérence
et lui dit : « Gates ! Mon bon Gates ! Comme Nous sommes
content de vous voir ! » Et le cœur de Will faillit s'arrêter
une seconde fois d'émerveillement. Imagine-toi la scène...

Je regardais son visage avec attention, pour voir si elle
avait compris cette petite anecdote.

L'espace d'un moment ses traits restèrent totalement figés,
mais la naissance d'un sourire souleva ensuite les coins de
sa bouche.

— Je suis contente, répondit-elle.

Je l'aidai à boire la moitié de la tasse d'hellébore, puis
elle reposa la tête sur son oreiller et refusa de boire davantage. Elle ferma à nouveau les yeux. Je m'assis, immobile,
me demandant si je croyais vraiment qu'un roi pouvait
soigner les maladies graves de ses sujets et, à vrai dire, il
me sembla évident que je n'en croyais rien.

En même temps, je ne parvenais pas davantage à accepter l'idée que l'arrivée du Roi dans ma demeure n'ait pas
eu de conséquence bénéfique. Je savais que si Pearce avait
été là, il m'aurait dit : « Une fois de plus, Merivel, tu entretiens tes illusions. Les docteurs peuvent aider une guérison,
mais pas les rois. Seul Dieu guérit. » Ce à quoi j'aurais
répondu : « Je le sais, mon ami. Je crois que même le Roi
lui-même le sait. Et pourtant, peut-être oublies-tu un point

essentiel : le pouvoir de l'esprit à entretenir ces illusions qui le nourrissent. »

Si l'on songe au peu de fiabilité de Cattlebury et à l'incapacité de Will à contrôler ce dernier, le dîner qui eut lieu dans la salle à manger fut loin d'être catastrophique. On avait allumé les bougies. Tout était propre et chatoyant. Le Roi s'assit, Bunting sur les genoux, et lui donna des petits bouts de canard rôti et de longe un peu trop cuite. La tourte au gibier arriva, surmontée d'une couronne de pâte, remplie de marmelade luisante et sertie de raisins secs comme autant de bijoux, que je voulus interpréter comme un petit acte de repentir courtois de mon cuisinier suite à son accès d'antimonarchisme.

Pendant un moment, Sa Majesté parla au chien et non à moi, d'une manière qui me parut déconcertante, mais je savais qu'il convenait de ne pas l'interrompre. Il me sembla que quelque chose d'important occupait son esprit, ce en quoi je ne me trompais point. Pour finir, il leva les yeux vers moi au moment d'entamer la tourte et lança :

— Je ne vous ai pas avoué combien je suis fatigué, Merivel. Pas à cause de mon voyage jusqu'au Norfolk qui – une fois sorti de Londres, partout souillée par la pauvreté – me procura un grand bonheur, mais à cause des affaires de l'État.

— J'imagine, Sir.

— Le moindre problème – rétributions non versées aux équipages de la marine, argent dû pour un millier d'autres choses, requêtes de telle société ou corporation – me rend malade. Il y a des matins où, après ma petite promenade dans le parc, tout ce dont je suis capable c'est de me rendre dans les appartements de Fubbs et de m'étendre près du feu en lui demandant de me caresser le crâne – tant il me fait mal.

— Les maux de tête sont insupportables. Je ne le sais que trop.

— J'en arrive presque à souhaiter — or jamais de ma vie je n'ai entretenu une telle pensée — que quelqu'un d'autre règne à ma place.

— C'est impossible, Sir. Personne n'aurait une assise assez large pour occuper votre siège.

Le Roi sourit et prit une gorgée de vin.

— Il y a si peu de gens, *si peu* de gens à la cour qui me distraient encore, Merivel. Tout n'est que pesanteur et reproches. Je suis même supposé faire la guerre à la France ! Tout cela s'ajoutant aux Hollandais et à leur manie compétitive des monopoles commerciaux. Mais pourquoi donc ferais-je une chose pareille, alors que le seul argent que je possède en propre me vient de prêts émanant du roi Louis ?

— Les conflits armés sont un fléau amer...

— En effet. Je n'entrerai pas en guerre, que ce soit contre la France ou quelque autre contrée que ce soit. Je ne souhaite que la paix.

Se sentant négligée, Bunting gémit afin d'obtenir un bout de tourte. On le lui donna et je dis :

— Vous savez que vous pouvez rester à Bidnold aussi longtemps que vous le souhaitez...

Le Roi caressa la chienne et me regarda.

— J'allais y venir. J'ai toujours trouvé cet endroit très apaisant. J'avais l'intention de rentrer à Londres demain matin, mais je sens que je ne puis m'y résoudre. J'ai besoin de sommeil et d'air frais. Je demeurerai donc ici.

Je baissai la tête et lui répondis que j'étais honoré, ce qui était vrai. Mais l'instant d'après, ayant saisi ce qu'impliquait véritablement la décision du Roi, je me sentis fort mal à l'aise. Car entre l'infirmité de Will et la maladie mortelle de Margaret, l'absence de provisions après la grande neige, sans parler des propos séditieux de Cattlebury, Bidnold n'était pas vraiment en état d'honorer la présence prolongée du Roi.

J'étais moi-même las et épuisé. Il allait être difficile d'être prévenant envers le souverain alors que toutes mes pensées étaient auprès de Margaret. J'étais par ailleurs en proie à de grands flux et reflux de culpabilité concernant mes patients que j'avais négligés. Ces derniers temps, j'avais prétexté qu'il me fallait m'en tenir éloigné au cas où je serais porteur du typhus. Mais la vérité était que durant mon séjour en France, et au cours de cet interminable et terrible hiver, je n'avais presque pas pensé à eux, préférant me convaincre que le vieux Dr Murdoch (ce charlatan !) et le Dr Sims s'occupaient d'eux au mieux, et qu'ils leur avaient expliqué la gravité de ma situation au vu de la maladie de ma fille.

Mais j'avais espéré réparer tout cela très vite en rendant visite à chacun d'entre eux, or je me voyais plus que jamais prisonnier dans ma propre demeure, et tous mes efforts devaient être uniquement consacrés à Margaret et au Roi. D'ordinaire, ce dernier arrivait ici avec une cour suffisante pour le divertir et je pouvais me contenter de jouer l'hôte discret, faisant de temps à autre, selon les requêtes et les ordres, une apparition émaillée de plaisanteries et pitreries. Mais cette fois il était à Bidnold avec pour toute compagnie deux valets et un chien gâté. Je me demandai, non sans angoisse, comment nous allions passer les jours à venir.

Alors que nous quittions la salle à manger, le Roi marqua une pause, se retourna et regarda la table ainsi que la cinquantaine de bougies qui coulaient et se consumaient.

— Où est Gates ? demanda-t-il. Ne Nous servait-il pas toujours fidèlement le dîner ?

— Si, en effet, Sir, mais ses mains sont devenues un peu malhabiles...

Le Roi hocha la tête avec gravité.

— Je vois. Je crois que vous m'en aviez déjà parlé à Londres. Mais il m'est toujours pénible de constater que les choses appréciées jadis doivent finir un jour.

15

Le printemps arriva.

Tandis qu'il étalait son vert saupoudrage sur chaque arbre et chaque haie, j'observai de jour en jour des signes d'amélioration dans l'état de Margaret. Elle se mit à manger les petits plats appétissants que je persuadais Cattlebury de lui préparer : entremets au lait, œufs pochés, cœurs de céleris à la crème. Et ses joues prirent à nouveau des couleurs.

Je m'assurai par ailleurs que ses cheveux étaient lavés et bouclés, ainsi qu'elle les aimait.

Parfois je l'aidais à quitter son lit, nous nous asseyions alors à une petite table devant la fenêtre de la chambre où elle était restée si longtemps couchée et faisions des parties de rami, preuve que son esprit était vif et clair. J'exprimais alors ma gratitude au Dieu dénué de cœur qui avait laissé mes innocents parents périr dans un incendie.

J'exhumai mon hautbois terni de son étui, le fis reluire et, pour le plus grand amusement de Margaret et du Roi, j'emmenai ma fille dans la salle de musique et y jouai pour tous deux quelques-unes des vieilles mélodies avec lesquelles je distrayais les fous de Whittlesea jadis, et dont je me souvenais vaguement. Lors de l'une de ces séances, le Roi se leva et prit Margaret par la main pour une danse courte mais majestueuse, après quoi nous applaudîmes tous trois avec enthousiasme, comme si nous venions d'assister à une merveilleuse nouvelle pièce au Duke's Playhouse.

J'envoyai un mot à Sir James Prideaux pour l'informer du rétablissement de Margaret, et invitai sa famille à dîner en notre compagnie ; quand les femmes comprirent que le Roi était là et qu'il serait donc de la partie, si j'en crois la lettre de Sir James, toutes demandèrent de nouvelles robes, de nouveaux rubans et de nouvelles chaussures : « Votre soirée risque fort de me ruiner tout à fait, Merivel, mais je m'en moque bien tant nous nous réjouissons de rencontrer le Roi et d'apprendre que Margaret est à nouveau parmi nous. »

Dès leur arrivée, ils remplirent la maison de conversations et de rires. Chacun à son tour prit Margaret dans ses bras et, voyant son amie rétablie, Mary pleura tant de joie qu'Arabella dut se cacher le visage avec son éventail afin de ne point laisser voir ses propres larmes.

La famille Prideaux ravit le Roi instantanément. Bien qu'il m'ait dit et répété combien il se sentait « équilibré et serein » avec Fubbs, je perçus sur-le-champ que l'arrivée de quatre belles jeunes filles dans ma demeure avait ravivé dans ses yeux une ancienne flamme.

Penelope n'avait que quinze ans, mais il fit preuve à son égard, ainsi qu'envers Mary, Jane et Virginia, d'une attention touchante, lui faisant sentir l'importance de ses leçons de danse et de géographie.

— Grâce *dans* le monde, Penelope, et connaissance *du* monde, lui recommanda-t-il ; mon père m'a appris à accorder de la valeur à ces choses-là avant d'être méchamment décapité. Et donc, en mémoire de lui, tu dois y prêter attention.

Tout le monde se tut sans plus savoir où poser les yeux, aussi fut-ce un soulagement lorsque Will (enfin débarrassé de son tabard et vêtu d'une livrée rouge et or trop grande pour sa carcasse) entra pour m'informer que le filet demandé pour une partie de volant avait été installé dans le hall.

Nous jouâmes chacun notre tour dans des équipes différentes, et quiconque était dans celle du Roi gagnait, parce qu'il n'avait guère perdu en agilité depuis l'époque où je jouais au tennis avec lui, et parce que ses coups étaient puissants et précis. Mais personne ne semblait se préoccuper de qui gagnait ou de qui perdait. Gambader avec des raquettes en poursuivant un volant de plumes emplit nos cœurs d'une joie extraordinaire, et bien qu'à bout de souffle et assoiffés, et qu'il m'ait fallu faire quérir de la bière et de la citronnade en cuisine, nous faisions durer le plaisir.

À minuit nous jouions encore. Les seuls spectateurs étaient Arabella et Margaret, pas encore assez forte pour courir en tous sens, suer et risquer une fièvre, mais elles aussi furent prises par la gaieté du jeu et restèrent assises près des chandelles qui coulaient, sirotant de la citronnade et encourageant les équipes. Et je me fis la réflexion que cela faisait bien longtemps qu'il n'y avait pas eu de soirée aussi agréable à Bidnold, et que toute ma mélancolie semblait avoir été balayée de mon cœur et expédiée par le volant à l'autre bout de l'univers.

Comme il l'avait prédit, le Roi passa de longues heures à marcher seul dans le parc au soleil levant, et aussi de nombreuses heures à se reposer dans la chambre Souci. « Je suis en paix, répétait-il, je suis en paix dans cet endroit. »

Des lettres suivirent, de plus en plus nombreuses au fil des jours, mais il ne les ouvrit point. À l'entendre, le seul mot de « parlement » lui donnait la nausée, « comme si j'étais à nouveau un jeune homme en exil », et il me fit promettre de ne jamais le prononcer.

Il passait les soirées avec moi et toute compagnie divertissante que je pouvais lui procurer, notamment ma Lady Bathurst, mon ancien amour, Violet, aujourd'hui veuve et fort âgée, mais belle dans son délabrement, et dont l'esprit était aussi vif qu'autrefois.

Un soir, après que nous eûmes bu force vin, le Roi l'emmena dans son lit et, lorsque moi-même je me retirai un peu plus tard, j'entendis (comme sans doute Margaret, ainsi que tous les domestiques à Bidnold) les cris et les hurlements familiers de Violet Bathurst qui, dès qu'un homme la touchait, en faisait une émeute presque ingérable.

Au petit déjeuner le lendemain matin, aucun signe du Roi. L'air pâle, et avec un petit bleu dans le cou, Violet, qui buvait un thé léger à la cannelle, se tourna vers moi et lança :

— Merivel, je ne vous ai pas dit que j'étais mourante.

— Eh bien, Violet, c'est notre lot à tous...

— Mais je suis plus gravement mourante que vous. Il y a un cancer logé dans ma poitrine.

J'étais en train d'avaler du porridge. Je regardai la bouillie grise et sentis ma gorge se serrer. Avant que je puisse répondre quoi que ce soit, Violet lança :

— Maintenant que le Roi m'a baisée, je peux mourir heureuse. N'est-ce pas ?

Elle arborait son sourire familier et provocateur qui m'ensorcelait autrefois, mais contre lequel je me sentais à présent presque immunisé.

— Comment pouvez-vous être sûre que c'est bien un cancer que vous avez ? lui demandai-je.

— Eh bien, il y a une grosse *chose* près de mon aisselle qui ne devrait pas être là. Que cela pourrait-il être d'autre ? Mais je n'ai pas laissé les mains du Roi la découvrir, et je pense qu'il a eu beaucoup de plaisir, comme vous, jadis.

— Je n'en doute pas.

— Mais il risque de ne pas revenir me voir...

— Et pourquoi donc ?

— Je crains de l'avoir épuisé !

À ce moment-là, Margaret entra dans la salle à manger et Violet et moi dûmes cesser notre échange. Margaret dit bonjour à Violet mais ne la regarda pas, gênée d'avoir entendu cette frénésie nocturne, je pense, et ne sachant pas si la maisonnée avait retrouvé toute sa quiétude. Quand Violet annonça son départ, ma fille sembla soulagée.

J'accompagnai Violet à la porte. Sur le seuil, je lui annonçai :

— Je viendrai à Bathurst Hall demain et j'examinerai votre poitrine. Peut-être souffrez-vous d'un simple kyste, que je peux ponctionner.

De sa main elle effleura mes lèvres.

— Merci, Merivel, et aussi pour m'avoir offert le Roi. Combien de délices ai-je toujours connu sous ce toit !

Puis elle repartit dans son attelage et je m'en retournai à mon porridge, qui était froid, et à Margaret, fort sombre et silencieuse.

— J'ai pris une décision, annonçai-je. Demain je reprendrai mes visites auprès de mes patients, rien d'extravagant, juste une heure ou deux. S'il en exprime la demande, pourrais-tu distraire le Roi en mon absence ?

— Oui. Pourrai-je lui apprendre à jouer au rami ?

Mes malheureux patients…

Pendant bien longtemps ils s'étaient retrouvés à la merci du Dr Murdoch, que je connais depuis ma folle époque. Il est vieux à présent, et des poils vigoureux lui sortent du nez et des oreilles, l'on dirait des moustaches de rat ; je plains les malades alités obligés de les contempler malgré leur répulsion, redoutant tout contact irritant ou urticant chaque fois que le Dr Murdoch se penche vers leur lit.

Murdoch a travaillé jadis à l'hôpital Saint-Thomas à Londres, tout comme Pearce et moi-même, mais il n'y est pas resté longtemps et, à mon humble avis, il n'a jamais été un médecin sérieux, se contentant de traverser la vie d'un pas mal assuré dans un hébétement fait de semi-savoirs, dispensant ce remède-ci ou ce remède-là au gré de ses lubies d'ignare.

Combien de fois n'a-t-il pas confondu un patient avec un autre ! À celui qui, tombé sur sa faux en rentrant les foins, avait perdu une grande quantité de sang, voilà que Murdoch entreprend de lui en prélever encore davantage, pour l'avoir confondu avec un patient traité pour des accès colériques, ce pour la bonne et simple raison que les deux hommes étaient chauves et robustes. L'homme à la faux meurt, vidé de tout son sang, et sa pauvre femme me dit : « C'étoit le docteur qui l'avions tué, pour sûr. » Mais elle n'a ni argent ni statut social, et ne peut donc lui intenter le moindre procès.

En dépit de ses piètres compétences, Murdoch est devenu très riche, poursuivant ses patients jusqu'à la tombe et au-delà afin de se faire régler ses honoraires. Il s'est fait construire une belle maison à Walsham et se comporte en lord, exigeant la déférence de tout un chacun et me détestant cordialement parce que je suis un intime du Roi et qu'il est fort enclin à la jalousie.

Il a récemment pris un assistant, un homme plus jeune, le Dr Sims, appelé au chevet de Margaret au début de sa maladie alors qu'elle logeait chez Sir James. Ni lui ni Murdoch ne comprirent qu'elle avait contracté le typhus, et donc j'en conclus que ce Sims était lui aussi un crétin ignare, à peine meilleur que ce vieux rat. Je me souviens de Pearce, qui me répétait que la moitié des médecins anglais étaient des imbéciles et que c'était une grande tragédie pour la population.

— M'inclus-tu dans la catégorie des imbéciles ? lui demandais-je.

— Non. Au contraire. Tu es un très bon médecin, quand tu t'en donnes la peine.

Je me mis en route avec ces pensées en tête et la culpabilité au cœur pour avoir abandonné autant de malades et de nécessiteux durant cet hiver glacial. J'espérais que la nouvelle de la maladie de Margaret s'était répandue, et qu'à cause d'elle l'on me pardonnerait.

Le premier patient auquel je rendis visite était un marchand de laine du nom de Percival Maybury, dont la grande affliction – qui, selon lui, gâchait sa vie entière – était son éternelle constipation. Sous prétexte que jour après jour ses pensées tournaient toutes autour du fait de produire de bonnes selles afin de soulager la douleur dans ses intestins, l'homme en négligeait son commerce, en passe de faire faillite.

Il était devenu fort mince. Il me dit que le Dr Murdoch lui avait prescrit des clystères d'amandes amères, mais que ces derniers « produisaient des selles noires et brûlantes » et lui causaient de grandes douleurs lors de leur expulsion. Aussi il s'interdisait pratiquement de manger, tant il craignait que la nourriture ne reste bloquée dans son estomac.

— Cela ne peut continuer ainsi, monsieur Maybury, lui dis-je. Nous devons trouver un autre remède.

Autrefois, j'avais essayé des clystères de térébenthine, qui lui avaient apporté « un vif soulagement » pendant quelque temps puis, j'ignore pourquoi, ils avaient cessé d'avoir le moindre effet. Je l'informai alors que l'on m'avait parlé d'un excellent moyen d'extraire les matières fétides à grande eau : il s'agissait d'une poire à lavement, que l'on fabriquait à partir d'une vessie de mouton attachée à un tuyau en cuir soigneusement cousu ; la vessie était remplie d'eau salée propulsée dans l'anus par le biais du tuyau, avec une puissance qui envoyait le liquide vers le gros intestin. Et quand, le moment venu, le liquide se frayait un chemin vers la sortie, eh bien à ce moment-là toutes les selles suivaient cette ruée vers le bas et ressortaient sans douleur ni tension.

Cette nouvelle sembla réjouir Percival Maybury, et il me demanda comment il pourrait se procurer un tel instrument. Je lui répondis que je demanderais à mon apothicaire à Norwich de m'en fournir un pour lui.

En attendant, je lui recommandai de manger des flocons d'avoine et des pois, ce régime – que je connaissais de première main – ayant un effet très assouplissant sur les intestins. Et je racontai au pauvre marchand de laine les semaines passées à Versailles, dans ma chambre miteuse, en compagnie de Hollers, sans oublier l'eau que je buvais aux fontaines du jardin, ce qui le fit fort rire et je m'en réjouis, car je savais que le pardon n'est jamais loin derrière l'hilarité.

Je continuai avec un patient asthmatique, M. Joshua Phipps, autrefois usurier et prêteur sur gages, mais aujourd'hui forcé de se tenir à l'écart des villes, de l'air vicié et de son influence sur sa respiration. Pourtant, les usuriers ne peuvent prospérer à moins d'être visibles, leur enseigne au vu des gens pour pouvoir les aborder et les supplier de leur accorder des prêts, ou encore pour échanger leurs pitoyables possessions contre de l'argent ; Phipps, tout comme Maybury, déplorait donc à la fois l'état de son corps et celui de son affaire périclitante.

— Je me bats contre la peur, docteur Merivel. Je ne peux pas vaincre mon asthme, mais j'entends bien vaincre la peur que j'en ai : je fais des expériences pour voir combien de temps je peux retenir mon souffle avant de respirer mon baume à la menthe et de faire entrer de l'air dans mes poumons. Maintenant, à force d'entraînement, je peux durer deux minutes.

— Deux, c'est héroïque. Je suis sûr que je ne tiendrais pas une seule minute.

— La peur contracte les tissus. Elle commence dans la gorge. Si je parviens vraiment à bannir ma terreur, alors je pourrai peut-être bannir la maladie.

Je lui répondis que selon moi c'était là une aspiration admirable, puis en profitai pour évoquer à son intention ma traversée vers la France, l'air salé qui m'avait empli de joie et qui avait semblé me nettoyer tout à fait de quelques mauvaises humeurs.

— Pourquoi ne pas prendre à l'été un bateau depuis Harwich ou Felixstowe, rester sur le pont et y respirer le vent d'ouest à pleins poumons ? lui suggérai-je.

Il me regarda, l'air grave.

— Je n'ai jamais eu envie de prendre la mer. Je préfère la compagnie des choses sèches : les effets au porteur, les billets à ordre et les reçus joliment calligraphiés.

Après quoi je me rendis à Bathurst Hall.

Il s'agissait d'une immense demeure, qui avait connu les agissements de quelques fêtards délurés : un étalon noir conduit jusque dans la salle à manger, où il chia partout, les dandys fous de rire et de désir, le vieux Lord Bathurst en personne se roulant par terre et hurlant comme un demeuré, Violet pirouettant sur la table, et puis tout le monde chantant et copulant dans les coins, ou alors vomissant et s'endormant dans ce capharnaüm, le tout au milieu des pauvres domestiques s'échinant à droite et à gauche pour tenter de tout nettoyer.

Lorsque je repense à cette époque, je sens une rougeur me monter aux joues, surtout au souvenir des accouplements prolongés et indécents que j'eus le plaisir de partager avec Violet dans différents recoins de la maison, quand ce n'était pas dans les escaliers, nous qui rampions comme des chiens pour grimper jusqu'à notre lit. Je pense n'avoir jamais connu de femme à l'âme aussi dévergondée que Violet Bathurst, qui m'a entraîné aux dernières extrémités de la licence. Si Pearce avait assisté à la moitié de ce que j'ai fait avec elle, son cœur aurait cessé de battre avant son heure.

Et c'est ainsi que je refis le chemin jusqu'à sa chambre, pièce que je connaissais bien mais qui semblait soudain fort sombre, avec de lourdes tentures tirées devant les fenêtres et empestant aujourd'hui l'huile des lampes gouttant près du lit de Violet.

Elle était étendue là, caressant un chat gris, sa chevelure cendrée torsadée en une lourde natte, le visage pâle bien que rehaussé de deux touches de rouge sur les pommettes. Quand je la vis dans cet état, j'éprouvai une terrible pitié pour elle et déplorai le passage du temps qui lui avait ravi sa beauté et à moi mon désir, nous laissant telles les simples enveloppes de ce que nous fûmes jadis.

J'essayai de prendre l'air enjoué. Si elle était bel et bien mourante, je me sentais heureux qu'elle ait au moins partagé une nuit avec le plus grand amant du pays. Et quand elle me vit, elle fut tout de suite tentée de me raconter combien sa nuit avait été belle et comment la bouche du Roi était encore « d'une grande volupté, et m'a apporté des plaisirs aussi profonds qu'un océan, Merivel, plus profonds que tous ceux que vous avez pu me donner, j'en ai presque perdu connaissance », et comment la verge de Sa Majesté était « aussi grosse et soyeuse qu'une femme puisse l'espérer ».

— Bien, fis-je d'une voix à peine audible. J'en suis très heureux, Violet...

— Vous ne souhaitez pas en entendre davantage, Merivel ?

— Parce qu'il y a plus ?

— Mais oui, c'est un amant aux positions incroyablement innovantes. Vous n'avez pas envie que je vous raconte ?

— Non. Je ne suis pas particulièrement d'humeur. Et je dois m'en retourner à Bidnold sous peu. J'ai laissé le Roi sous la garde de Margaret.

— Oh. Voilà qui n'est pas sage. Parce qu'il lui fera sûrement l'amour.

— Qu'avez-vous *dit* ?

— Eh bien, je me suis contentée d'énoncer ce qui devrait vous être évident. Margaret est à présent une très jolie jeune femme. Pourquoi le Roi n'essayerait-il pas...

— Taisez-vous, Violet ! m'écriai-je. Ne dites pas des choses aussi terribles. Le Roi est mon ami, et il n'osera pas abîmer ma fille pendant que je suis en visite auprès de mes patients.

— Qu'en savez-vous ? Cela m'a pris cinq minutes chez vous pour sentir qu'il avait l'intention de coucher avec moi. Il ne peut s'en empêcher, et maintenant, je vous garantis qu'il *s'autorisera* Margaret !

— Arrêtez ! dis-je en mettant ma main sur la bouche de Violet. Sinon je m'en vais. Allez-vous me montrer votre infernale grosseur, ou pas ?

Obéissante, elle fit mine d'afficher à présent une grande contrition, embrassant ma main et la caressant avec ses lèvres. Puis elle se renfonça dans les oreillers et, tenant le chat contre elle pour se réconforter, me regarda dans les yeux avec un air misérable.

J'attendis un moment, le temps de calmer l'agitation dans ma poitrine. Je soulevai le bras de Violet avec douceur puis tendis la main vers l'une des lampes, l'approchai du bras et vis à sa lueur jaune la « chose » qu'elle m'avait décrite, là où son sein gauche descendait vers son aisselle. Elle était d'un rouge violacé un peu luisant, dure au toucher, et je vis tout de suite que cela avait bel et bien l'apparence d'un cancer, et non d'un kyste comme je l'avais espéré.

Je ressentis avec acuité le calme de la pièce, tout juste perturbé par le ronronnement du chat gris et ma respiration laborieuse. Je pris ma trousse et m'emparai d'une aiguille pointue, avec laquelle j'effectuai une incision dans la chose d'un geste rapide ; Violet hurla de douleur et l'animal bondit hors de la chambre.

— Je suis désolé de vous faire mal. Si c'est bien un kyste, nous devrions bientôt voir du liquide sortir. Endurez encore un peu la douleur et nous allons voir…

Mais lorsque je retirai l'aiguille, aucun liquide ne s'écoula. J'avais sondé une chose solide et charnue. Ce spectacle m'était insupportable. J'aurais voulu m'emparer de mon scalpel et opérer là, tout de suite, mais je savais que la douleur serait trop terrible sans une grande quantité d'opium, et que j'aurais besoin d'une infirmière pour maintenir la malade allongée et m'aider à endiguer le saignement.

Un peu de sang avait coulé là où l'aiguille avait pénétré, et j'ai regretté de ne point avoir le baume de Louise pour apaiser la plaie. J'y déposai un carré de mousseline et gardai la main dessus pour le maintenir en place quelque temps.

— Eh bien, docteur ? Je suis mourante, ou pas ?

— Je vais enlever le cancer. Il n'est pas gros. Vous ne mourrez pas d'une chose aussi petite.

— Ah, pourtant je sens que je suis mourante. Pourquoi donc ?

— Je l'ignore.

— Le Roi mourra-t-il, Merivel ? Il m'a dit hier soir qu'il se sentait parfois immortel.

— Il mourra. Mais je ne souhaite pas en être le témoin. Je m'efforcerai donc de mourir le premier.

Mon cœur était encore en proie à une grande agitation quand je pris la route pour Bidnold. L'idée que le Roi puisse séduire ma fille, ainsi que Violet l'avait laissé entendre, m'avait blessé aussi mortellement que l'aurait fait un cancer.

En me dirigeant vers Bidnold, je sentis une nausée me soulever l'estomac ; il me fallut arrêter mon cheval, mettre pied à terre et vomir mon petit déjeuner sur le bas-côté. Planté là, j'avais peur et je tremblais. La vision de ma pauvre épouse, Celia, dans sa mansarde, avec sa broderie et une vieille chouette pour toute compagnie, s'immisça dans mon esprit et m'affligea un peu plus. Je m'appuyai un moment contre mon cheval pour m'imprégner de sa chaleur. Puis je repris ma course.

16

C'est alors que deux lettres arrivèrent pour moi.

La première émanait de mon ami hollandais, Hollers. Il écrivait pour m'informer que, alors qu'il avait presque épuisé toutes ses provisions – y compris les quelques bocaux de pois que j'avais laissés avant mon départ subit pour Paris –, qu'il ne lui restait presque plus d'argent et qu'il ne voyait plus aucun moyen de subsistance à part retourner en Hollande, son horloge lui avait enfin été retournée.

Une note, de l'écriture soignée de Mme de Maintenon, l'avait informé que « cette horloge ne serait pas utilisable, monsieur Hollers, car elle avance de plus d'une minute par jour par rapport à l'heure indiquée par celle de la chapelle. Elle *vole du temps* à Dieu, au rythme de huit ou neuf minutes par semaine, or Dieu a beaucoup à faire ; et il n'aime pas qu'on lui retire le moindre instant ».

Et donc toutes mes entreprises à Versailles ont hélas abouti à une impasse, écrivait Hollers. *Tout ce temps (cette denrée capricieuse !) que vous et moi avons passé à imaginer mon avenir a été gâché en vain. Je suis de retour dans ma ville, dans ma boutique, et quand je regarde autour de moi, je vois soudain que cette dernière est un bien piètre endroit, et tous ces mécanismes, fabriqués avec tant de soin et d'amour, ne m'offrent pas la moindre fierté ou plaisir. Je ne me préoccupe même plus de les épousseter. Je ne serai jamais célèbre, Merivel ! Je n'aurai jamais plus l'occasion de le devenir ! Je*

tomberai en poussière ici, de ce morne côté du canal. Oh, mon
ami, dites-moi ce que je dois faire ! Je suis bien en peine de
poursuivre mon existence de quelque façon que ce soit.

Ma tristesse pour Hollers me rendit mélancolique. Même
si je savais que le retour à Amsterdam ne pouvait se révéler
plus pénible que notre horrible logis à Versailles, je pouvais
néanmoins imaginer l'horloger grinçant des dents de frustration et de chagrin.

Lorsque je racontai l'histoire de mon ami au Roi, il répondit : « Oh, j'ai souvent entendu dire que Mme de Maintenon était pointilleuse. Et elle n'est même pas belle. C'est
bien dommage pour mon cousin Louis. »

À ce moment-là, Bunting se lança dans des aboiements
signifiant que c'était l'heure de sa promenade et, toujours
à ses ordres, le Roi se leva et sortit, ce qui mit un terme à
notre conversation sur Hollers. L'indifférence du Roi quant
à la douleur de mon ami m'infligea un chagrin supplémentaire.

Et pourtant, cela n'aurait guère dû m'étonner. Le Roi est
le Roi, et il ne peut déjà prendre sur ses épaules les fardeaux
et les chagrins de tous ses sujets anglais, encore moins ceux
des Hollandais. Maintenant que j'y pense, il ne les aime
pas. Il trouve leur langue imprononçable et il m'a confié à
plusieurs reprises que son neveu hollandais, Guillaume
d'Orange, était un cuistre.

Lorsque le Roi partit se promener, j'en profitai pour écrire
une réponse à Hollers, le suppliant de ne pas se laisser
abattre, de reprendre goût à ses occupations et à sa ville et
d'abandonner ses rêves de gloire.

Tout en écrivant, je me fis la réflexion qu'il était étonnant
que l'homme tente quoi que ce soit de la moindre portée
– n'importe quoi susceptible de modifier sa vie – alors
qu'une partie de lui sait que s'il échoue, toute la satisfaction
qu'il éprouvait jusque-là s'envolera. Dès le moment où le

jeu a commencé, impossible pour lui de retourner en arrière. Il porte, pour ainsi dire, les chaînes du débiteur emprisonné qui tirent son corps comme son esprit vers le bas. Il souhaiterait n'avoir jamais accouché de ces efforts. Il regrette de les avoir jamais tentés, mais c'est trop tard, le mal est fait.

Je n'ai rien écrit de tout cela à Hollers. J'ai juste mentionné que je le *savais* bon horloger, que j'aurais moi-même souhaité de tout mon cœur avoir le talent de créer de mes propres mains une merveille comparable. *De toute ma vie je n'ai jamais fabriqué d'objet d'une telle beauté. Et vous, vous en avez façonné plusieurs,* lui écrivis-je.

Après quoi je portai mon attention sur la seconde lettre, qui venait de Louise de Flamanville.

Je n'avais guère eu le loisir de penser à elle en journée, mais elle s'était souvent immiscée dans mes rêves, qui possédaient une beauté étrange et répétitive. La nuit, Louise et moi nous retrouvions assis côte à côte dans son laboratoire à faire bouillir des herbes et des composés minéraux, ce qui conférait à l'air un parfum merveilleusement doux, puis nous les transformions en médicaments d'une efficacité saisissante : les aveugles recouvraient la vue et les femmes stériles accouchaient. La magie était présente dans tous nos travaux. Louise me disait : « C'est parce que nous sommes *deux*. Seuls, nous n'arriverions pas à grand-chose. Ensemble nous faisons des miracles. »

Et voilà que, avec l'arrivée de sa lettre, je sentais à nouveau peser sur moi la réalité de son absence, et les heures passées en sa compagnie à Paris me revinrent, empreintes de toute leur douceur.

Je pensai avec ardeur à l'été à venir, où je pourrais lui rendre visite en Suisse, et sa lettre alimenta cette distante promesse.

Elle m'informait que Jacques-Adolphe avait pris un nouvel amant, un jeune soldat d'origine russe prénommé Petrov.

Ce Petrov, un enfant, pour tout dire, et qui semble rougir de manière exquise lorsqu'on lui adresse la parole, a tellement fasciné mon époux qu'il en est devenu imprudent dans son comportement, écrivait-elle. *La seule chose qui lui importe est de savoir où, quand et comment il peut retrouver Petrov et faire avec lui ce que la Fraternité brûle de faire plus que tout sur cette terre. Et c'est ainsi que, cher Merivel, lorsque j'ai mentionné, l'air de rien, à Jacques-Adolphe que j'irais en Suisse voir mon père quand il ferait plus chaud, il s'est contenté de me répondre :* « Faites comme bon vous semblera. Mais ne me demandez pas de vous accompagner, car je dois rester aux côtés de Petrov. Si je m'éloigne de lui, j'en mourrai. »

J'espère donc me mettre en route pour la Suisse début juin. Et ma visite là-bas serait bien plus plaisante si je pouvais vous persuader de me retrouver au château de mon père. Un tel voyage vous tenterait-il ? Ou m'avez-vous totalement oubliée ? Irons-nous marcher de concert dans les hautes herbes ? L'odeur du foin coupé, vous vous en souvenez peut-être, est très forte et douce à la fois.

Je restai un long moment assis, la lettre dans les mains, imaginant le foin. Au-dessus du pré en pente je fis apparaître un soleil couchant, d'un rouge ardent, qui s'inclinait vers le sommet des montagnes suisses. Louise était étendue sur l'herbe et le soleil éclairait son visage, tandis que mes mains caressaient son cou soyeux et le haut de sa poitrine. Quelque part à côté, dans l'ombre parfumée, une vache aux yeux marron se régalait d'une rangée de boutons d'or.

Puis je remisai la lettre. Je savais quelle réponse je brûlais de donner à Mme de Flamanville, mais pour l'instant j'étais incapable de faire le moindre plan ou la moindre promesse. J'étais prisonnier de Bidnold, captivité à présent insupportable en raison de la surveillance que je me sentais tenu d'exercer sur Margaret et le Roi.

J'avais pris l'habitude déplorable, lorsque nous étions ensemble Margaret, lui et moi, ce qui était fort fréquent, de les regarder l'un puis l'autre, à tour de rôle, comme lors d'un match de tennis. J'imaginais que par cette vigilance, je surprendrais tout regard amoureux susceptible de circuler entre eux deux, le prenant au piège tel un papillon dans un filet pour mieux l'étouffer.

Et c'était stupide, bien sûr : cela n'étoufferait rien du tout. Des regards de cette nature trouveront toujours à s'échapper avec finesse pour s'échanger du coin de l'œil. Et un beau soir, alors que nous jouions au rami, le Roi s'emporta :

— Pourquoi passez-vous votre temps à scruter nos visages plutôt que vos cartes, Merivel ? Ce n'est pas ainsi que vous saurez si l'un de nous a le valet ou l'as de pique que vous aimeriez tant associer au roi et à la reine que vous avez déjà pris.

Je m'excusai. J'accordai un peu d'attention à mon jeu, guère prometteur, et me voyais à nouveau bon dernier, pour la troisième fois ce soir. Je savais que ce serait la moindre des punitions, si je n'en méritais une autre encore pire. Car j'avais commencé à éprouver une intense antipathie pour moi-même, avec mon comportement d'espion doublé d'inquisiteur. Je maudis Violet. Je jurai d'en finir avec ma pathétique surveillance dès le lendemain.

Mais il était dit que je ne serais pas capable d'y mettre un terme.

Margaret s'était prise d'une grande affection pour Bunting, et il arrivait parfois que, par ce chaud mois de mai, elle accompagnât le Roi et sa chienne dans leurs promenades autour du parc. Au départ je m'étais tout bonnement réjoui de voir Margaret à nouveau au grand air, marchant d'un bon pas et jetant un bâton à Bunting, sautillant par moments, toute à la joie de se sentir à nouveau en vie. Je m'étais planté derrière la fenêtre de ma bibliothèque et les avais regardés – ces deux personnes qui étaient les plus chères à mon cœur –, comprenant alors que j'étais le plus chanceux des hommes de les avoir ici vivant et respirant à mes côtés.

Mais lorsqu'ils annonçaient une promenade, je m'entendais maintenant balbutier des futilités (Pearce les avait jadis surnommées les « balivernes insolites que vous laissez parfois échapper, Merivel »), comme : « Ah, une promenade ! Excellente idée ! Moi aussi j'ai bien besoin d'exercice. Je vous accompagne. »

Et donc nous nous mettions tous trois en route et je sombrais dans la honte d'être aussi ridicule – parfois même j'en rougissais. Et puis, pour couronner le tout, soit je babillais sans cesse sur le temps, les fleurs sauvages, la forme des nuages et je ne sais encore quel sujet afin de les empêcher de se parler entre eux, soit je prenais un peu de retard sur mes compagnons adorés afin de tenter d'évaluer, à la façon dont ils se tenaient et en fonction de la fréquence avec laquelle ils tournaient la tête l'un vers l'autre, si la moindre connivence était en train de naître entre eux.

Un beau matin, alors que la promenade nous avait emmenés vers l'enclos de l'ours et que nous étions debout côte à côte à observer ce pauvre Clarendon assis, immobile, tel un véritable amas de tristesse, sous un frêne déchiqueté, Bunting décida soudain de se faufiler sous la palissade et de galoper dans sa direction.

Margaret hurla. Le Roi rappela sa chienne sur un ton pressant, mais c'est à peine si elle se retourna en entendant le son de sa voix avant de reprendre son avancée, attirée par l'odeur de l'animal, agitant sa queue duveteuse et s'arrêtant à quelques pas de l'endroit où l'ours était assis.

Clarendon regarda Bunting. Alors que j'essayais de sonder ce qui pouvait bien se passer dans sa tête, il pesa de tout son poids sur ses quatre pattes et émit un rugissement de colère.

Je compris alors que le Roi avait entrepris d'escalader les lourds pieux de la palissade, précisément conçue pour que, homme ou ours, personne ne puisse l'escalader. Lui criant d'arrêter, je me mis à courir vers l'endroit où je savais que se trouvait la porte de l'enclos. Ce faisant, j'entendis l'ours pousser un autre rugissement et me maudis – ceci n'était pas la première fois – d'avoir amené Clarendon en Angleterre, entrevoyant un terrible désastre qui allait s'abattre sur moi, tout cela à cause de quelque sentimentalisme sur les chagrins d'un animal sauvage. Je redoutai d'entendre le prochain bruit – le craquement des os de Bunting.

J'atteignis la porte et usai de toute ma force pour ouvrir les verrous. J'entendais Bunting aboyer. Je poussai lentement la lourde porte pour l'ouvrir. Je pénétrai à l'intérieur et vis l'ours s'avancer vers la chienne. Je ramassai une branche de frêne tombée par terre et l'agitai comme un fou tout en criant le nom de Bunting. Cette dernière était assise sur son arrière-train et grognait. Clarendon était à environ un mètre d'elle. Malgré la terreur qui m'habitait, j'admirais le courage de la petite chienne.

Puis Bunting se releva et se précipita dans ma direction. Je laissai tomber la branche de frêne et tendis les bras. Ces petits épagneuls peuvent courir vite et, avant que Clarendon ait pu se décider à la suivre ou pas, je pressai Bunting contre moi. Lorsque je me retournai, je vis l'ours s'avancer d'un pas lourd. Tenant la chienne si serrée que je faillis l'étouffer, je repartis en haletant vers la porte. Je sentais l'ours à présent, et j'entendais sa respiration laborieuse. Je savais que tout pouvait encore se jouer, y compris ma vie, car la lourdeur de la porte la rendait impossible à refermer d'une seule main.

Mais alors que je l'atteignais et me glissais hors de l'enclos, d'autres mains s'emparèrent des verrous, forçant et tirant avec violence. Je trébuchai et tombai à la renverse sur une touffe d'herbe, et vis alors Margaret et le Roi s'efforçant de replacer les verrous dans leurs gâches. Une fois la tâche accomplie, et qu'ils surent que nous étions tous en sécurité, ils tombèrent dans les bras l'un de l'autre et Margaret, posant la tête sur la poitrine du Roi, se mit à pleurer.

Ce dernier lui caressa les cheveux et lui dit des mots de réconfort. Il se tourna ensuite vers moi, juché sur ma touffe d'herbe, le souffle coupé, le postérieur endolori et Bunting toujours serrée contre mon cœur.

— Bravo, Merivel. Vous venez une nouvelle fois de sauver la vie d'un chien royal. Je crois que je vous dois une récompense.

— Vous ne me devez rien, Sir. Vous avez sauvé la vie de Margaret.

Me voilà seul avec le Roi.

Will est arrivé non sans peine jusqu'à mon salon en tenant une cruche d'hydromel et, à l'apparition de mon vieux domestique chancelant, le Roi s'exclame :

— Bonsoir, Gates. Nous vous voyons trop peu. Ne pourriez-vous être davantage à Nos côtés dans la salle à manger ?

Will fait une révérence en même temps qu'il dépose l'hydromel, et le liquide manque de se renverser et de se répandre partout. Il me lance un regard nerveux et répond :

— Je m'excuse, Votre Majesté, mais Sir Robert, et moi aussi, pensons que je ne suis pas en état d'assurer le service.

— Pas en état ? lança le Roi, préférant, semble-t-il, s'aveugler soudain sur les nombreuses infirmités de Will. N'êtes-vous pas le maître de cette maisonnée depuis aussi longtemps qu'il m'en souvienne ?

Will sourit, de son sourire rusé et oblique.

— Je suis pas le maître, Votre Majesté, je suis le domestique.

— En français, vous êtes le « maître ». Le maître d'hôtel, vous voyez ? Et Nous aimerions que vous soyez présent aux repas. Cela Nous rappellerait le bon vieux temps.

— Oh, Sir, je sais pas quoi dire. Je crains de renverser des choses et de mettre le désordre.

— Et alors ? Cela pourrait être amusant. Laissez-Nous vous assigner un rôle simple, afin d'éviter trop de désastres. Vous resterez derrière Notre chaise, Gates. Quand une assiette arrivera pour Nous, vous vous écarterez un peu et la prendrez des mains du valet de pied puis la poserez devant Nous. Quand Nous en aurons terminé avec l'assiette, vous la reprendrez et la passerez au valet de pied, et ainsi de suite tout au long du repas. Que dites-vous de cela ? La tâche vous paraît-elle assez simple ?

Will me regarde à nouveau en quête de conseils. J'acquiesce de manière encourageante, me demandant néanmoins si Will est capable de garder la position debout pendant toute la durée du repas, mais je tends la main pour lui signaler que c'est à lui de répondre.

Il s'incline profondément, si bien que je remarque, pour la première fois, que le dessus de sa perruque est presque chauve, et je me retrouve soudain peiné par cette découverte dénotant mon avarice et mon manque de vigilance quant au bien-être de mes domestiques.

— Je prendrai mon poste à partir de demain, Votre Majesté, répondit Will en exécutant de sa main droite pleine d'arthrite une ébauche de salut militaire. Je resterai derrière la chaise de Votre Majesté, sauf pour me tourner un peu de côté afin de prendre l'assiette de Votre Majesté des mains du valet de pied et pour la lui rendre.

— Voilà un arrangement admirable, rétorqua le Roi.

Nous attaquons tous deux l'hydromel. Je sais que la soirée va être longue, aussi je demande à Will d'apporter du gâteau au carvi et un plat de cerises.

Le Roi me donne à lire attentivement une lettre de son frère, le duc d'York, qui l'admoneste, en des termes compréhensifs et fraternels, pour son « trop long éloignement des affaires urgentes de l'État », et qui lui conseille vivement de rentrer à Londres sans plus tarder. Le document mentionne aussi des « requêtes tumultueuses pour le rappel d'un parlement que, pour mémoire, Votre Majesté n'a pas convoqué depuis celui qui a tenté de se réunir à Oxford en 1681 ».

— Un parlement ! Je suis trop vieux pour les parlements, Merivel. Il leur faut toujours être en action, faire des choses et suggérer des solutions à des affaires qui se déroulent tout à fait bien et n'ont nul besoin que l'on s'en occupe. Et puis ils aiment trop les guerres. Je sais, moi, que les gens veulent qu'on les laisse tranquilles, loin des fausses solutions et des affrontements guerriers. Ils souhaitent la même chose que moi : des estomacs bien remplis, des nuits paisibles, un petit commerce profitable, une goutte d'hydromel de temps à autre, quelques sermons inspirants et exaltants et une mort décente. N'est-ce point vrai ?

— Si fait.

Je me garde de dire que la pauvreté continue d'être un grand fléau aux quatre coins du pays, car je sais que dans l'opinion du Roi, les parlements, bourrés d'âmes ambitieuses cherchant à faire fortune, font très peu pour la pauvreté quand lui-même fait bien plus, employant quantité de gens à son service, distribuant des aumônes, ou encore par son amour sincère pour son peuple. Pourtant, lorsque j'ai traversé le Norfolk à cheval pour y rendre visite à mes patients, il m'a semblé que le nombre de pauvres avait augmenté ces derniers temps, dans les villages ou sur le bord des routes, où l'on en voit davantage, mendiant et volant ; j'ai aussi entendu dire que tous les ateliers de charité alentour étaient pleins à craquer. Les gens finissent toujours par accuser le Roi et ils se tournent alors vers lui pour obtenir quelque secours.

Je jette un coup d'œil à ce dernier qui, d'ordinaire très droit, forgé par de longues années de règne, se tient à présent voûté comme s'il était sujet à un grand abattement. Je suis sur le point de lui suggérer de changer de sujet, quand le Roi lance :

— La culpabilité, Merivel. Voici qu'elle me laboure de ses griffes. Parfois, même ici, à Bidnold, je me réveille en pleine nuit et je pense à toutes les transgressions et à toutes les trahisons que j'ai commises, et puis je n'arrive plus à respirer...

— Il n'y a pas de vie humaine sans transgression, Sir.

— Peut-être bien. Mais saviez-vous, mon ami, que je me suis approprié quatre-vingt-dix pour cent des redevances du service postal pour payer la pension de Barbara Castlemaine ?

— Eh bien, non, je ne le savais pas, Sir, mais…

— Je l'ai fait pour avoir la paix, pour qu'elle ne me harcèle plus. Mais d'autres ont souffert à cause de cela. Ils ont perdu ce qui leur appartenait de droit. Et j'ai fait une centaine d'autres choses qui reviennent me hanter.

— Une centaine ? Je m'étonne qu'il y en ait si peu. Pearce m'avait accusé de commettre une centaine de folies *par semaine* !

Un sourire éclaire le visage du Roi. C'est un sourire familier, qui dit « c'est pour cette raison que je vous apprécie, Merivel, que je vous *aime*, même, parce que vous allégez ce qui est lourd et savez faire jaillir le rire de la tristesse ».

Mais maintenant, je souhaite répondre. J'ai envie de lui dire : « Si vous m'enlevez ma fille, si vous la traitez comme vous avez traité mon infortunée épouse, Celia, alors je ne pourrai plus être votre fou ; et je deviendrai votre ennemi. »

Ces mots n'en finissent pas de prendre forme dans mon esprit mais ne passent pas ma bouche, et je me dis que, en dépit de ma profonde angoisse à ce sujet, je ne puis faire quoi que ce soit pour le moment, si ce n'est être patient et voir ce que le temps apportera.

Une vision du Roi tenant Margaret contre lui à côté de l'enclos et lui caressant les cheveux me revient en tête, mais je l'éloigne, m'intimant l'ordre de ne voir dans cet empressement à la réconforter rien de plus que la gentillesse du Roi après les moments de danger, où nous venons presque de perdre une chienne si précieuse. Je ne dois point voir de faute là où il n'y en a pas.

Will réapparaît à ce moment-là avec le gâteau au cari, s'excusant pour l'absence des cerises, « parce que Cattlebury ne peut les faire monter ».

— Et pourquoi donc, Will ? lui demandé-je.

— Excusez-moi, Sir ?

— Tu m'as parfaitement bien entendu. Pourquoi Cattlebury ne peut-il faire monter les cerises ?

— Eh bien, Sir Robert, je ne peux pas vraiment dire...

— Peut-être que moi je puis « vraiment dire » qu'il ne
peut pas les faire monter parce qu'il les a mangées ?

— Eh bien, c'est correct, Sir. Mais il ne les a mangées
que parce qu'il avait un peu de mal avec ses selles, Sir, et
que vous nous avez expliqué qu'une cerise pouvait aider,
mais il n'avait pas de mauvaises intentions.

À ces mots, le Roi rugit de rire.

— Oh, voilà qui m'a déridé ! s'exclame-t-il. *Il n'avait pas
de mauvaises intentions !* L'anarchie règne en cuisine, Merivel, mais il semblerait que ce ne soit pas intentionnel !

— Mais ça n'est pas sans conséquences, réponds-je avec
une sévérité aussi spontanée que franche. Will, merci d'informer Cattlebury que ma patience est à bout. Encore un
faux pas de ce genre et...

— Et quoi, Sir ?

— Ce sera la fin. Il sera renvoyé.

Un silence s'abat sur le salon. Le Roi et Will me regardent
tous deux avec stupéfaction. Puis des mots que j'aurais préféré entendre ailleurs sortent alors de ma bouche, que j'adresse
à mon cuisinier désobéissant par l'entremise de Will.

— Tu rappelleras à Cattlebury que j'ai bon caractère, et
que ma loyauté vis-à-vis de ceux que j'estime et qui dépen-
dent de moi a toujours été un engagement solennel pris du
fond du cœur. Mais rappelle-lui aussi que ma loyauté a ses
limites ! Merci de bien le lui faire comprendre. Je peux
devenir colérique – ce fut le cas quand j'ai vu le fermier Sands
fouetter son cheval jusqu'à ce que mort s'ensuive. Et pour
finir, Sands a dû s'atteler lui-même à sa charrue pour labourer ses misérables champs. Ai-je éprouvé une once de tristesse
ou de pitié pour lui ? Non, pas le moins du monde. Ma
colère avait effacé toute ma compassion. Et il en sera de
même, Will ! Il en sera de même pour Cattlebury s'il me
pousse dans mes retranchements.

Ployant sous le fardeau de ces mots inattendus, Will tombe par terre, sa perruque dégarnie en travers du visage. Le Roi se lève pour l'aider à se remettre debout.

Moi aussi je me lève, mais pas pour aider Will, juste pour m'emparer d'une tranche de gâteau au carvi sur le plat et la fourrer dans ma bouche car je suis sur le point d'éclater en sanglots.

17

Je ne pouvais reporter *sine die* la promesse que j'avais faite à Violet Bathurst de lui ôter son cancer.

Bien que la tâche me répugne, je savais que je devais trouver en moi la volonté de l'accomplir avant que la chose ne se répande. Car le fait d'imaginer Violet mourant seule dans sa chambre plongée dans l'obscurité m'attristait fort. J'ai l'intime conviction que ceux ayant connu une existence faite de plaisirs et de joie de vivre au jour le jour – ce dans un monde où nombre de gens semblent avoir sombré dans un crépuscule physique et spirituel, pour ne pas dire une demi-vie – doivent être particulièrement pleurés.

L'infirmière que j'avais réquisitionnée pour l'incision était une certaine Mrs McKinley, une belle et bonne Irlandaise dont la famille, catholique, avait fui l'Irlande pour l'Angleterre après l'arrivée des protestants en 1641. La cinquantaine un peu forte, Mrs McKinley avait les mains les plus délicates et les plus sûres que j'aie jamais vues chez une infirmière. En plus de cela, sa voix était très douce, et j'avais eu l'occasion d'observer à moult reprises que cela réconfortait le patient.

Cela m'offrait aussi une compagnie amusante pendant que je travaillais : avec son accent du Donegal, elle m'appelle « Sir Rabbit », et peu importe combien de fois je l'ai entendu, cela me fait toujours sourire, si bien que même si mes doigts sont plongés dans un enchevêtrement de chair et de sang, elle parvient à me soulager l'âme, assez pour que je puisse continuer.

Afin d'acheter de l'opium pour Violet, il me fallut d'abord rendre visite à mon apothicaire préféré, M. Dunn, à Norwich, membre de l'Honorable Société de l'art et des mystères des apothicaires.

Concernant cette appellation, le Roi me fit observer que le mot « mystère » lui semblait être une « appellation gênante » qui n'aurait pas dû se trouver là.

« Personne ne souhaite le moindre mystère en l'occurrence, souligna-t-il. Au contraire, l'on souhaite plutôt que le savoir de l'apothicaire soit prouvé, ou en tout cas théorique, en opposition à hypothétique, ne parlons même pas de baigner dans l'inconnu. Ne croyez-vous point, Merivel ? »

Je tombai d'accord avec lui. Le Roi annonça ensuite que cela l'intéresserait de discuter avec M. Dunn et de faire le tour de sa boutique. Nous avons donc effectué le déplacement ensemble dans le carrosse du Roi si bien que, une fois sur place, nous fûmes entourés par une grande foule ayant reconnu les couleurs royales portées par ses cochers.

Je descendis le premier et savourai la déception sur les visages quand ils me virent, moi (simple Sir Rabbit) et non leur souverain. Mais je tendis ensuite la main et le Roi la prit pour descendre avec élégance, si l'on fait abstraction du petit boitillement que lui valait une plaie obstinée sur la jambe gauche ; un grand cri de joie s'éleva alors des gens rassemblés là, chacun essayant de toucher le Roi ; une femme lui fit même passer son bébé pour qu'il le prenne dans ses bras.

Je vis M. Dunn, debout devant la porte de sa boutique d'apothicaire. J'avais été dans l'incapacité de le prévenir à l'avance de l'arrivée du Roi, et lorsque Dunn aperçut son souverain, son corps se contracta en spasmes d'incrédulité. Il ôta ses lunettes puis les remit, craignant que ses yeux ne lui jouent un mauvais tour. Puis s'avisant soudain de son apparence ce jour-là, il se précipita comme un fou dans sa boutique afin d'enlever sa perruque et de la remplacer par une plus belle.

Il s'écoula quelque temps avant que nous puissions entrer dans la boutique. Tenant toujours le bébé, le Roi engagea de nombreuses conversations avec la foule, interrogeant les gens sur le commerce de la laine dans le Norfolk et sur la pêche au hareng, s'entendant répondre comment, en toute honnêteté, les temps n'étaient guère favorables « parce que les gens n'ont pas assez d'argent, Sir, après les méchantes tempêtes de l'hiver, quand on pouvait pas sortir les bateaux », et aussi parce que « beaucoup de moutons se sont fait couper le sifflet par la glace et la neige ».

Je voyais que le Roi écoutait avec attention ces récits de moutons morts et de harengs laissés en liberté, mais il n'offrait aucune solution. Tout ce qu'il trouvait à dire, c'était :

— Vous devez tenir bon. Vous autres, les gens du Norfolk, vous êtes têtus et authentiques. Avec le mois de mai, nous allons vers des jours meilleurs. Vous devez tenir bon.

À ces mots, un homme, un pauvre pêcheur, se fraya un chemin à travers la foule des citoyens pour montrer au Roi son torse dénudé, si maigre que je ne pus m'empêcher de repenser au corps de Pearce juste avant sa mort. L'homme se frappa les côtes avec ses poings et s'écria :

— Je suis mendiant à Norwich maintenant, Sir ! Regardez-moi ! J'avais un bateau à Yarmouth pour pêcher le hareng, mais je l'ai perdu dans les marées de janvier, et tous mes revenus avec lui. Et j'ai cinq enfants. Dites-moi comment je dois « tenir bon » !

Entendant cela, le Roi rendit le bébé à sa mère, se tourna vers moi, claqua des doigts et dit :

— De la monnaie, Merivel ! Donnez sur-le-champ à ce pauvre bougre un shilling ou une demi-couronne.

Puis, tandis que je tâtonnais dans mes poches en quête de ma bourse, il répondit au pêcheur :

— La vie est faite de pertes brutales, je ne le sais que trop, moi qui ai perdu mon père de façon si cruelle. Et tout ce que nous pouvons faire, c'est le supporter. Mais voici… voici ce gentil Sir Robert Merivel, qui va vous offrir un shilling ou deux ; ce soir, votre famille mangera à sa faim.

Des mains se tendirent vers moi – et pas juste les mains crasseuses du pêcheur mendiant –, et en moins d'une minute je fus obligé de me délester de chaque pièce en ma possession, parce que dans une foule vous ne pouvez pas donner à l'un et ignorer les autres. Les mains ne cessèrent de se tendre vers moi que lorsque je retournai ma bourse pour bien montrer que je n'avais plus un seul penny à donner. Personne ne me remercia. Et quand nous pûmes enfin faire demi-tour et entrer dans la boutique de M. Dunn, le Roi ne sembla pas avoir intégré le fait que je n'avais à présent plus les moyens d'acheter l'opium dont j'avais besoin pour l'incision de Violet. Il se contenta de dire : « Je n'aime pas me retrouver confronté à la pauvreté et au manque. »

Un étrange assortiment de créatures empaillées était suspendu au plafond dans la boutique de M. Dunn : un alligator, une tortue, une anguille et deux crapauds.

À peine y avait-on mis un pied que la légère puanteur des pièces exposées, suspendues là depuis un bon bout de temps, vous incitait à tourner les talons et ressortir ; je vis les narines du Roi se dilater, et il sortit de sa manche un mouchoir parfumé à l'eau de lavande, qu'il pressa un instant sous son nez.

Puis, la curiosité scientifique qui l'avait incité à lancer son propre laboratoire à Whitehall et à offrir une charte royale à la Société pour l'amélioration de la connaissance naturelle par l'expérimentation le conduisit à faire fi de ce désagrément corporel quelconque. Il entreprit plutôt de se frayer un chemin précautionneux dans le sombre bazar de Dunn, remarquant le contenu des pots, des gamelles et des gourdes et mettant son mouchoir de côté pour les renifler. Puis il se tourna soudain vers l'apothicaire et lui demanda :

— D'où vous vient votre savoir, Dunn ? L'avez-vous acquis dans les règles ?

Ajustant sa perruque, ce dernier bégaya qu'il avait été apprenti chez un apothicaire dès l'âge de seize ans, et qu'étant « à la fois curieux et intrépide », il avait essayé nombre de médicaments sur lui-même, « pour voir ce que ça me ferait »...

— Voilà qui est intéressant, répondit le Roi. La curiosité et l'intrépidité sont sans doute de valeureux attributs chez un homme. Je l'ai souvent pensé en tout cas.

— Eh bien, de cette façon, Votre Majesté, répondit Dunn qui ne bégayait plus, lorsque les médecins rédigent une ordonnance, je peux parfois effectuer une correction – j'ai gardé un carnet de tous mes essais, avec les quantités et les symptômes, ainsi qu'une note spéciale pour tous les faux remèdes.

— Les faux remèdes ?

— Sir Robert connaît la quantité de charlatans dans ce pays ! Ils vous vendraient n'importe quoi, Sir, en appelant ça, disons, « Superbe Vomitif Efficace », pour un shilling et demi. Alors qu'aussi bien c'est de la mort aux rats. Susceptible de vous tuer. Mais certains médecins, c'est à peine s'ils savent ce que telle préparation fait pour quelle maladie. L'apothicaire doit donc avoir assez de connaissances pour permettre de corriger le faux remède si c'est possible.

Le Roi hocha la tête en signe d'approbation.

— *Nullius in Verba*, répondit-il d'une voix douce. C'est la devise que j'ai attribuée à la Royal Society. *Ne croyez personne sur parole*. Tout devrait s'effectuer selon sa propre expérience. Et vous, monsieur Dunn, semblez avoir suivi ce dicton à la lettre, en testant les composés sur vous-même, mais cela aurait pu vous coûter cher !

— Eh bien oui, Sir. Plus d'une fois. Mais me voici, et en vie. Et ce que j'aime à propos de mon commerce, c'est que le savoir médical est infini. Sir Robert ici présent m'a enseigné beaucoup de choses dont je ne savais rien avant.

Le Roi me regarda, vaguement étonné.

— Ah bon ? Vraiment ?

— Beaucoup de choses.

— Vraiment ? Nous le connaissons surtout en tant que plaisantin. Plaisantin et ami. Mais vous diriez que c'est un bon médecin ?

— Très bon, Votre Majesté.

— Ah. Comme c'est intéressant. Il a trouvé autrefois un remède miraculeux pour mon chien préféré, n'est-ce pas, Merivel ? Mais je pense que c'était un remède par négligence, non ?

— Eh bien, je préférerais l'appeler « remède naturel », Votre Majesté. Comme l'a dit le grand Fabricius : « *Non dimenticare la Natura.* » J'ai juste permis à la nature de faire son travail.

— Pendant que vous buviez du bon vin d'Alicante, mangiez quelques figues et dormiez...

— C'était juste pour passer le temps.

— Ha ! Vous voyez, Dunn, pourquoi Nous aimons cet homme. Grâce à lui, le rire est bien vivant. Mais venons-en à nos affaires. Nous avons besoin d'une bonne provision d'opium et aucun de nous n'a d'argent car nous avons tout donné aux pauvres pêcheurs et à leurs familles. Acceptez-vous de faire crédit au Roi ?

Je souhaitais pratiquer l'incision du cancer de Violet en pleine lumière, de façon à voir correctement ce que je faisais.

Je chevauchai jusqu'à Bathurst Hall et l'informai que je viendrais tôt le lendemain, puis lui ordonnai de faire installer son lit plus près de la fenêtre.

— Mrs McKinley m'accompagnera, expliquai-je, et ma trousse est remplie d'opium, donc vous ne ressentirez aucune douleur.

Violet était tranquillement assise dans son salon ce jour-là ; elle brodait, et de la trouver dans cette attitude me rendit triste, car je n'avais jamais vu Violet Bathurst absorbée par un passe-temps aussi statique et conventionnel.

— Violet, mon âme souffre de vous voir ainsi occupée. Je vous en prie, plus de broderie quand votre cancer sera enlevé !

Elle releva la tête et me dévisagea, l'air triste, tendant l'ouvrage qui – au contraire de celui de Celia – était fort inélégant, avec toutes sortes de bouts de fils retombant en boucles.

— Merivel, ne soyez pas aussi obtus. Regardez quelle novice je fais. Mais je dois apprendre à broder, au cas où, après l'opération, ce soit tout ce que je puisse faire. Pensez-vous qu'une femme avec une demi-poitrine puisse jouer aux quilles ?

— Mais oui, répondis-je sur un ton ferme. Après un petit temps de convalescence. J'en organiserai un jeu à Bidnold, et vous pourrez faire équipe avec le Roi.

Violet secoua la tête.

— Vous rêvez. Cela n'aura point lieu.

Je me levai tôt et passai prendre Mrs McKinley chez elle au village, la trouvant propre et astiquée comme un sou neuf, depuis ses ongles roses jusqu'à ses bottines cirées.

Je lui montrai l'opium acheté chez Dunn et elle s'exclama :

— Seigneur, Sir Rabbit, vous pourriez endormir tout un régiment avec une telle quantité !

J'imaginai alors les Gardes suisses sur la place d'Armes à Versailles, alignés en rangs puis tombant en avant l'un après l'autre à cause d'une transe créée par l'opium. Et je souris.

— Je souhaite juste que Lady Bathurst ne souffre pas trop. Mais je vous préviens, elle crie facilement, c'est dans sa nature, vous devrez faire en sorte que cela ne vous distraie point.

— Non, non, Sir. Ne craignez rien. Tous mes enfants étaient des brailleurs. Moi je me contentais de fermer les oreilles et de dire mes prières, puis tout devenait merveilleusement tranquille.

Nous arrivâmes à Bathurst Hall et l'on nous conduisit tout de suite auprès de Violet, allongée sur son lit, désormais installé près de la fenêtre. Elle avait l'air très pâle, et la lumière venant de l'est gravait sur sa peau des rides que je n'avais pas remarquées jusqu'ici. Quand je me penchai au-dessus de sa couche, elle tendit la main et m'attira vers elle.

— Merivel, j'ai peur...

— Cela ira vite, Violet. En moins de cinq minutes ce sera terminé. Nous resterons ensuite à vos côtés pendant que vous dormirez.

J'avais ordonné que l'on allume un feu dans la pièce et que l'on y mette à chauffer un chaudron d'eau, et mes instructions avaient été suivies à la lettre. Tandis que j'installais une chaise près du lit et préparais mon scalpel, Mrs McKinley mélangea une forte dose de poudre d'opium avec du cognac pour faire du laudanum, et Violet avala le mélange. Je regardai ses yeux papillonner pendant que l'anesthésiant entamait sa course dans son sang.

Mrs McKinley défit ensuite avec douceur le haut de la chemise de nuit de Violet, prit des morceaux de mousseline propres et nettoya la surface à inciser, d'abord avec de l'eau chaude, puis avec de la teinture d'hamamélis. Ensuite elle souleva le bras de Violet et le nettoya également en disant : « Ça va aller, madame. Vous verrez. Ça sera enlevé en un clin d'œil. » Une fois le nettoyage effectué, elle déposa un carré de tissu sous le bras, attacha les poignets de Violet aux montants du lit et la supplia de rester aussi tranquille que possible.

Agatha, jolie fille à fossettes qui servait de bonne à Violet, était plantée à la porte, tiraillée entre le désir de rester avec sa maîtresse et celui de fuir, je le voyais bien. Je me tournai vers elle et lui dis :

— Agatha, descendez donc réchauffer une bassinoire. Le choc d'une incision peut refroidir de manière considérable. Je vous appellerai quand j'aurai besoin que vous la montiez. Trouvez-moi des couvertures de laine et apportez-les aussi.

La fille effectua une révérence et s'enfuit. Je regardai Mrs McKinley.

— Laissons au laudanum encore un peu de temps, puis nous commencerons, dis-je.

Mrs McKinley enfila un bonnet en lin blanc et remonta ses manches. Elle prit la main de Violet dans la sienne en lui caressant la paume d'un geste doux qui sembla calmer Violet, et nous vîmes ses yeux se fermer puis entendîmes sa respiration se faire plus profonde.

Je levai le scalpel. Je demandai à Mrs McKinley de presser sur sa poitrine pour que la peau soit bien tendue en vue de l'incision. Alors qu'elle s'exécutait, la chose sembla s'élargir et je vis à présent qu'un petit affleurement s'étendait sous l'aisselle, ce qui me consterna parce que je pensais enlever un morceau net et rond, comme un œil de son orbite, or je comprenais à présent que mon scalpel devrait effectuer une seconde incision, et une troisième.

Mrs McKinley le comprit aussi.

— Je pense qu'il y en a plus qu'au premier abord, Sir Rabbit, me chuchota-t-elle. Regardez là. Et il vous faudra tout enlever.

J'inspirai. Je ne peux plus entailler le moindre corps sans me souvenir comment j'ai dû éventrer Katharine afin de délivrer Margaret ; aussi je demeure calme parce que je sais que rien ne pourra jamais me terrifier plus profondément que cette opération-là.

J'effectuai deux incisions rapides en forme de croix au centre du cancer. Il ne coula pas beaucoup de sang. Je soulevai la peau et inspectai pour voir à quelle profondeur il me faudrait aller pour ressortir la grosseur tumorale, qui était de couleur mauve mouchetée de blanc et qui me faisait l'effet d'une créature maritime accrochée à une flaque qu'aurait laissée la marée en se retirant.

Violet s'était mise à gémir. Mrs McKinley lui parla

avec douceur, lui expliquant que le pire serait bientôt terminé.

J'entamai l'incision. Ma lame s'enfonça en profondeur, encerclant le cancer. Avec ses bouts de mousseline, Mrs McKinley tamponna le sang qui coulait. Violet cria de douleur et son corps s'arc-bouta et s'agita ; ma main tressauta, et la lame s'enfonça plus loin que prévu. Violet poussa un hurlement d'une telle force qu'il résonna douloureusement dans mon crâne, comme si le son interférait soudain avec ma vision et la troublait. Je clignai des yeux. D'une main, Mrs McKinley essayait de maintenir Violet tranquille, et de l'autre elle nettoyait le sang de la blessure.

— Tenteriez-vous une prière ? sifflai-je à Mrs McKinley.

— Oh oui, une prière. Bien sûr, Sir.

Elle se lança dans un marmonnement à voix très basse à l'adresse de Dieu, lui demandant de nous accorder la tranquillité.

Je clignai à nouveau des yeux et tournai le scalpel de façon à inciser maintenant – du moins l'espérais-je – en dessous du cancer.

— J'y suis presque, Violet. Je l'aurai bientôt retiré.

— Non ! Laissez-le tranquille ! Refermez-le, Merivel. Je n'en puis plus !

— Madame, Sir Rabbit doit tout enlever ou sinon ça risque de repousser, lui expliqua Mrs McKinley.

— Que cela repousse donc ! Je suis vieille et laide à présent ! Que cela m'étouffe et que cela m'emporte ! s'écria Violet.

Mrs McKinley réagit aussitôt et versa plus de laudanum dans la bouche de Violet, ce qui la calma davantage que la prière, je dois l'admettre. Je pris la mousseline et tamponnai tant et plus pour enlever le sang. Et puis, tâtant avec mon doigt, je sentis le cancer se séparer de la chair d'un côté. Je coupai à nouveau en dessous et il se détacha un peu plus. Du sang coula sur ma main.

Encore deux incisions et la chose fut libérée. Avec ma spatule, je la soulevai en faisant levier puis la déposai dans une coupelle en verre. Pressant avec force un tampon de mousseline sur la plaie, je fixai le cancer et me dis combien il était étrange et terrible que le corps, dans son obscurité et son intimité, produise des excroissances susceptibles de le mener à la tombe.

Violet était calme à présent, et elle respirait faiblement. J'aurais payé cher pour pouvoir recoudre la plaie et qu'il en soit fini de l'incision, mais je savais que mon travail n'était pas encore terminé. Il y avait sous l'aisselle deux satellites du cancer principal, et je ne pouvais les laisser là.

Je repris le scalpel. J'avais promis que l'opération ne prendrait pas plus de cinq minutes, or ma lutte avec les satellites qui se dérobaient en prit plus de trente-cinq car ils étaient gorgés de sang, semblait-il, et je ne pouvais couper en continu ; il me fallait effectuer des temps de pause, pendant lesquels Mrs McKinley tamponnait tant et plus.

Quand j'en arrivai au moment de recoudre la peau, Violet était de la pâleur que causent les chocs profonds et elle fut prise de hoquets violents ; Mrs McKinley et moi commençâmes à craindre qu'elle ne fût saisie de convulsions, ou que son cœur ne s'arrêtât.

Ensemble nous pansâmes les plaies, avant de nous laver les mains et les bras avec du savon noir dans de l'eau chaude. Puis j'appelai Agatha pour qu'elle monte la bassinoire tiède et les couvertures. Nous détachâmes les poignets de Violet, étendîmes son bras droit le long de son corps et plaçâmes le bras gauche sur l'oreiller, loin des plaies.

En touchant le front de Violet de ses mains robustes, Mrs McKinley me chuchota :

— Seigneur, Sir, elle est horriblement froide...

Lorsque Agatha entra, voyant les tissus ensanglantés tout autour de sa maîtresse, cette dernière pâle comme un fantôme et les tumeurs cancéreuses dans la coupelle, elle faillit s'évanouir sur-le-champ. Je lui pris la bassinoire des mains, l'entourai d'une couverture et demandai à Agatha d'apporter encore de l'eau chaude et des bols de chocolat pour Mrs McKinley et moi-même.

Le carré de lin, tout comme le drap en dessous de Violet, étaient cramoisis et trempés de sang, et nous savions qu'il nous fallait les enlever. Mais c'était une tâche difficile, car le mouvement serait extrêmement douloureux pour Violet. Je glissai mon bras sous son épaule droite et son cou et la soulevai vers l'avant, tandis que Mrs McKinley enlevait le linge puis le drap ensanglanté ; ensuite, je l'étendis à nouveau et surélevai son dos et ses fesses pour que le drap puisse glisser. Nous étendîmes ensuite des draps propres, pressant de moelleux oreillers autour de la plaie et essayant de la réchauffer, avec la bassinoire à ses pieds et les couvertures en laine.

Mrs McKinley fit couler quelques gouttes de laudanum dans sa bouche. Les hoquets se poursuivirent encore dix minutes. Puis ils s'arrêtèrent, et voilà Violet allongée, tranquille et immobile sous nos yeux. Je soulevai son poignet et lui tâtai le pouls, que je trouvai faible mais battant ; la matinée tirait lentement à sa fin.

Mrs McKinley enleva son bonnet blanc et s'en essuya le front.

— Seigneur, Sir Rabbit, le chocolat sera le bienvenu.

Nous vîmes défiler la journée dans la chambre de Violet. Le soleil lança sur nous un reflet, puis se cacha derrière un nuage, et la pièce s'assombrit comme s'il menaçait de pleuvoir.

Mon esprit ne cessait de vagabonder vers Bidnold, pensant à ce que le Roi et Margaret pouvaient bien y faire, mais je tentai de garder ces vilaines pensées à distance. Je savais que je devais rester auprès de Violet jusqu'au lendemain

Je regardai son visage, jadis objet d'adoration à mes yeux. Elle ronflait dans son sommeil sous laudanum. Je dis à Mrs McKinley à voix basse :

— Je n'ai pas pu travailler aussi proprement que je l'espérais.

— À vrai dire, je n'ai jamais vu d'opération aussi difficile, pas même la mienne.

— Vous avez eu un cancer ?

— Oui. Mais on me l'a retiré il y a bien longtemps, avant que je vous rencontre. Et regardez-moi, Sir Rabbit. Je suis solide comme un roc. Je mourrai de vieillesse dans mon lit. Vous pouvez parier là-dessus à coup sûr.

18

Nous passâmes une nuit épouvantable : Violet se mit à vomir le laudanum et, la quantité de médicament dans son corps ayant diminué, elle fut prise d'une douleur insoutenable.

Nous la lavâmes et essayâmes de la calmer, de l'installer confortablement, mais son corps était toujours glacé et ses lèvres sèches et craquelées. Nous lui donnâmes de l'eau et Mrs McKinley fit des fumigations d'encens dans la chambre, puis elle descendit à la cuisine pour préparer ce qu'elle appelait un « bouillon de pommes de terre » réputé pour « soigner le poison », une recette de sa famille du Donegal.

Je restai seul avec Violet. J'entretins le feu pour qu'il brûle bien et essayai de mettre davantage de couvertures sur le lit, mais Violet déclara qu'elles pesaient trop lourd sur sa plaie et qu'elle ne pouvait supporter que quoi que ce soit la touche. Pour tenter de la distraire de ses souffrances du moment, je l'invitai à me raconter sa nuit avec le Roi, et je vis alors un sourire fragile apparaître sur ses traits meurtris.

— Eh bien, il parle beaucoup pendant l'acte. Et j'adore cela, tout comme vous, Merivel, si ma mémoire est bonne.

— Parfois...

— Mais ensuite, quand nous eûmes épuisé plusieurs positions, il se mit à parler de la Reine, comment il l'avait trompée avec une centaine de femmes et comment, au fil des ans, il l'avait calmée avec des cadeaux religieux.

Puis Violet tendit le doigt vers son bureau près du feu.

— Vous voyez la petite boîte en bois posée dessus, Merivel ? Apportez-la ici, je vais vous montrer quelque chose.

J'allai chercher la boîte, de jolie facture, en forme de malle cabine et parsemée de petits clous en laiton. Violet me demanda de l'ouvrir et je m'exécutai, pour trouver à l'intérieur, posée sur du velours bleu, une boucle de cheveux blancs.

— Elle appartenait à Bathurst. Il l'avait achetée à Rome pour une jolie somme. Vous vous souvenez sans doute qu'il était fou et crédule. On lui avait raconté que ces cheveux avaient été coupés sur la tête de saint Pierre et il l'avait cru.

— Ah, des cheveux qui auraient survécu près de mille sept cents ans ?

— Précisément. Comment un fragment humain pourrait-il ne point flétrir et retourner en poussière après tout ce temps ? J'ai fait part de mes doutes à Bathurst, mais il n'en démordait pas. Il avait l'habitude de grommeler ses prières penché là-dessus, implorant qu'on lui accorde de la chance aux courses hippiques.

— Et a-t-il été exaucé ?

— Je ne me souviens plus, Merivel. C'était un joueur invétéré, jusqu'à ce qu'il devienne fou et oublie le jeu. Mais après le départ du Roi, je me suis dit que sa Reine, forte de sa piété catholique, pouvait y croire aussi. Alors je veux que vous la lui donniez pour qu'il la lui donne à son tour, afin de racheter tout ce qu'il a fait avec moi, qui était à la fois sauvage et obscène !

— Je n'y manquerai pas, répondis-je en lui caressant le front.

Puis, d'une voix étouffée et étranglée, j'ajoutai :

— Violet, je voudrais savoir autre chose. Vous croyez vraiment que le Roi essaiera de séduire ma fille ?

— Il n'essaie pas de séduire quiconque. Il y parvient.

— Margaret n'est-elle point trop jeune pour lui ?

— Je n'en sais rien, mon ami. Mais est-ce bien important ? Perdre sa virginité avec le Roi d'Angleterre...

— C'est très important pour moi ! Je me souviens du malheur que cela a causé à Celia...

— Celia était une sotte, Merivel. J'ai toujours été émerveillée que vous ayez eu des sentiments pour cette créature terne et effacée, surtout alors que vous m'aviez moi, qui m'occupais avec tant d'ardeur et d'efficacité des besoins de votre verge. Mais Margaret n'est pas aussi crédule et faible que Celia. Elle refusera de souffrir.

Mrs McKinley revint à ce moment-là avec le bouillon de pommes de terre, et il nous fallut mettre un terme à la conversation.

Nous soulevâmes un peu Violet dans son lit. Par-delà les fenêtres, je vis l'aube ramper vers nous. Je glissai une cuillerée de bouillon dans la bouche de Violet et priai qu'elle le garde et ne se remette pas à vomir. Puis nous l'allongeâmes à nouveau, et quand je touchai sa joue je sentis que le bon bouillon l'avait un peu réchauffée. L'odeur de l'encens dans la pièce était capiteuse et forte, et j'avais envie de dormir.

À huit heures, avant de quitter Bathurst Hall, je descendis dans la cuisine où autrefois l'on préparait des repas pour trente ou quarante personnes ; les fours semblaient rugir nuit et jour et la saveur de la viande rôtie était si puissante que l'on avait l'impression de pouvoir se régaler de sa seule odeur.

Aujourd'hui, tout était bien silencieux, et l'endroit briqué et froid. Le cuisinier de Violet – « Chef Chinery », ainsi qu'il aimait à se faire appeler – était planté à la fenêtre, semblant se demander ce qu'il convenait de faire du jour naissant et comment il allait passer la journée.

— Bonjour, Chinery, vous allez bien ?

— Aussi bien que le permet le temps, Sir.

— Fort bien. Et maintenant, permettez-moi de vous donner quelques recommandations. L'infirmière de Lady Bathurst, Mrs McKinley, restera ici jusqu'à ce que madame la comtesse se remette suffisamment pour qu'Agatha puisse prendre le relais. Mrs McKinley a préparé hier soir pour

Lady Bathurst un bouillon de pommes de terre fort efficace qui a calmé sa digestion, donc merci de vous assurer qu'il y a des réserves de pommes de terre suffisantes.

— Il y en a toujours. La terre du Norfolk les vomit.

— Bien. Je vous demanderai aussi de préparer des repas consistants pour Mrs McKinley...

— Elle serait pas irlandaise ?

— Si, originaire du comté de Donegal.

— Alors tout ce dont elle aura besoin, c'est des pommes de terre. C'est de ça qu'ils vivent là-bas.

Je dévisageai Chinery, un homme du Norfolk costaud et vieillissant à l'air chagrin, qui adorait le vieux comte illuminé plus que de raison et qui ne se plaisait plus dans son travail depuis la mort de son maître.

— Je vous en prie, n'allez pas vous imaginer que Mrs McKinley sera heureuse de se nourrir de pommes de terre. Son travail d'infirmière sera rude. Elle aura besoin de viande, de pain, de poisson, de fruits et de bière. Elle doit rester forte.

Chinery se remit à fixer la cour qu'entouraient les étables ; l'on eût dit qu'il ne m'avait pas entendu.

— Chinery ! dis-je sur un ton sec. Merci d'être attentif. Je suis très fatigué. Avant de partir, j'aimerais avoir des œufs pochés, du pain et du café. Merci d'en faire assez pour Mrs McKinley aussi, et de les faire porter en haut tout de suite.

Je restai juste assez longtemps pour voir Chinery se tourner et hocher la tête en guise d'acquiescement. Puis je sortis de la cuisine à grandes enjambées, tentant de garder la tête haute, heureux de ne point porter une épée sur laquelle j'aurais pu trébucher et tomber.

Lorsque j'arrivai chez moi, pressé de dormir, le Roi me prit tout de suite à part pour m'informer qu'il devait discuter d'une affaire de grande importance avec moi.

Mon épuisement s'effaça sur-le-champ pour faire place à une terrible agitation.

Nous nous rendîmes dans la bibliothèque, où le Roi se mit à faire les cent pas, au point de me donner le tournis.

Il finit par s'arrêter et lancer :

— Ma décision est prise, Merivel. Je ne puis rester à Bidnold plus longtemps.

Mes lèvres étaient sèches et ma voix faible tandis que je demandai :

— S'est-il passé quelque chose en mon absence, Sir ?

— Non, rien, si ce n'est que ma conscience a été mise en alerte.

— Puis-je vous demander par quoi, Votre Majesté ?

— Par tout ce que je néglige. Je ne puis continuer sur ce mode-là. Le duc d'York a raison : le royaume court à sa perte si je continue. Je suis le roi. Je dois rentrer et gouverner.

— Voilà qui est très soudain, Sir.

— Pas vraiment. Depuis la lettre de mon frère, je suis dans l'embarras. Il y a tant de choses dans le pays qui semblent se déliter par manque d'argent. D'une manière ou d'une autre, je dois trouver des fonds.

— Où, Sir ?

— En empruntant encore au roi Louis, je suppose. À moins qu'une alternative quelconque ne tombe du ciel, ou que vous-même n'ayez une réserve inépuisable de demi-couronnes. Oh, Merivel, n'en parlons plus. Pourquoi ne pas partager une autre joyeuse soirée avec l'excellente famille Prideaux avant mon départ ? Nous pourrions dîner et jouer au volant. Les inviterez-vous pour jeudi ?

— Oui...

— Et peut-être cette fois Margaret sera-t-elle assez forte pour jouer avec nous ?

— Je n'en suis pas sûr, Sir.

— Moi je crois que oui. Elle pourra jouer dans mon équipe. Et maintenant, dites-moi, Merivel, comment va Lady Bathurst ?

Nous nous assîmes. J'avais fort envie de voir Margaret, mais j'étais tenu de rester dans la bibliothèque avec le Roi afin de lui donner un compte rendu de l'opération de Violet.

Il écouta, l'air grave. Selon lui, Violet Bathurst était une « femme exceptionnelle, mue par un désir étonnamment impétueux ». Il me demanda si elle survivrait à son opération.

— Elle y survivra peut-être, Sir, mais le cancer risque de revenir. Pour le moment, j'ai fait mon possible.

C'est alors que je me souvins de la boîte contenant la boucle de cheveux de saint Pierre ; je la pris donc et la donnai au Roi, en lui expliquant que c'était un cadeau pour la Reine de la part de Violet.

Il souleva la boucle et la renifla. Puis il l'enroula autour de son index et l'examina.

— Le rôle de la superstition et de l'illusion dans une vie humaine m'intéresse, dit-il. Ces choses sont très faciles à tourner en ridicule, mais, en ce qui me concerne, je ne les dédaigne pas si facilement. J'ai vu à quel point la Reine était réconfortée par les reliques qu'elle amassait. Elle les embrasse avec une telle passion ! Dans son esprit, elles sont une manifestation du Dieu d'amour. Peu importe qu'il s'agisse de vieilles articulations de doigt trouvées dans un cimetière de pauvres dans le Kent, ou d'un petit bout de lin trouvé dans un bazar d'Égypte. Ce qui est important, c'est ce qu'elles représentent *à ses yeux*.

— Je suis d'accord avec vous, Sir. Selon Montaigne, la fin de l'illusion pourrait bien annoncer la fin de la joie.

J'éprouvai alors l'envie de raconter au Roi comment, il y a fort longtemps, l'on m'avait fait cadeau d'un rossignol indien dans une cage dorée ; j'avais été ému et fasciné par cet oiseau, et l'avais incité à chanter en lui jouant du hautbois.

— Mais mon ami John Pearce, le Quaker, finit par arriver et me lança : « Merivel, tu t'es fait berner. Cet oiseau n'est pas un rossignol indien. C'est un merle commun avec quelques plumes peintes ! » Et je vis que Pearce avait raison, mon rossignol indien adoré n'en était pas un, d'ailleurs le rossignol indien n'existe peut-être nulle part sur cette terre. Cet état d'illusion m'avait toutefois rendu heureux, et y renoncer m'avait causé beaucoup de chagrin.

— Ah, bien sûr. Vous aviez tenu dans vos mains une merveille, et vous l'aviez perdue.

Nous plongeâmes ensuite tous deux dans une mélancolie silencieuse et contagieuse. Au bout d'un moment, le Roi replaça la boucle de cheveux de saint Pierre sur son lit de velours bleu, referma la boîte et constata :

— Cela plaira à la Reine. Je lui raconterai qu'un prêtre à Norwich – où saint Pierre voyagea il y a longtemps et se lia d'amitié avec un barbier chirurgien – me l'a donné.

Nous en rîmes et le Roi ajouta :

— Tout réside dans l'histoire, Merivel. Aucun objet ne peut acquérir sa pleine signification sans que l'on raconte une histoire à son sujet.

Jeudi soir, le 23 mai, arriva la famille Prideaux alors que nous avions tous revêtu nos plus beaux atours ; l'on moqua et admira tout à la fois l'une de mes redingotes en satin ajustées en France, ainsi que sa cascade de rubans d'épaule.

J'avais eu une longue conversation avec Cattlebury. Il semblait quelque peu assagi après l'histoire des cerises, et prêt à mettre tout son cœur dans la préparation d'un superbe banquet pour la dernière soirée du Roi. Il commanda quantité de truites, de chapons et de noisettes, ainsi qu'une épaule de mouton et autres mets délicats dont je savais le Roi friand, et l'on monta d'excellents vins de la cave.

Le dîner fut splendide, un vrai succès. Une centaine de chandelles avait été allumée à ma demande et c'était un véritable feu qui dansait et vacillait tout autour de la pièce ; sur les visages qu'il éclairait, je ne voyais que le bonheur. Même sur celui de Will, à son poste derrière la chaise du Roi et portant une livrée à présent bien trop grande pour son corps ratatiné, je remarquai un sourire idiot qu'il était incapable de réprimer, sauf quand il prenait une assiette des mains du valet de pied pour la placer devant le Roi, ce qu'il faisait avec une concentration toute morose.

Margaret portait une robe turquoise, avec des rubans turquoise dans ses cheveux auburn. Elle rougissait sans cesse, de sa propre beauté eût-on dit, et je m'émerveillais de ce que, avec mon nez plat, mes poils de pourceau et mon ventre gras et tacheté, je puisse être le père d'une jeune fille aussi adorable.

Trop alourdis par la nourriture et la boisson pour jouer au volant après le dîner, nous nous lançâmes dans une partie de colin-maillard au salon et rîmes beaucoup en regardant celui ou celle aux yeux bandés chanceler sur mon tapis de Cheng Chow, tandis que nous courions nous cacher derrière les fauteuils et les rideaux avec force railleries et provocations.

Quand ce fut au tour du Roi d'avoir les yeux bandés, il déclara qu'il pouvait reconnaître chacun de nous à son odeur et, parce que nous ne pouvions nous soustraire à notre propre parfum, il s'avéra en effet qu'il nous attrapa et nous identifia plus vite qu'aucun autre ; cela semblait être son don à lui de pouvoir reconnaître les gens à leur odeur, à leur démarche ou encore à leur souffle, et parfois de pouvoir vérifier ce qu'ils avaient en tête, ce avec une étrange précision.

Quand nous fûmes las de jouer à colin-maillard, nous arrangeâmes deux tables pour un rami, et l'on nous servit de l'hydromel accompagné de délicats biscuits à la vanille que Cattlebury avait élaborés avec art ; Sir James Prideaux se révéla le maître incontestable de ce jeu et nous battit tous, raflant une mise conséquente de petite monnaie.

— Ah, fit Sir James en riant et en ramassant son argent, excellent ! Maintenant je peux nous emmener tous en Cornouaille une nouvelle fois, et cette fois-ci tu viendras avec nous, Margaret.

— Tu verras des macareux, dit Penelope.

— Tu ramasseras de minuscules coquillages ! s'écria Mary.

— Mais tu ne mangeras pas de crevettes ! ajouta Arabella.

Margaret rougit et sourit mais, à mon étonnement, ne répondit rien. À cet instant, le Roi se leva et se dirigea vers elle, la fit lever puis me salua disant :

— Je ne vous l'ai pas dit avant, Merivel, de crainte que vous ne tentiez de m'en dissuader, mais j'ai proposé à Margaret de lui trouver une place à la cour et elle a consenti, à condition que vous lui donniez votre bénédiction.

Totalement figé sur ma chaise, j'avais soudain froid, tandis que toute la famille Prideaux restait bouche bée d'étonnement à cette annonce.

— Euh…, dit Sir James en laissant tomber par accident une cascade de pièces, c'est merveilleux, Sir. Merveilleux pour Margaret… et pour Sir Robert…

— La duchesse de Portsmouth m'a écrit en me demandant de lui trouver une nouvelle dame d'honneur ; cet arrangement me semble donc convenir tout à fait, poursuivit le Roi. J'irai à Whitehall demain et demanderai que l'on s'y occupe du logement, des appointements, etc., et si son père y consent, Margaret viendra à Londres début juin. Puis-je compter sur votre consentement, Merivel ?

Tout le monde se tourna vers moi. Je crois que seule la petite Penelope comprit ce que je ressentais, parce qu'elle s'approcha de moi et prit ma main avec solennité.

La serrant dans la mienne, je me levai et saluai le Roi.

— Je suis honoré. C'est un… grand honneur.

Mais je n'avais plus qu'un filet de voix, comme si je m'étais étranglé avec un panais.

— Vous ne serez pas offensé, j'espère, si je me sens tenu de demander à Margaret de répondre – devant Votre Majesté et toute la compagnie ici présente – si c'est là un honneur qu'elle souhaite vraiment accepter.

La pièce devint silencieuse. Il se faisait tard et les quelques chandelles encore allumées coulaient avec une belle régularité dans leurs bougeoirs.

— Je le veux, répondit Margaret.

La lune est pâle et je suis assis à côté de l'enclos de Clarendon, que je cherche des yeux dans la semi-pénombre. Je l'entends respirer, mais je ne parviens pas à le voir.

Puis je sens une ombre à mes côtés et je sais qu'il s'agit de Pearce.

— Eh bien, que vas-tu faire, Merivel ? me demande-t-il de sa voix spectrale.

— Je suis impuissant.

J'entends Pearce soupirer, ou peut-être sont-ce les soupirs de Clarendon, ou ceux des frênes dans son enclos...

— Cette nuit amère devait bien finir par arriver, soupire Pearce. Voici le jour où le Roi te trahit.

TROISIÈME PARTIE

La Grande Consolation

19

Margaret est partie. Je l'ai accompagnée à Londres, où j'ai assisté à son installation dans les appartements de la duchesse de Portsmouth, au palais de Whitehall.

Sa chambre n'est pas un sombre grenier, comme celle de Celia ; il s'agit d'une pièce spacieuse, avec un lit surélevé orné de brocarts bleus, une cheminée en acajou sculpté, et une table où sont disposés brosses et peignes en argent. Je me suis mis à sa fenêtre et j'ai contemplé ce qu'elle allait voir tous les jours : dans une petite cour, j'ai aperçu une fontaine en pierre en forme de nymphe versant de l'eau d'une amphore, et la vue de cette silhouette innocente m'a réjoui le cœur. Dans la vasque de la fontaine, aux pieds de la nymphe, il y avait des poissons rouges aux couleurs vives.

La duchesse de Portsmouth, la « Fubbs » adorée du Roi, vint à notre rencontre pleine de grâce et d'amabilité, prit Margaret dans ses bras, l'embrassa et lui assura que dorénavant sa vie serait belle. Voyant que, toute à sa joie et à son excitation, Margaret la croyait, je n'eus pas le cœur de perturber ce bonheur en lui faisant part des craintes et des soupçons qui assombrissaient mon esprit.

Fubbs menait peut-être une « belle vie », mais l'on ne pouvait dire que c'était une belle femme, et cela ne faisait qu'accroître ma crainte que le Roi, pour se satisfaire, ne porte son regard sur ma fille, si ce n'était déjà fait. Fubbs était plutôt petite et grassouillette, avec de grands yeux dans un visage rond et un petit nez crochu. Elle m'évoquait un pigeon ramier. Je glissai à ce dernier :

— Margaret est tout ce que j'ai au monde.

Elle s'avança vers moi pour me prendre la main et me répondit :

— Les jeunes femmes dont j'ai la charge sont mes petits canetons, et moi, la cane, je suis leur tendre mère.

Je ris en l'entendant choisir une métaphore à plumes alors que je venais de la ranger dans la catégorie pigeon, mais le Roi apparut à ce moment-là et nous ne fûmes plus que saluts et révérences ; je sentis ma lourde épée cliqueter autour de moi comme la bride d'un cheval, et le Roi dit à Fubbs :

— Margaret m'a appris à jouer au rami. Maintenant je suis très bon. Si vous êtes gentille avec elle, elle vous montrera.

Le Roi portait une sobre redingote brune et paraissait fatigué ; son boitillement semblait plus prononcé depuis qu'il avait quitté Bidnold. À moi, il lança :

— Le Norfolk me manque, Merivel. Comment va Clarendon ?

— Comme toujours, Sir. Il se sent seul.

Il me regarda avec tendresse.

— Vous aussi, vous allez vous sentir seul maintenant que je vous ai volé Margaret ; qu'allez-vous donc faire ?

J'étais bien en peine de répondre. L'écho sinistre des paroles de Pearce que j'entendis dans cette question me troubla l'espace d'un instant. Mais surtout, j'avais été bien incapable de penser à ce que je ferais, hormis pleurer Margaret. Je me vis debout à côté de l'enclos de l'ours des heures durant, regardant les tristes déambulations de l'animal le long de la clôture, incapable d'améliorer sa situation, ou la mienne. Puis je m'entendis dire :

— J'ai été invité à me rendre en Suisse, Votre Majesté.

— Ah. Très bien. Mais comment savez-vous que vous n'y trouverez pas de girafe ?

— Une girafe ! s'exclama Fubbs. Que voulez-vous dire ?

— Merivel sait de quoi je parle. Il n'a pas envie qu'une chose au long cou vienne gâcher ses festivités.

— Quelles « festivités », papa ? demanda Margaret.

— Aucune, c'est juste que l'on n'est jamais trop prudent avec les girafes, ainsi que Sa Majesté le sait !

À ces mots, le Roi et moi-même éclatâmes de rire, tandis que ces dames nous regardaient avec cette profonde irritation que l'on éprouve lorsque l'on se sent exclu d'une plaisanterie.

Puis vint le moment pour moi de dire au revoir à Margaret.

Je l'avais redouté tant et plus, à la fois à cause de la tristesse qui en découlerait et de la crainte de me rendre ridicule en pleurant. Je rajustai donc mon épée et m'avançai vers Margaret avec assurance, comme si je me présentais avec ponctualité à une réunion des administrateurs de la taxe des pauvres de la paroisse de Bidnold ; je pris sa main dans la mienne et la priai de prendre bien soin d'elle et de m'écrire aussi souvent que possible.

Mais elle m'attira contre elle, mit ses bras autour de mon cou et me dit : « Je vous aime, mon cher papa. » Et ceci manqua me faire pleurer malgré moi, aussi la tins-je contre moi un moment ; j'embrassai sa joue, puis me détournai d'elle et, après avoir présenté une sorte d'hommage cliquetant au Roi et à Fubbs, je quittai la pièce.

Je m'en retournai donc une fois de plus à Bidnold (après tant de départs et tant de retours) et m'assis dans ma bibliothèque, où je sirotai du vin en essayant d'orienter mon esprit vers une quelconque action, mais ce fut un échec complet. Je me contentai d'être assis là et de boire. J'étais dans une telle transe d'inactivité que je me dis que je pourrais ne plus jamais bouger de ma chaise jusqu'à ce que je me transforme en pierre.

Je restai un long moment dans cette immobilité pétrifiée, et songeai combien il m'était devenu difficile de croire que j'avais jamais accompli quoi que ce soit. Lorsque Will entra pour allumer le feu en cette fraîche soirée d'été, je lui demandai :

— Dis-moi, Will, ai-je jamais quitté cette chaise ?

— De quoi parlez-vous, Sir Robert ?

— J'ai l'impression d'avoir toujours été assis... et que mon existence entière s'est déroulée sans moi.

Will secoua la tête, perplexe. S'affairant avec son briquet à pierre, il répondit :

— Eh bien, vous êtes allé autrefois à Londres avec deux cailles rôties dans la poche de votre redingote, et nous n'avons jamais réussi à faire disparaître les traces. Mais si vous croyez que vous n'avez jamais rien fait, pourquoi vous ne lisez pas un peu de ce livre que vous avez écrit sur votre vie ? Il doit bien y avoir quelques faits là-dedans.

Je regardai en direction de l'écritoire où j'avais caché *La Cale.* J'y avais très peu pensé ces derniers temps, mais j'étais soudain désireux de la lire avec attention, ne serait-ce que pour me rassurer sur ma capacité à traverser des événements capitaux et à respirer encore après.

Tandis que le feu de Will hésitait à démarrer, je me dirigeai avec raideur vers le bureau et ouvris le tiroir contenant *La Cale.* Je la pris, toute poussiéreuse qu'elle était, salie par les crottes de souris et les chiures de mouches, et m'en retournai à mon fauteuil. Will m'observait, l'air inquiet.

— Est-ce que vous parlez de moi dans votre livre ?

— Oui, Will, certainement. À plusieurs reprises. Et regarde ici, vers la fin, voici la copie d'une lettre que tu m'as écrite quand je me proposai de faire une visite à Bidnold, loin d'imaginer que cet endroit m'appartiendrait à nouveau, souhaitant de tout cœur le revoir.

— Je me souviens de cette visite, Sir.

— Veux-tu entendre ce que tu as écrit ?

— Oui...

— Alors voici : *Oh, Sir Robert ! Vous n'imaginez pas notre joie, tous ici autant que nous sommes qui nous souvenons de vous, à la seule pensée de ce grand événement à venir, votre arrivée à Bidnold. S'il vous plaît, Sir, soyez assuré que nous ferons tout bien comme il faut pour ce retour auspicieux...*

— Mes phrases n'étaient pas très bonnes.

— Tes phrases étaient excellentes.

— « Retour auspicieux », ce n'est pas correct, Sir, si ?

— Moi je trouve cela merveilleusement correct et pertinent. Parce que, si tu t'en souviens, Will, ce fut un retour bel et bien auspicieux ! J'avais cru cette demeure perdue à tout jamais, et c'est alors que le Roi est arrivé avec une meute de chiens et ce fut ce jour-là qu'il me restitua la tour ouest et m'informa qu'elle était à moi pour toujours.

— Je n'oublierai jamais la joie dans mon cœur, Sir Robert...

— J'ai emmené Margaret à de nombreuses reprises vers ce lieu immaculé et lui ai montré les pigeons paon sur le rebord de la fenêtre, ainsi que la superbe vue sur le parc...

— Et je savais que ça vous appartiendrait à nouveau, un jour. Je savais que Sa Majesté vous le restituerait.

— Eh bien, moi, je l'ignorais. Je n'osais l'espérer en tout cas. Mais aujourd'hui cela m'appartient à nouveau. Sauf que Margaret est partie.

— Au moins elle n'est pas au paradis, Dieu soit loué.

— Non. Mais je m'inquiète pour son avenir, Will. La cour a signé la perte de milliers de jeunes femmes. J'ai si peur que mes jambes semblent clouées à ce fauteuil.

Lors du dîner je parvins à manger un peu, tout en me disant qu'il me faudrait plus que de la nourriture et du vin pour me consoler ; il me faudrait une forme d'oubli...

Puis je me souvins que j'avais toujours en ma possession une bonne dose d'opium acheté à l'apothicaire Dunn pour l'opération de Violet Bathurst, et sans hésiter davantage, j'allai le chercher dans ma chambre et concoctai un verre de laudanum fort dosé.

Je me déshabillai, enfilai ma chemise de nuit et me mis au lit. Au-dehors, la nuit claire de juin vibrait encore de chants d'oiseaux. J'ouvris *La Cale* et entrepris d'en tourner les pages, cherchant toutes les fois où j'avais parlé de Margaret. Ici et là, je vis que mon écriture était bien piètre et bâclée, comme si j'avais été pressé de transcrire les événements.

Sirotant le laudanum, je me forçai à lire le passage où j'avais taillé dans le ventre de Katharine pour délivrer Margaret. Et bien que les détails soient terribles, cela me causa une sorte de ravissement de savoir que moi et moi seul avais donné à Margaret souffle et vie et que, n'eûssent été mes compétences médicales, le bébé serait mort. Ceci, me dis-je, je l'ai fait. Dans la piètre somme de ma vie, je peux comptabiliser une chose merveilleuse : j'ai sauvé Margaret de la mort.

Je sirotai un peu plus de laudanum. Je me revoyais jeune (ou presque jeune, à quarante ans) soulevant ma fille dans mes bras, et cette scène me parut très belle, comme si elle avait été saisie par un artiste pour un tableau à la lumière douce et dorée.

Ouvrant les yeux après cette rêverie, je vis qu'il faisait vraiment nuit. Je tendis l'oreille, guettant dans l'obscurité les gémissements de Clarendon, mais je n'entendis rien. Je savais que le sommeil était sur le point de m'envelopper et je laissai tomber ma tête. La dernière chose dont je me souvienne fut le bruit de *La Cale* tombant par terre.

À mon réveil, je ne savais plus où j'étais ni ce qui se passait.

J'entendis une voix dire : « Réveillez-vous, Sir Robert. Réveillez-vous ! »

À la fenêtre, je vis la lumière de l'aube et m'imaginai dans quelque pièce de Whitehall, avec une fontaine au-dehors et des poissons rouges nageant en rond.

— Il y a des hommes en bas, et ils sont très en colère.
Vous devez vous habiller et descendre, m'ordonna la voix.

— Quels hommes ? parvins-je à demander.

— Des gens du village. Des fermiers. Et ils ont des armes
avec eux, des fourches et des pelles, et aussi une sorte de fusil.

— *Quoi ?*

— Venez, Sir. Je sens que vous avez avalé du cognac,
mais vous devez vous lever, ou sinon je crains qu'ils n'entrent
en trombe ici.

— Où suis-je ? Suis-je à Londres ?

— Non. Vous êtes à Bidnold. Bien, j'ai votre redingote
et vos culottes, Sir. Veuillez sortir de votre lit pour que je
puisse vous les enfiler.

Je me rendais compte à présent que la voix appartenait
à Will. Je regardai son visage fripé et un souvenir pénétra
en frémissant dans mon esprit affecté par tout le laudanum
que j'avais siroté tandis que la nuit tombait, ainsi que par
les rêves et les merveilles que j'avais vus.

Mais ces merveilles s'étaient bel et bien envolées à présent.
Je pris la main tendue de Will et me redressai, puis je vis
la pièce tourner autour de moi en cercles violents.

— Will, je ne me sens pas bien. Je ne peux pas me lever.

— Il le faut. Ou vous voulez être enfourché dans votre lit ?

— Enfourché dans mon lit ? Tu dis n'importe quoi, Will.
On devrait t'enfermer à Bedlam. Maintenant, sois gentil,
laisse-moi dormir...

— Non. Pour une fois vous devez faire ce que je vous
dis, Sir Robert. Il s'est passé quelque chose de grave.

— Quelque chose de grave ?

— Hélas, oui.

— Quelle heure est-il ?

— Bientôt six heures. S'il vous plaît, Sir Robert, tenez-
vous droit pendant que j'enfile vos culottes.

J'étais assis là à me balancer, me demandant si j'allais
vomir sur la vieille tête de Will pendant qu'il fourrait ma
chemise de nuit dans mes culottes.

— Que peut-il se passer de grave aussi tôt le matin ?
D'ordinaire, à cette heure-là, je ne suis pas réveillé…

— Je sais bien, Sir.

— J'ai toujours imaginé que rien ne pouvait vraiment
arriver avant que je sois… Donne-moi le pot de chambre,
Will. Je vais vomir.

Will fouilla partout pour le trouver, puis le tint devant
moi juste à temps pour recevoir un flot de vomi brun puant
le cognac et le médicament. C'était un vomi des plus horribles et j'étais désolé pour Will, contraint de le voir et de
le sentir, mais son effet fut salutaire et cela m'éclaircit
quelque peu les idées.

M'essuyant la bouche et me mouchant, je dis :

— De quelle « chose grave » s'agit-il, Will ? Lady Bathurst
est-elle morte ?

— Lady Bathurst, non. Mais un mouton.

— Un mouton ?

— Oui, Sir.

— Et pourquoi me réveille-t-on pour cela ? Les moutons
ne meurent-ils pas en permanence ? Il me semble me souvenir que, dans la Bible, ils passent leur temps à s'empêtrer
dans des buissons épineux ou à être sacrifiés…

— C'est votre ours, Sir Robert. Il s'est échappé de l'enclos et il tue du bétail. Maintenant, levez-vous, s'il vous
plaît, et mettez votre perruque. Vos cheveux sont vraiment
en bataille.

Je me levai tandis que Will brossait ma perruque puis
me la posait sur la tête.

— Il doit y avoir une erreur, dis-je. La clôture de l'enclos
est très solide, et je n'ai jamais vu l'ours tenter de l'escalader.

— Eh bien, il est sorti quand même. Maintenant vous
devez affronter la colère des fermiers.

Je descendis les escaliers en chancelant. Mes jambes me
donnaient l'impression de céder sous mon poids. Dans le
hall, je vis un groupe de cinq hommes armés de fourches

et de pelles, et l'un d'entre eux avait un tromblon à
l'épaule.

Quand ils me virent, ils se mirent tous à parler en même
temps sans la moindre courtoisie ou politesse, me racontant
qu'un animal sauvage parcourait leurs champs, qu'ils me
tenaient pour responsable et me présenteraient la facture
pour chaque perte. Tout en continuant de crier après moi,
ils jetèrent la carcasse ensanglantée d'un mouton sur les
dalles de pierre du hall.

— Je ne puis entendre ce que vous me dites si vous
parlez tous en même temps. Dois-je comprendre que mon
animal domestique, Clarendon – ainsi baptisé par Sa Majesté
le Roi –, a fait des dégâts ?

— C'est peut-être votre animal domestique, Sir Robert,
rétorqua l'homme au tromblon, mais il est sauvage ! Regardez cette brebis. Lacérée et à moitié dévorée ! Après, ça sera
nos enfants.

Je regardai les visages en colère. J'avais rencontré ces gens
à plusieurs reprises au fil des années, mais jamais chez moi,
et c'était seulement ici, dans mon hall majestueux, que je
compris combien ils étaient pauvres, avec leurs vêtements en
haillons et leurs bottes lourdes et usées. Ils puaient la terre
et les corps mal lavés. Je sentis une nouvelle vague de nausée me saisir et je m'assis au plus vite sur l'une des marches.

— Que voulez-vous que je fasse ? demandai-je d'une voix
faible. Comme vous le voyez, je ne me sens pas bien
aujourd'hui.

— On n'y peut rien, Sir. Faut-il que notre bétail dispa-
raisse ? Faut-il que nos enfants se fassent tuer ?

— Non. Bien sûr que non. L'ours doit être capturé.

— Capturé ? *Capturé ?* Sir Robert, vous nous insultez.
Si vous l'enfermez à nouveau, il n'aura plus qu'à ressortir !

— Je ferai construire une clôture plus élevée.

— Et pendant ce temps ? Les moutons, les chèvres, les
poulets… tout aura disparu dans sa grande gueule. Et nous
aurons sombré dans la pauvreté.

Impuissant, je regardais les hommes qui me lançaient des regards tout aussi impuissants.

— Que dois-je faire ? répétai-je.

— Il doit mourir, répondit M. Tromblon, qui s'appelait Patchett, je m'en souvenais à présent, et qui vivait dans une pauvre ferme juste à l'extérieur du village, où les champs étaient engorgés de jacobée ; il devait trimer pour tenter de l'enlever car cela donnait des coliques à son bétail, sauf que chaque année elle revenait. Nous sommes désolés si c'était votre animal de compagnie, poursuivit Patchett. Mais un ours est un drôle d'animal domestique, et il faut s'en débarrasser.

Je me frottai les yeux. Ma nausée avait un peu diminué. Pauvre Clarendon, me dis-je, ton « protecteur » n'est pas à la hauteur. J'ai vendu une bague en saphir pour que tu puisses vivre une meilleure vie, mais je n'y suis pas parvenu. Tout ce que je t'ai donné, c'est un petit bout de terrain et quelques arbres pour avoir de l'ombre, mais tu es devenu un paria et tu n'as connu aucune joie.

Je me levai.

— Je vais vous accompagner pour vous aider à le retrouver, dis-je. Mais il faut l'abattre de manière correcte. Il ne doit pas souffrir. Vous avez de la poudre pour votre fusil ?

— Oui, Sir.

— Alors, utilisez-la. Je connais la puissance de votre arme. J'ai vu la tête d'un homme emportée par un tromblon sur la route de Douvres.

À ces mots les hommes marmonnèrent entre eux, comme s'ils pensaient que, parce que j'étais riche et bien mis, je n'avais rien vu de désagréable de toute ma vie. Je m'entendis soupirer.

Will était toujours à mes côtés et je l'envoyai me chercher une houppelande chaude parce que le petit matin me glaçait les os et que tout mon corps tremblait.

— Vous prendriez pas un peu de chocolat pour vous remonter avant de sortir, Sir ? me demanda Will.

— Non. Je le prendrai au retour, pour me consoler à ce moment-là. J'en aurai sûrement besoin.

Nous parcourûmes le parc. Nous fixâmes l'enclos vide, les marques de griffes de l'ours et le bois fendu à l'endroit où il avait escaladé la clôture. De là, nous essayâmes de suivre un sentier dans l'herbe humide de rosée, qui nous entraîna de plus en plus loin, jusqu'à ce que nous arrivions dans le champ où le mouton avait été tué.

Nous nous arrêtâmes et je reniflai l'air, parce que l'odeur de Clarendon m'était devenue très familière, mais je ne le sentis pas. Dans mon imagination, il était déjà à des kilomètres d'ici, loin de Bidnold et du Norfolk, sachant qu'il ne pourrait jamais revenir vers moi. Et l'imaginer errant sans fin le long de routes désertes, sans but ni destination, serra mon cœur sentimental. « Clarendon me faisait confiance, et maintenant je n'ai d'autre choix que de trahir cette même confiance », me lamentai-je en moi-même.

La pluie se mit à tomber. Mon estomac vide cria de douleur. Mais nous continuions d'avancer avec difficulté le long de chemins verdoyants, traversant de grandes prairies, des champs de maïs, des vergers de pommiers, des parcs à pourceaux et de vastes étendues couvertes d'ajoncs.

Nous arrivâmes au village de Bidnold par une route tortueuse, sans avoir vu ou repéré Clarendon, tandis qu'une taverne que je connaissais fort bien, The Jovial Rushcutters, ouvrait justement ses portes ; je dis aux hommes :

— Entrons et je vous offrirai une bonne rasade de bière pour vous donner des forces. Puis nous poursuivrons.

Ils ne refusèrent pas. Nous nous assîmes sur des bancs au milieu de la sciure pour avaler nos bières ; jamais cette boisson ne me parut aussi bonne, et elle calma mon pauvre estomac. Après en avoir bu deux cruches, je me serais bien étendu sur l'un des bancs rustiques du Rushcutters, mais je savais que je devais tenir parole. Je payai la bière et nous ressortîmes dans le matin blême.

La pluie continuait de tomber avec régularité. C'était une de ces pluies d'été presque invisible, et qui pourtant doucha bien vite nos vêtements comme notre humeur. J'étais tellement fatigué, après toutes ces heures de marche, que j'étais prêt à m'écrouler dans un champ de trèfle, laissant à Clarendon le soin de me trouver et de m'enlever le cœur d'un coup de dents.

Dans ce champ, il y avait une grange, où les premiers foins de l'été étaient empilés en grandes meules. Dès que nous nous en approchâmes, je sus que nous y trouverions l'ours. Dans le trèfle, je vis l'empreinte de ses pattes dans cette direction, puis je sentis son odeur dans la brise, en dépit de la pluie.

Je fis arrêter la petite troupe d'hommes et demandai à Patchett de préparer son tromblon.

J'annonçai :

— Il est là-dedans. Allez-y doucement et il ne vous attaquera pas. Visez sa tête ou son cœur.

Les fermiers levèrent fourches et pelles, et Patchett épaula son grand fusil pour tirer. Puis ils avancèrent à la queue leu leu, les hommes équipés de fourches se mettant en sécurité derrière Patchett.

Moi, j'étais dans le trèfle. J'attendais le bruit d'explosion du tromblon et, quand il survint, je sentis une sorte de délivrance m'envahir, comme si toutes mes obligations vis-à-vis du monde – auxquelles j'avais manqué si souvent, et de manière si funeste – avaient disparu et qu'il ne me serait plus rien demandé.

20

Je dis à Patchett et aux autres hommes que je souhaitais enterrer Clarendon et leur demandai de m'aider à creuser une fosse. Ils me dévisagèrent comme si j'étais fou.

— Pardonnez-moi, Sir Robert, mais regardez la viande qu'il a sur le dos ! intervint Patchett. Il y en a assez pour dix familles. Chez moi, on n'a pas mangé de viande depuis le printemps dernier.

Le tromblon avait touché Clarendon près du cœur, mettant à nu les tendons sanguinolents de sa poitrine et disloquant sa patte avant gauche, mais sa tête n'avait point été touchée ; elle reposait sur le monticule d'herbe douce comme sur un oreiller. Un œil était ouvert et l'autre fermé. De l'œil ouvert s'écoulait un liquide sombre dont j'ignorais la nature, larmes noires ou écoulement de son cerveau, quelque chose qui gouttait à travers le crâne.

Tout est perplexité, constatai-je.

— La viande d'ours sera forte..., dis-je sans conviction aux fermiers. Vous n'en savourerez pas le goût.

— On peut supporter de la viande forte, me répondit Patchett. Ne vous inquiétez pas pour ça. Rentrez chez vous, Sir Robert, on le dépouillera et on le partagera en portions entre nous et ce soir on fera un bon rôtissage. On peut vous apporter la fourrure, si vous voulez, mais la viande est pour nous : en échange contre la brebis massacrée.

Difficile d'aller à l'encontre de cette logique, bien que l'idée que Clarendon soit mangé me rendît triste quand je songeai au monde et à ses arrangements sans pitié. Je répondis que j'acceptais la fourrure, désireux, je suppose, de conserver quelque chose ayant appartenu à mon ours même si l'animal était mort. Je me dis qu'un tanneur du Norfolk pourrait en faire une superbe couverture et que, lorsque le sombre hiver reviendrait, je pourrais l'étendre sur mon lit et la sentir sur moi, chaude et lourde dans ma solitude.

Je rentrai à Bidnold, avançant sans hâte par les vergers et les champs de trèfle, alors que la pluie avait cessé et qu'un vif soleil matinal commençait à me taper sur le crâne.

Je réalisai en marchant que, aussi fatigué que je fusse, j'avais une tâche urgente à accomplir : il me fallait envoyer une lettre à Louise de Flamanville en lui demandant de me recevoir dans la maison de son père en Suisse.

Cette échappée – vers elle, et elle seulement – m'apparaissait à présent comme un objet dont je me languissais soudain au-delà de toute attente. Je brûlais d'être transporté là-bas sur les ailes de quelque oiseau mythique, m'épargnant la fatigue d'un voyage en mer, le lent labeur des coches et l'inconfort d'auberges en bord de routes. Parce que, avec Margaret disparue entre les griffes du Roi et mon pauvre Clarendon mort, ma lassitude vis-à-vis de Bidnold et de l'Angleterre dans son entier était soudain si grande que je ne pouvais imaginer comment j'allais franchir les prochaines vingt-quatre heures, à moins de revenir au laudanum.

En approchant de la maison, je vis un curieux véhicule, sorte de petit chariot recouvert d'une bâche, arrêté devant ma porte d'entrée. J'en déduisis tout de suite qu'un camelot gitan était venu démarcher et je préparai ma voix la plus forte et la moins compassionnelle pour le renvoyer à sa vie de rapines et de troc. Mais Will, me voyant enfin rentrer en titubant, descendit l'allée d'un pas chancelant afin de m'informer qu'un gentilhomme, « un Quaker, à voir son accoutrement, mais avec un nom que je n'ai pas saisi, est ici pour vous voir, Sir Robert ».

— Oh, Will, je viens de traverser à peu près la moitié du Norfolk et je suis trempé, maintenant je viens de suer sous le soleil et mon pauvre ours est mort. Je jure que je ne peux rien faire de plus aujourd'hui à part m'étendre...

— Je comprends, Sir, dit Will en m'aidant à enlever de mes épaules endolories ma houppelande trempée, et je suis désolé pour votre ours, mais le monsieur quaker semble déterminé à vous voir et je pense que vous devriez converser avec lui, parce qu'il dit qu'il était un ami de M. Pearce.

Will savait que cette dernière phrase allait retenir mon attention. Je fus déterminé à parler à l'homme sur-le-champ. Je demandai à Will de commander à Cattlebury du gâteau au saindoux et du chocolat bouillant, et me traînai jusqu'à ma chaise percée où je pissai la bière bue au Jovial Rushcutters. Enfin, je me changeai, mis ma perruque et descendis au salon, où je m'attendais à voir mon visiteur.

Mais pas le moindre signe de lui. J'appelai Will, qui m'expliqua dans un chuchotis que « cet homme étant quaker, Sir, je me suis dit que la splendeur du salon serait trop insupportable pour lui – comme c'était le cas pour M. Pearce – et donc je l'ai installé dans la bibliothèque. Au fait, Sir Robert, votre perruque est toute de travers ».

— Peu importe ! lui lançai-je sur un ton sec. Laisse-moi juste saluer ce Quaker, voir ce qu'il me veut et ensuite retourner dans ma chambre. Je dois écrire en Suisse. Assure-toi s'il te plaît que j'aie de l'encre, des plumes et du papier. Je prendrai mon déjeuner sur un plateau.

— Oui, Sir. Aimeriez-vous que je vous interrompe avec un message urgent ?

— De quoi parles-tu, Will ? Quel message ?

— Aimeriez-vous que j'entre dans la bibliothèque en prétendant vous apporter une communication importante, Sir, pour que vous puissiez échapper au Quaker et que lui soit forcé de partir, comme ça vous pourrez écrire votre lettre urgente ?

Je regardai le visage ridé et confiant de Will. L'on aurait dit un petit animal, un petit animal que je devais à tout prix protéger du feu du tromblon, me dis-je.

— Absolument, Will, fis-je avec gentillesse. Maintenant je te comprends. C'est une excellente idée. Reviens dans dix minutes. Et raconte alors qu'un messager du Roi est arrivé à l'improviste.

— Très bien, Sir Robert. À l'improviste.

J'entrai dans la bibliothèque et y trouvai une grande silhouette émaciée vêtue du costume noir des Quakers, qui m'était fort familier. L'homme avait enlevé son chapeau (chose que les Quakers n'aiment pas faire d'ordinaire, car cela serait une marque de respect qu'ils n'accordent à personne, pas même au Roi) et ses cheveux étaient blancs. Il avait une petite barbe, blanche aussi mais rousse à l'extrémité, comme si elle avait été brûlée.

Il s'avança vers moi et me tendit la main. Son regard, encore vif dans son visage usé, s'éclaira avec une émotion évidente.

— Robert, dit-il.

En prononçant mon prénom de baptême, il avait dévoilé son identité. Dans ma vie, seules quelques personnes m'ont appelé « Robert » : mes chers et défunts parents, John Pearce et ses amis quakers de l'hospice Whittlesea Bedlam où j'ai travaillé avant la naissance de Margaret. Cet homme était Ambrose, un de ces mêmes Quakers, un homme très gentil qui, après la mort de Pearce et lorsque j'eus séduit Katharine, dut s'acquitter de la terrible tâche consistant à me chasser. Il l'avait fait avec une grande tendresse mâtinée de chagrin, de façon à ce que, sous aucun prétexte et à aucun moment de ma vie, je ne l'en accuse. J'étais en tort ; il avait fait son devoir, un point c'est tout. Katharine et moi fûmes emmenés dans un chariot.

— Ambrose, dis-je en lui prenant la main. Comme je suis ravi de vous revoir !

Il hocha la tête. Le fait de me voir – plus âgé de quelque dix-sept années, et avec les peines de la matinée peut-être encore inscrites sur mes traits – sembla le prendre à la gorge, si bien qu'il était incapable de parler.

— J'ai demandé du gâteau et du chocolat. Venez, Ambrose, asseyez-vous près de la fenêtre, vous y aurez une belle vue sur mon parc et nous parlerons du temps passé.

Ambrose sortit un mouchoir effiloché de l'une de ses poches noires et s'essuya les yeux.

— Je suis désolé, dit-il.

— Ce n'est rien. Moi-même je passe mon temps à pleurer. Mais dites-moi sans plus tarder, cher Ambrose, ce qu'il est advenu de votre Bethlehem ? Il y a dix années de cela, j'y suis allé avec ma fille pour que vous tous la rencontriez et vice versa. Mais l'endroit était abandonné et en ruines.

— C'est triste que vous l'ayez vu dans cet état.

— Je me suis rendu auprès de la tombe de John Pearce et j'y ai enlevé le sureau et les ronces qui offensaient ma vue. J'ai vu quelques vestiges des granges où vivaient nos pensionnaires, mais le vent les traversait en soupirant. J'ai eu l'impression que vous étiez partis depuis bien longtemps.

Ambrose était à présent assis dans un fauteuil. Il mit ses mains sous son menton, dans la position familière et caractéristique de la flèche, et détourna son regard de moi afin de le diriger vers cette estivale matinée.

— C'est à peine si je peux vous raconter, Robert. Pour tous nos besoins, nous dépendions de la charité quaker. Or, au fil des ans, il semble que l'esprit de charité en Angleterre ait disparu, chacun prenant et gardant pour soi. La pauvreté aidant, nous sommes devenus dans l'incapacité d'accueillir les gens en détresse.

» Nous pouvions tout juste nourrir les pensionnaires que nous avions déjà, sans même penser à nous. Il nous fallut trouver dans la nature de quoi nous nourrir. Daniel sortait tous les matins pour attraper au filet des alouettes à l'heure où elles se réveillent en chantant. Nous mangions des glands trouvés par terre et de l'herbe trempée dans du lait...

À ce moment-là, mes valets de pied, vêtus d'une livrée immaculée, entrèrent dans la bibliothèque et y déposèrent une cruche de chocolat fumant ainsi que de larges tranches de gâteau au saindoux.

Ambrose se tut, contempla la boisson et le gâteau comme s'il s'était agi d'une boîte de bijoux et sembla perdre le fil de son discours tant son émerveillement était grand.

Je demandai aux valets de pied de servir tout de suite du gâteau et du chocolat à mon invité, et ce n'est qu'après une grosse part de gâteau et une grande gorgée de chocolat qu'Ambrose poursuivit son histoire.

Il me raconta comment, pendant une année ou plus, les gardiens quakers et les pensionnaires avaient vécu « d'oiseaux sauvages et des petits légumes racines que nous pouvions faire pousser », mais la vérité était qu'ils mouraient de faim.

Pour finir, ils durent convoquer les pensionnaires à une réunion – ceux qui avaient survécu à la faim – et leur expliquer que Whittlesea Bedlam fermerait ses portes avant l'hiver prochain.

— Ces nouvelles étaient dures, et tous nous ont regardés bouche bée et impuissants, parce que nous avions été leurs protecteurs et qu'ils pensaient que cette protection ne connaîtrait jamais de fin, mais c'était impossible.

Les Quakers aidèrent les démunis à écrire des lettres à leurs familles, dans lesquelles ils leur demandaient de les reprendre chez eux.

— Mais il restait cinq pensionnaires, trois hommes et deux femmes, qui n'en avaient pas, ou qui ne gardaient pas le souvenir d'en avoir, ou dont les familles refusaient de les prendre ; que devions-nous donc en faire ?

— Je ne sais pas, Ambrose...

— Nous avons demandé à l'atelier de charité de Marsh de les héberger, mais ils ont refusé.

— Auraient-ils réellement pu y travailler ?

— Non. Et nous faillîmes nous résoudre – c'était notre dernier recours et il était désespéré – à les envoyer mendier par les chemins. Mais c'est Daniel qui nous épargna cela et leur trouva un toit.

— Ce gentil Daniel. C'était encore un enfant lorsque j'étais à Whittlesea. Dites-moi où il l'a déniché ?

— À Cambridge. Il connaissait un homme avec un spectacle d'animaux savants : des éléphants, des chiens, et un tigre du Bengale. Il a abordé le forain, s'est planté devant lui et lui a lancé : « Nous pouvons apporter une touche supplémentaire à votre spectacle, et vous pourrez ainsi demander plus pour l'entrée. Nous avons cinq fous à offrir. Ils pousseront des cris stridents, arracheront leurs vêtements et accompliront n'importe quel acte de folie que vous leur demanderez afin de distraire la foule. Et ils n'exigeront aucune récompense, sinon d'être logés et nourris...

— Ah. Je vois l'ingéniosité de Daniel, et pourtant...

— Je sais ce que vous pensez, qu'ils seraient avilis et que, dans l'esprit des spectateurs, ils seraient au même rang que les animaux.

— Eh bien...

— Vous avez raison, bien sûr. Et preuve en est qu'ils furent mis en cage, pour que la foule ait encore davantage peur d'eux, et quand j'en eus vent je me sentis fort triste. Mais si le forain ne les avait pas pris, Robert, ils seraient morts. Que fallait-il préférer, la mort ou la déchéance ?

Je demeurai silencieux, incapable de répondre sur l'instant. J'avalai un peu de chocolat et me réjouis de sa chaleur comme de sa douceur.

Effectuant une pause dans son récit, Ambrose me regarda avec un air implorant.

— Je vous en supplie, Robert, ne nous accusez pas. Nous ne pouvions pas les aider à vivre une journée de plus. Nous-mêmes, nous étions si faibles et amaigris, nous souffrions de tant de maux que nous pouvions à peine effectuer nos tâches ou nos prières, et je n'exagère pas en disant cela. Le forain a sauvé cinq vies.

— Des vies en cage.

— Hélas…

— Mais je ne vous accuse pas, Ambrose, m'empressai-je d'ajouter. J'entends bien que vous avez tout essayé. Quand la famine frappe à la porte, il faut parfois recourir à des mesures désespérées.

J'étais sur le point de m'embarquer dans une vaine diatribe sur le fait que moi-même j'avais connu la faim à la cour de Versailles, mais reconnaissant – juste à temps pour m'arrêter avant de parler – que ce que j'avais souffert n'était rien en comparaison de ce que les Quakers et leurs pensionnaires avaient supporté, je me contentai de demander :

— Et une fois qu'ils furent tous partis, où êtes-vous allé, Ambrose ? Où sont allés Daniel, Hannah et Eleanor ?

— Ah. Eh bien, nous n'avons pas eu d'autre choix que de supplier nos familles de nous accueillir. Nous nous sommes séparés, avec beaucoup de tristesse à l'idée de se quitter et d'avoir échoué dans nos entreprises, et nous sommes retournés dans le monde. Je suis allé dans la maison de mon frère à Ely, près de Cambridge. Et un jour, j'ai pu lancer un petit commerce. Dans mon chariot, je vous en montrerai les fruits, si vous avez du temps à m'accorder…

C'est à ce moment-là que s'ouvrit la porte de la bibliothèque, laissant passer Will. Il salua Ambrose, puis il s'avança d'un pas traînant vers mon fauteuil et annonça, de manière presque inaudible :

— Un messager est arrivé, Sir. De la part du Roi.

— Pas maintenant, Will, sifflai-je.

Will se racla la gorge et répéta plus fort :

— Excusez-moi, Sir Robert, mais un messager de Sa Majesté sollicite votre présence.

— Demande-lui d'attendre, Will. J'arrive.

Will loucha dans ma direction pour exprimer sa perplexité. Puis, ne sachant que me dire, il tendit la main et agrippa le haut dossier d'un banc pour se stabiliser avant de faire demi-tour et de ressortir.

À ma grande consternation, Ambrose fit signe de se lever et dit :

— Je ne voudrais pas vous retenir si vous avez un important message...

— Non, non, ce n'est rien d'important. C'est sûrement au sujet... hmm... de girafes pour St. James's Park...

— Des girafes ?

— Oui, ça doit être cela. Des girafes du roi Louis de France. J'ai été récemment à Versailles et j'ai promis à Sa Majesté de lui en procurer au moins une pour sa ménagerie à St. James. Asseyez-vous, Ambrose, je vous en prie, et reprenez votre histoire. Will, veuillez informer le messager du Roi que le problème de la girafe est en passe d'être résolu. Et servez-lui un peu de cet excellent chocolat.

À présent presque à la hauteur de la porte, Will chancela tel un homme ivre déboussolé. Il s'arrêta pour gratter sa vieille tête, puis il sortit, l'air obéissant.

Offrant à Ambrose encore un peu de gâteau au saindoux, je m'installai pour entendre la suite de son histoire. À peine avait-il commencé que la porte de la bibliothèque s'ouvrit à nouveau. Mon valet de pied entra une lettre à la main, qu'il vint déposer à côté de moi ; quand je vis le tampon de la poste suisse, mon cœur fit un bond : c'était une lettre de Louise ! Dès lors, je ne pus quitter la lettre des yeux tant je brûlais d'en lire le contenu.

Ambrose était devenu silencieux. Soudain il se leva :

— Je vois que je suis venu à un mauvais moment, Robert. Messagers et missives requièrent toute votre attention. Je ne vais pas vous embêter plus longtemps.

— Non, non ! Ces affaires peuvent attendre. C'est sans importance, contrairement à votre visite. Vous m'avez dit que vous aviez des choses à me montrer dans votre chariot. Pourquoi n'allons-nous pas regarder cela de plus près ?

Fourrant la lettre de Louise dans la poche de ma redingote, sentant une sorte de chaleur qui irradiait ma main, je suivis Ambrose dans l'allée.

Lorsqu'il replia les rabats en toile de son chariot, ce que je vis à l'intérieur, côte à côte, tels de petits arbres, c'était une multitude de colombiers peints de diverses couleurs, avec des toits et des pondoirs de formes différentes.

— Bon sang, Ambrose ! Comment en avez-vous trouvé autant ?

Ambrose tendit la main pour en prendre un et le déposa sur le gravier. Il était peint en blanc et c'était, je dois l'admettre, un bel objet, qui me rappela soudain les colombes blanches qui venaient s'installer au sommet de ma chère tour ouest à Bidnold.

Ambrose caressa le toit fait de chaume de roseau.

— C'est moi qui les fabrique. Lorsque j'étais chez mon frère, à Ely, j'ai acheté avec mon dernier sou du bois peu coûteux, et j'ai entrepris de fabriquer de petits ustensiles : des bols, des louches et de simples boîtes, que j'ai ensuite vendus sur le marché.

» Et les gens m'ont dit que c'était de la belle ouvrage. Alors j'ai conçu d'autres objets, mais c'était à ceux-là que je revenais toujours ; et je suis incapable de vous dire pourquoi.

— Parce qu'ils sont beaux.

— C'est vrai. Et ils m'ont sauvé. Ils me font vivre. Je n'essaye plus d'amener des âmes vers Dieu. J'amène des oiseaux vers un refuge. Je suppose que c'est bien peu de chose.

21

J'achetai trois colombiers à Ambrose et gardai le blanc pour moi. Les deux autres étaient d'un doux gris-vert et j'avais l'intention, le moment venu, de faire cadeau de l'un à Violet Bathurst et de l'autre au Roi.

Avant qu'il ne parte, je demandai à Ambrose de m'en raconter un peu plus sur ce qu'il était advenu de Eleanor, Hannah et Daniel.

— Oh. Eh bien, ils avaient mis tout leur cœur dans leur travail à Whittlesea. Vous vous souvenez combien ils étaient dévoués à notre cause. Quand cette dernière a échoué, ils n'ont pu trouver aucune autre activité ; moins de dix ans plus tard, Daniel et Hannah étaient morts.

— Morts ? Alors qu'ils étaient si jeunes ?

— Oui, hélas.

— Et morts de quoi, Ambrose ?

— De rien en particulier. Pour autant que je sache. Malgré leur ferveur quaker, ils n'ont pu trouver en eux-mêmes les moyens de poursuivre une fois que leur mission véritable leur avait été enlevée.

— Ah. La terreur de découvrir que l'existence n'a plus de sens ! Combien je redoute cet état. Et Eleanor ?

— Elle a épousé un homme bon, un fermier quaker. Ils vivent de la terre et ont élevé un bel enfant. C'est tout ce que je sais.

— Je suis heureux pour elle. Elle promettait d'être une

bonne mère. Elle m'a d'ailleurs fait office de « mère » plus d'une fois, et avec gentillesse !

Ambrose ne fit pas le moindre commentaire, mais il se retourna et se mit à chercher à nouveau dans son chariot. Puis il déposa dans mes mains un sac en cuir que je reconnus sur-le-champ.

Il avait appartenu à Pearce. Il s'agissait bel et bien d'un cadeau que je lui avais fait il y a longtemps, alors que nous étions tous deux étudiants en médecine à Cambridge et que lui était un pauvre boursier (contraint de servir le maître et ses assistants à table afin de payer son écot), sans argent personnel et rien pour transporter ses cours. Je me souvins qu'il avait l'habitude de porter le sac autour de son cou, comme s'il s'était agi de la musette mangeoire d'un cheval, avec tout ce savoir à l'intérieur comme autant de foin, et que de le voir ainsi me mettait au comble de l'amusement.

— Lorsque nous avons quitté Whittlesea, j'ai trouvé ceci au fond d'un vieux placard dans ce qui était autrefois la chambre de Pearce. Nous avions donné ses vêtements en bon état à nos malades, mais le sac était resté là où il l'avait posé. Il y a un livre dans la poche, de Hieronymus Fabricius...

— Ah, le grand Fabricius !

— Oui. Mais un curieux ouvrage : *De brutorum loquela*, publié à Padoue. Peut-être le connaissez-vous ?

— J'en ai entendu parler. Le sujet est intéressant. Aristote dit dans *Les Politiques* que l'homme est le seul animal possédant le don de la parole, mais la question reste posée et j'imagine que Fabricius la pose ici.

— Mon latin n'est pas assez bon pour que je puisse le lire. J'ai dit à Eleanor et Hannah : « Il faudrait le donner à Robert. C'est ce que John aurait voulu. »

— Je n'en suis pas si sûr, Ambrose. J'imagine que vous vous souvenez que tout ce que John m'a légué, quand il a su qu'il allait quitter ce monde, c'était sa louche.

— Que vous avez déposée dans sa tombe...

— En effet.

— Donc maintenant, vous possédez un traité sur le langage des animaux. Le sac est vieux, mais il porte le poinçon d'Austell de Cambridge, donc il est sûrement de bonne fabrication.

— Je vous le confirme. C'est moi qui l'ai offert à John.

— Ah. Eh bien il vous revient. Parfois il arrive qu'en termes de générosité la boucle soit bouclée.

Puis Ambrose monta dans son chariot et partit. Il me laissa avec le regret de ne pas m'être montré plus hospitalier ou d'avoir mieux tiré parti de sa visite. Et bien que je l'aie rétribué avec générosité pour les colombiers, je savais que lui aussi était déçu car, alors qu'il s'éloignait, il se retourna vers moi avec un air de sévérité soudaine. Son cheval n'avait été ni nourri ni abreuvé.

*

La lettre de Louise, que j'étais si impatient de lire, au point d'écourter la visite d'Ambrose, non sans grossièreté, gît désormais par terre. Langue bouillie et carottes, mon déjeuner est posé sur son plateau, où il s'est figé. Je n'ai aucun appétit.

Je ferme les yeux. J'aspire à l'oubli. Mais certaines phrases de la lettre ne cessent de me revenir à l'esprit : *Au vu de votre silence, je suis obligée de conclure que ce qui s'est passé entre nous était sans grande conséquence à vos yeux... Il est donc plus sage de reléguer nos amours fugaces au passé... J'ai beau vous avoir suggéré de venir me voir ici en Suisse, je vois bien maintenant que cette invitation vous a été faite trop tôt et qu'il vaut mieux la retirer.*

Je suis là, couché, à siroter du laudanum, ma seule consolation.

Je me reproche amèrement de ne pas avoir répondu à la lettre de Louise, mais prisonnier que j'étais, d'abord de la maladie de Margaret puis de la présence du Roi dans ma demeure, je fus vraiment dans l'incapacité de voyager jusqu'à elle, ne serait-ce qu'en esprit. J'avais bêtement supposé qu'elle comprendrait cela à distance d'une manière ou d'une autre, et qu'elle attendrait les mois nécessaires avant que je puisse à nouveau être auprès d'elle. Mais je m'étais trompé. Elle ne l'avait pas compris. Comment l'aurait-elle pu ? Elle ignorait tout de ce qui se déroulait ici. Et donc, heurtée par mon manque d'intérêt, elle avait décidé de renoncer à moi.

Informé que je n'avais pas touché à mon déjeuner, Will entre dans ma chambre et fixe la cruche de laudanum avec un air de reproche.

— Vous allez être de nouveau malade, Sir Robert.

— Je m'en moque. Rien sur terre ne m'importe, d'aucune manière. Il est sûrement temps que je la quitte.

Will s'affaire autour de ma courtepointe, tentant de l'ajuster.

— Je me souviens vous avoir entendu proférer quelque idiotie sur la mort il y a longtemps de cela, mais vous étiez dans la salle à manger et je vous avais répondu : « Ne mourez pas ici, Sir. Ce n'est pas convenable. Si vous le souhaitez vraiment, je vous en prie, allez ailleurs. »

— Je ne suis plus dans la salle à manger cette fois-ci, Will, je suis dans mon lit. Et c'est un endroit qui en vaut bien un autre.

— Eh bien alors, faites à votre aise, Sir, rétorque l'impudent Will, qui sort, me laissant à mon chagrin sans essayer le moins du monde de me faire changer d'avis.

Je suis piqué au vif par son indifférence, aussi soudaine qu'inattendue. Profondément. Puis, baignant dans mon apitoiement, je finis par m'endormir.

Je dormis vingt heures et, en dépit de rêves bizarres à propos de girafes saccageant tout dans mon parc, me réveillai frais et dispos.

Après un petit déjeuner roboratif composé de porridge, de bacon et de muffins, le tout arrosé d'une bière légère, je rassemblai les pages de la lettre de Louise, les emportai dans la bibliothèque et entrepris d'écrire ceci :

Ma chère Louise,
Oh, quel misérable je suis ! Mais vous faites de ce misérable un misérable achevé par vos dures paroles !
Ne me pardonnerez-vous point ?
Je vous en supplie, écoutez ce que j'ai à vous raconter. Depuis l'hiver jusqu'au printemps, ma vie fut jetée dans une amère confusion par la grave maladie de ma fille Margaret, que j'ai soignée sur de nombreuses semaines d'une souffrance atroce, avant qu'elle ne recouvre enfin la santé et s'en revienne à la vie. Je ne pouvais rien faire de plus à part vivre chaque journée avec le moins de désespoir possible, et dormir très peu la nuit, nuits qui étaient emplies de douleur comme de terreur, et je n'ai eu ni le temps ni la place...

J'en étais là, optimiste à l'idée que cette lettre pourrait tout changer dans le cœur de Louise, lorsque mon valet de pied annonça l'arrivée d'un domestique de Bathurst Hall souhaitant me voir de toute urgence.

Je demandai qu'on le fasse entrer dans la bibliothèque. À sa mine sombre, je devinai qu'il m'apportait de mauvaises nouvelles, et il me révéla en effet que Lady Bathurst avait été « terrassée par une douleur au côté et de terribles vomissements, tout ce qu'elle a pu articuler c'est que vous deviez venir tout de suite à son chevet ».

Je mis ma lettre de côté, à regret. Ce faisant, je me demandais si le monde ne conspirait pas d'une certaine manière contre moi, m'interrompant à tout bout de champ afin de m'empêcher de jamais revoir Louise. Mais je n'avais d'autre choix que de me rendre au chevet de Violet.

Ayant rassemblé mes instruments et ce qu'il me restait d'opium après mes lampées de laudanum, je suivis le domestique de Violet jusqu'à son attelage et demandai au cocher de s'arrêter au village de Bidnold, chez Mrs McKinley, afin de la prendre au passage.

Grâce à ma longue nuit de sommeil, qui m'avait laissé l'esprit clair, je tentai d'imaginer, *via* les informations dont je disposais, ce qui pouvait bien arriver à Violet. Mes études m'avaient appris qu'une fois enlevé, un cancer pouvait parfois réapparaître mystérieusement dans une tout autre partie du corps, et que cette rechute pouvait être plus fatale que la première. Lorsque Mrs McKinley grimpa dans le coche, je lui dis :

— Espérons qu'il s'agisse d'une légère infection, et non du retour d'une quelconque tumeur.

À mon grand étonnement, Mrs McKinley répondit :

— Si vous voulez mon avis, Sir Rabbit, il s'agit sans doute d'un retour, ou plutôt d'une prolifération, parce que pour vous dire la vérité, Lady Bathurst ne s'est jamais vraiment remise depuis que nous lui avons enlevé les tumeurs dans la poitrine.

Je me dis alors que Louise n'était pas la seule personne dont je ne m'étais plus soucié ; j'avais été si occupé par le départ de Margaret à la cour, puis par la perte de mon ours, que j'en avais négligé tout et tout le monde. J'aurais dû aller voir Violet à plusieurs reprises, mais je n'y avais pas été. Je me fis la réflexion que ce que l'homme délaisse tombe très vite malade ou bien disparaît, et je confiai à Mrs McKinley :

— Je vois bien que l'heure est venue de faire nos adieux.

— Prions que ça ne soit pas le cas, répondit la gentille Irlandaise. Prions Notre Dame, Sir Rabbit.

À l'instant où je vis Violet, je sus qu'elle était mourante.

Jadis si beaux, ses yeux semblaient s'être enfoncés dans son crâne, comme s'ils tentaient d'échapper à la vision qui leur était offerte. Ses joues, bleuâtres à cause de l'ombre des pommettes sur leurs pauvres cavités, étaient creusées. Et ses fines mains se cramponnaient au drap.

— Doux Jésus, chuchota Mrs McKinley lorsque nous entrâmes dans la chambre. Vous aviez raison, Sir. Voyez comme elle s'agrippe...

J'allai à son chevet et m'assis. Le chat gris était là, mais il s'était réfugié sur l'un des sièges devant la fenêtre, comme s'il savait que quelque catastrophe avait touché sa maîtresse. Mrs McKinley se tint un peu à l'écart, au pied du lit. Violet leva vers moi un regard ardent, comme quelqu'un en prières, et d'une voix faible et aux abois elle me dit :

— Merivel, tout est chagrin maintenant.

Je pris sa main dans la mienne et la caressai. Je ne parvenais pas à trouver le moindre mot de consolation. Au bout d'un moment, je demandai :

— Où se situe la douleur ?

— Entière.

— Vous voulez dire qu'elle est partout ?

— Oui.

Mrs McKinley ouvrit ma trousse et en sortit les petits récipients en verre que j'utilise en guise de ventouses – chauffé à blanc, le verre brûle la peau afin d'y créer des cloques d'où peut parfois s'écouler force poison. Je n'aime pas en poser, ils occasionnent une douleur supplémentaire au patient, mais j'ai néanmoins remarqué qu'ils présentaient certains avantages, que ce soit au niveau de la distraction ou de l'évacuation. Tant que perdure la douleur de la brûlure, d'autres symptômes sont susceptibles d'être masqués.

— Nous allons vous poser des ventouses, informai-je Violet, et je hochai la tête en direction de Mrs McKinley afin qu'elle prépare une flamme pour chauffer les récipients.

Pendant ce temps, je persuadai Violet de me laisser examiner sa blessure à la poitrine. Lorsque je défis les bandages, je vis que la cicatrisation était satisfaisante, sans signe de nouvelle tumeur. Mais je remarquai ensuite que son ventre était étrangement gonflé et présentait une protubérance ; lorsque j'y posai la main, Violet hurla de douleur.

Je lui caressai les cheveux. Son air émacié me troublait tellement que j'avais envie de poser un voile ou un morceau de gaze sur son visage afin de ne plus le voir. Je me pris à regretter que Violet Bathurst ne soit pas morte la nuit où le Roi lui avait fait l'amour. Je me dis que pour elle, c'eût été une fin appropriée : un excès de délire aurait alors arrêté son cœur, plutôt que cet amaigrissement et cet effondrement de la chair.

Lorsque les ventouses furent prêtes, je fis tourner Violet avec ménagement et défis sa chemise de nuit. Je voyais à présent son dos pâle et mince, chaque vertèbre pointant vers le haut, comme impatiente de se libérer de la chair.

Je posai la main avec douceur sur son cou, afin de l'immobiliser pendant que Mrs McKinley posait les ventouses. Lorsque les cloques apparurent, Violet tendit la main vers moi et m'agrippa le genou.

Elle se mit ensuite à tenir des propos volubiles au sujet de son ancienne passion à mon endroit. Mon visage s'empourpra de gêne lorsqu'elle me rappela nos fornications dans l'escalier et comment, à cette époque-là, personne à part moi ne pouvait lui offrir la satisfaction à laquelle elle aspirait.

Je n'osai jeter un coup d'œil vers Mrs McKinley, mais, du coin de l'œil, je vis juste ses mains habiles poursuivre leur travail. Elle ne dit pas un mot.

« C'est le rôle d'une infirmière d'être sourde parfois », m'avait-elle confié un jour.

Après m'avoir rappelé des amours encore plus passionnelles qui nous avaient unis, Violet me dit :

— Il y avait aussi l'affection, Merivel. Très profonde. Je n'appellerais pas ça de l'amour, et pourtant c'en était presque. Or combien de personnes peut-on véritablement aimer en ce bas monde ? Ceux que nous détestons ou méprisons dépassent en nombre ceux que nous adorons. Nos deux âmes sont semblables, toujours affamées, toujours fragiles. C'est miraculeux que nous ayons tous deux duré aussi longtemps. J'en suis contente.

— Ce n'est pas la fin, Violet. Nous ferons encore des parties de volant... à l'automne...

— Non. Nous n'en ferons pas, Merivel. Un volant est léger et je suis lourde. Je chute vers la terre.

Après les ventouses, nous lui donnâmes l'opium, très fort et brut. Nous l'installâmes aussi confortablement que possible, puis nous nous assîmes à son chevet. Elle ne tarda pas à s'endormir.

Mrs McKinley sortit son tricot, et tandis que le jour se muait en soir, l'on n'entendit plus que le cliquetis de ses aiguilles.

— Que tricotez-vous ?

— Juste un carré, Sir Rabbit, répondit-elle avec douceur. Vous voyez ? Avec de la ficelle fine, pas de la laine. Un carré peut prendre la forme que vous voulez.

Vers cinq heures, Chef Chinery nous fit monter de la nourriture : une assiette de côtelettes en sauce et un plat de chou et de pommes de terre, ainsi qu'une bouteille de cidre.

Nous avions tous deux faim et, assis à une petite table près de la fenêtre, nous attaquâmes viande et boisson avec vigueur. Je rougis d'avouer que nous mangeâmes avec une telle voracité, emplissant l'air du bruit de nos déglutitions et de nos mastications, que nous n'entendîmes pas les râles d'agonie de Violet Bathurst. Le chat les entendit, lui, et s'enfuit de la pièce. Mais je n'y fis point attention. Je crus que c'était nous qui avions fait fuir l'animal.

C'est seulement lorsque j'eus nettoyé mon assiette, puis essuyé ma bouche avec la jolie serviette damassée, que je regardai en direction du lit et vis les yeux de Violet grand ouverts et fixes, et sa mâchoire béante.

— Elle est partie, constatai-je. Elle est partie.

Nous approchâmes du lit, je lui fermai les yeux et lui embrassai le front, puis Mrs McKinley lui ferma la mâchoire avec du bougran. Ensuite, son travail terminé, elle s'agenouilla avec raideur et prit dans ses mains la croix en bois qu'elle porte en permanence autour du cou.

— Vierge Marie, je vous supplie de recevoir l'âme de Lady Bathurst dans votre cœur qui est si doux. Pardonnez-lui toutes ses offenses. Qu'elle repose en paix. Et si vous le voulez bien, dans votre infinie bonté, soyez indulgente avec ce bon Sir Rabbit, simple mortel.

Le soir arrivait, très doux et lumineux, les roses blanches du jardin brillant sous l'effet de la lumière déclinante.

Je marchai jusqu'au lac et tentai de m'imaginer la barque rouge où j'avais autrefois possédé Violet, avant de tomber à l'eau. Je me souvenais à présent que mes culottes avaient tirebouchonné autour de mes mollets, m'empêchant de maintenir une brasse correcte, et que, l'espace d'un instant, j'avais bien cru que j'allais couler dans le lac glacé et me noyer.

Puis j'avais vu venir vers moi une rame que j'avais attrapée, sentant le bateau pencher au-dessus de moi ; je m'étais attendu à voir Violet piquer de la tête, avec ses jupes en corolle flottant au beau milieu des algues, mais ce ne fut pas le cas. Elle s'était agrippée vaillamment à la rame et je m'y étais tenu aussi, mais alors que ma tête surgissait hors de l'eau, je sentis mes culottes glisser sur mes jambes et couler.

— Violet, j'ai les fesses à l'air ! criai-je en m'étouffant à moitié et en recrachant de l'eau comme une baleine.

— Comme tout le monde ! s'écria-t-elle, et dans l'air chaud son rire fut sonore.

22

L'été s'écoule avec lenteur.

Je me morfonds dans mon lit, esclave de fièvres et de rêves. À Will, qui m'exhorte à me lever, je lance :

— Accablé de fièvres et de rêves agités, je ne peux pas. J'ai vu trop de morts. Je dois préserver ma vie et réfléchir, ici. Assure-toi que l'on me laisse en paix, je te prie.

Ce mois d'août est clément et chaud, et les arbres que je vois de ma fenêtre n'ont pas encore pris leur couleur d'automne ; pourtant, à la façon dont les feuilles bougent et bruissent, je remarque que toute fraîcheur les a désertées. Elles ont eu leur temps et tomberont bientôt. Et je médite sur la façon dont mon esprit et mon corps ont toujours aspiré à l'été et à la chaleur et comment, en cette année 1684, je laisse ces deux éléments filer sans y trouver le moindre plaisir ou réconfort. Une partie de moi reconnaît que c'est stupide ; je devrais me promener dans mon jardin afin de capter le parfum des roses une dernière fois, ou bien parcourir au petit galop les allées de marronniers, ou encore organiser des pique-niques. Mais je ne parviens pas à trouver la joie nécessaire.

Je dis à Will :

— Je suis une feuille condamnée à tomber.

Et Will me répond :

— Merci de pas m'offenser avec des balivernes poétiques, Sir Robert. Ce n'est pas digne de vous.

— Digne de moi ?

Je réfléchis à ma dignité en ce vain monde.

J'ai laissé mourir Clarendon. J'ai laissé mourir Violet. Mon hospitalité envers Ambrose était minable et sans la moindre noblesse. Je pense même avoir perdu Louise. Et le Roi, qui a toujours logé en mon âme ainsi que Dieu loge dans l'âme des vrais croyants, en a pratiquement disparu lorsqu'il a emmené Margaret vers une destinée qui lui sera peut-être fatale ; il ne laisse derrière lui qu'une petite trace de sa présence : un effluve de parfum, une cascade de rire. Et pourtant je ressens cette absence non comme un soulagement, mais comme une terrible blessure dans mon cœur.

Aussi étrange que ce soit, mes rêves sont néanmoins de nature douce et consolatrice. Souvent j'y redeviens ce garçonnet de cinq ans cherchant des blaireaux dans les bois de Vauxhall aux côtés de sa mère. Celle-ci étend une couverture par terre et s'assied là, dans la première approche du soir, et je m'assieds à côté d'elle, bien au chaud au creux de son bras qui m'entoure, sentant contre ma jambe la tiédeur de son corps, puis la voilà qui annonce : « Si tu te tiens très tranquille, un blaireau sortira de son terrier et tu verras son museau noir et blanc. »

Peu de temps après, l'un de ces animaux apparaît ; il fait des tours sur lui-même puis effectue des pirouettes sur ses pattes arrière, comme s'il dansait pour nous, et je suis captivé par ce sortilège, partageant la joie de ma mère qui me tient tout contre elle.

Pourtant, dans la réalité, nous sommes allés moult fois au bois de Vauxhall, mais aucun blaireau n'est jamais venu nous rendre visite. Je suppose que je ne me suis jamais tenu assez tranquille, trop agité et trop bavard. Alors je comprends que mes rêves me montrent ce qui *aurait pu être* si ma propre conduite avait été différente. Et je m'interroge : un rêve peut-il jamais nous apprendre comment se comporter dans les temps à venir ?

Je ne sais pas ce que le futur me réserve. Pour le moment il semble ne rien contenir du tout. Je suis au bord d'un précipice. Les profondeurs en dessous de moi sont noires et silencieuses. Je guette le son du vent, ou l'appel d'une voix humaine, mais je n'entends rien.

J'envoie l'un de mes valets de pied, du nom de Sharpe, chez Dunn, à Norwich, avec une note écrite de ma main pour de l'opium. J'ai bien essayé de résister à cette exquise tentation, mais mon esprit ne peut tout à fait renoncer à la consolation et à l'abscence de souffrance que procure cette substance.

Mais hélas, Sharpe tarde à revenir. Le prix de l'opium est élevé et je lui ai confié une bourse conséquente. Will vient me trouver et me glisse :

— Sir Robert, ce maudit Sharpe semble être un fameux scélérat doublé d'un voleur. Il est parti avec tous ses vêtements et toutes ses possessions, à part sa livrée, fourrés dans un sac, sachant qu'il ne reviendrait jamais à Bidnold ; il peut vivre sur la bourse de l'opium pendant un bon moment. Qu'en dites-vous ?

— Ce que j'en dis ? J'en dis que c'est lamentable. Mais qu'y puis-je ?

— Vous devriez le poursuivre, l'attraper et le faire pendre pour friponnerie et vol !

Je dévisage Will. L'idée qu'un de mes domestiques puisse me voler, trahissant la confiance que j'ai placée en lui m'attriste profondément, mais je m'entends dire :

— Hélas, notre pauvre Angleterre ne va pas en s'arrangeant, Will.

— Quel rapport avec Sharpe, Sir ?

— Eh bien, que de plus en plus de gens s'éloignent de leur commerce ou de leur occupation, quand ils n'en sont pas exclus, et les voilà qui tombent dans une criminalité générale de l'esprit, y compris les valets de pied qui ont pourtant appris l'humilité et l'obéissance aux ordres venus d'en haut. Malheureusement, je ne sais pas ce qu'il faut faire.

— Sa Majesté doit édicter des lois…

— Sa Majesté n'a convoqué aucun parlement en ce sens.

— Donc tout part à vau-l'eau, c'est ça, Sir Robert ?

— Au regard de nos anciennes espérances, oui. Lors de la Restauration, il y eut une période d'opportunités à laquelle toi et moi avons assisté en personne, mais elle s'est envolée pour toujours.

— Qu'est-ce qu'on va devenir, alors ?

— Difficile à dire, Will. Je vais à présent te confier une bourse. Demain tu prendras le coche jusque chez Dunn, à Norwich, et tu me rapporteras l'élixir dont j'ai besoin.

— Je vous demande pardon, Sir ?

— Tu m'as très bien entendu.

— J'ai entendu le mot élixir et c'est tout.

— Tu iras jusqu'à Norwich pour te le procurer.

— Je ne suis pas autorisé à rapporter un quelconque « élixir ».

— Mais si, je t'en donne la permission.

— Je veux dire que je ne peux pas. Je veux dire, je ne *veux* pas. Et la discussion est close.

Debout près du lit où je suis allongé, dans un état de saleté catastrophique, voilà que Will me tourne le dos et se dirige étonnamment vite vers la porte, qu'il ouvre et referme avec bruit, à la manière d'un enfant faisant un caprice.

L'espace d'un instant, ce geste m'amuse. Son entêtement m'a souvent fait rire. Maintenant qu'il est si vieux, je vois cela comme preuve de son désir obstiné de poursuivre et cela me console, car si Will devait mourir, force m'est alors de constater que ma solitude serait complète. Tant qu'il discute avec moi, c'est peut-être qu'il a l'intention de me survivre.

Mais je comprends aussi que, à moins de me traîner moi-même dans un coche, je n'obtiendrai mon opium d'aucune manière, parce qu'il est à présent clair que je ne puis faire confiance à aucun domestique hormis Will. Et je n'ai pas plus tôt pris conscience de cela qu'un désir maladif s'empare de moi, et tout ce qui occupe alors mon esprit se résume à la façon d'obtenir mon opium.

Je m'agite et me retourne dans mes draps froissés. Mes membres me font mal. Ma bouche est sèche. Je me sens le plus malheureux spécimen de la race humaine. Et je m'entends appeler Louise de Flamanville à la rescousse.

Les jours et les nuits passent.

En l'absence d'opium, mes rêves sont mon seul refuge. Je m'y trouve en compagnie de la Rosie Pierpoint d'autrefois ; nous sommes tous deux allongés et délirants sur ses piles de linge, après quoi je me réveille extatique, m'imaginant en elle. Sa douceur subsiste longtemps dans mon esprit et dans mon corps, qu'elle adoucit au point que tous deux semblent en paix.

La seule lettre que je reçois est de Margaret, qui m'écrit ceci :

Le Roi passe beaucoup de temps avec nous qui nous occupons de la duchesse de Portsmouth, et c'est fort flatteur et agréable. Il m'a confié préférer être ici dans nos appartements qu'avec sa reine ou son Conseil privé, où que ce soit dans Whitehall ou dans le royaume, à part Bidnold.

Puis elle poursuit en me racontant comment elle est devenue la « suivante » préférée de la duchesse, qui la couvre de nouvelles robes et de bijoux ; *et si le Roi la délaisse un soir, elle vient parfois me réveiller, me fait venir dans son lit et me prend dans ses bras, et nous nous endormons enlacées, telles des enfants.*

Bien que cette image me trouble, je me force à n'y voir que l'affection de la duchesse, et je me raisonne encore davantage en me disant que le Roi se retient peut-être de trahir sa maîtresse avec sa demoiselle d'honneur préférée.

Mais c'est alors qu'une autre pensée occupe mon esprit. J'imagine comment, se réveillant brûlant de désir en pleine nuit, le Roi risque de se rendre auprès de la duchesse et, trouvant Margaret dans son lit, se toquer soudain de l'idée que *tous trois* pourraient se divertir ensemble. J'ai très chaud et je sue quand je songe que ma fille pourrait être ainsi corrompue, et je prends tout de suite la plume pour lui écrire : *Sois sur tes gardes quant à de quelconques pratiques sophistiquées en chambre, car tu pourrais t'en sentir souillée et couverte de honte. Reste pure et sans tache, Margaret, et contente-toi de séduire ton entourage en déployant tes dons pour la musique, la danse et le latin.*

Mais lorsque je lis ce que j'ai écrit, je vois bien que le ton est empreint d'une vile suffisance moralisatrice, et je déchire ma lettre. À la place, je me force à écrire :

Ma chère Margaret, comme je suis heureux de lire que ta maîtresse t'apprécie autant. Elle a raison, bien sûr, d'avoir choisi une personne aussi douce, et tout ce que tu obtiens c'est grâce à ta bonté et à ta gentillesse. Combien il me tarde de voir tes nouvelles robes et tes nouveaux bijoux, qui doivent surpasser tout ce que j'aurais pu t'offrir ! Je viendrai à Londres avant septembre. En attendant, je t'envoie toute mon affection,

Ton papa qui t'aime,

R. Merivel

Alors que je fais expédier ma lettre Will vient m'informer que Sir James et Lady Prideaux sont venus me rendre visite et m'attendent dans la bibliothèque.

— Ah, comme c'est aimable à eux. Ils ont sûrement entendu dire que j'étais souffrant.

Will ouvre les rideaux de ma chambre à coucher, que j'ai gardés à demi tirés afin de me protéger du soleil d'août, puis la fenêtre.

— Vous n'êtes pas souffrant, Sir, vous jouez au malade, et mal. Et vous puez comme un rat mort.

— Eh bien, eh bien, Will, surveille donc ton langage quand tu me parles.

— Je me contente de dire ce qui est. Je vais vous faire apporter de l'eau chaude pour que vous puissiez vous laver puis enfiler des vêtements propres avant de descendre. En attendant, je servirai un cordial à Sir James et son épouse.

Si mes visiteurs n'avaient pas été les Prideaux, peut-être n'aurais-je pas mis un terme à mon inertie. Mais j'entretiens vis-à-vis d'eux des liens d'affection (dans l'intérêt de Margaret autant que le mien) ; je me frotte le corps, enfile le costume propre que Will m'a préparé, arrime ma perruque et descends sur des jambes très faibles et tremblantes.

Lorsque je vois les Prideaux, mon moral remonte. Ce qui me console chez eux, c'est leur santé mentale ou, devrais-je dire, leur normalité. Portée par une prospérité tranquille et le confort domestique, leur existence se déroule comme toute vie le devrait, or c'est rarement le cas. On ne les entend jamais se plaindre de quoi que ce soit parce que, pour dire vrai, ils ont très peu de raisons de se plaindre. Malgré tout, ils ne semblent pas embourgeoisés.

Ils compatissent avec moi sur l'ours (cette histoire a fait le tour du comté, et personne à part James et Arabella Prideaux ne semble compatir à ma perte, tout le monde prenant le parti des fermiers qui ont tué et mangé la créature).

— Qu'espériez-vous pour votre ours ? demande Arabella.

— Oh, juste lui offrir une vie tranquille. J'ai même une fois caressé l'idée d'installer une ménagerie ici à Bidnold, mais pour finir ce n'était pas vraiment mon souhait, je voulais juste que Clarendon soit heureux.

— Heureux ? s'enquiert Sir James.

— Oui. Beaucoup de gens ne pensent pas que les animaux puissent éprouver ce que nous appelons le bonheur, mais moi je crois qu'ils se trompent. Il suffit d'observer un épagneul qui sent arriver l'heure de la promenade...

— Les chiens sont peut-être un cas à part, Merivel, puisqu'ils ont choisi l'homme comme protecteur. Votre ours s'appelait Clarendon, dites-vous ?

— Oui. Le Roi l'avait baptisé ainsi, en souvenir du défunt comte.

— N'est-ce pas cela qui l'aurait condamné à une fin malheureuse ?

— C'est possible. Mais ce n'était pas le souhait de Sa Majesté. Il adorait observer Clarendon. Selon lui il y a quelque chose dans le comportement des ours qui nous renvoie à nous-mêmes. Ils ont des têtes de proscrits aussi.

— De proscrits ? Mais le Roi n'en est pas un.

— Il l'a été pendant onze ans. Et pas un jour ne passe sans qu'il s'en souvienne. L'endroit où il se rend le plus souvent dans ses rêves est Boscobel.

Les Prideaux hochent la tête d'un air grave. Au bout d'un moment, Arabella demande :

— Avez-vous gardé un quelconque souvenir de ce malheureux ours ?

— On m'a apporté sa fourrure. Cette peau vidée, avec la tête toujours attachée, est un spectacle pénible. Et pourtant j'ai demandé qu'on la fasse sécher afin de pouvoir l'utiliser comme couverture.

— Ah, dit Arabella. J'en ai déjà vu une de ce genre, en peau de tigre. Malheureusement il en émanait une légère puanteur et je ne supportais pas d'en être à proximité.

Je change adroitement de sujet. Nous parlons de toutes nos filles et ils me donnent des nouvelles du nouveau soupirant de Mary, qui se trouve être le fils aîné de Sir Reginald Brocks-Parton et vaut dix mille *livres* annuelles. Le souffle coupé, ce qui est gênant, nous nous récrions face à cette somme ; une telle richesse nous laisse pantelants.

Puis James Prideaux lance :

— Nous craignons que vous ne vous sentiez seul, Merivel. Pourquoi ne venez-vous pas séjourner à Shottesbrooke jusqu'à la fin de l'été ? Nous pourrions organiser des parties de whist et j'inviterai des musiciens pour nous distraire ; il y a aussi une pendaison à Mouse Hill la semaine prochaine…

— Nous serions si heureux si vous veniez, ajoute Arabella. C'était là le but de notre visite. Cela fait un moment que nous n'avons pas assisté à une pendaison à Norwich. Nous pourrions emporter un pique-nique et profiter du spectacle ensemble.

Je regarde mes amis, assis gentiment dans leurs fauteuils, tenant leurs verres de cordial avec tant de correction, et je découvre que, pour la première fois depuis que je les connais, je ne les aime pas vraiment, en fin de compte. Cela me déconcerte, et j'espère ce sentiment passager, mais je me sens soudain pris d'un optimisme têtu m'instillant assez de courage pour répondre :

— C'est fort aimable à vous. Mais j'ai des projets. Avant la fin du mois je dois m'embarquer pour la France, puis la Suisse.

Et c'est là que l'idée se fit jour.

Pourquoi attendre une lettre qui risquait de ne jamais arriver ? Pourquoi ne pas profiter de la fin de l'été pour effectuer un long voyage captivant à travers la France, à destination d'un pays que je n'ai jamais vu ? Je me mis à imaginer sur-le-champ toutes les merveilles que je pourrais croiser : châteaux posés sur des rochers à pic, sombres forêts, lacs étincelants, glaciers, montagnes s'élevant vers une lune déclinante, champs de gentianes, carillons de cloches au coucher du soleil, et auberges en bord de route servant du vin du Rhin et du sanglier.

Et si, à mon arrivée au château de Saint-Maurice, demeure du père de Louise, l'on m'y refusait tout accès, ainsi qu'auprès de Louise, eh bien au moins j'aurais voyagé quelque part. J'aurais respiré l'air pur des collines, serais monté en altitude et aurais profité de la vue. J'aurais des histoires à raconter.

Après le départ de James et Arabella Prideaux, je fis venir Will et lui lançai :

— Tu avais raison, Will. J'ai fait le malade. Mais tu n'auras plus à en souffrir. Je vais arranger mon départ pour la Suisse sur-le-champ.

— La Suisse ? Je n'irais pas là-bas si j'étais vous, Sir Robert. J'ai entendu dire qu'il y faisait même plus froid qu'en Écosse. Comment vous garderez-vous au chaud ?

J'étais sur le point de rétorquer que je boirais beaucoup de cette excellente liqueur nommée schnaps, connue pour ses propriétés réchauffantes, mais au lieu de cela je répondis :

— C'est encore l'été, si j'en crois le calendrier. Il se transformera petit à petit en automne durant mon voyage, et je verrai des hêtres dorés, des sapins majestueux et de la neige au sommet des montagnes. Ensuite, à mon arrivée, je serai l'invité du baron de Saint-Maurice, qui fait brûler de grands feux dans sa maison.

— Excusez-moi, Sir, mais est-ce qu'il vous a *invité* en bonne et due forme ?

— Oui. L'invitation remonte à quelque temps déjà. Simplement, je n'ai pas encore eu le loisir d'accepter.

— Et combien de temps pensez-vous être absent de Bidnold ?

— Je ne sais pas. Quelques mois peut-être. Tout dépendra de l'accueil que l'on me fera au château du baron.

— Et nous, Sir ? Cattlebury, moi-même et les autres domestiques ? Qu'est-ce que nous devons faire en votre absence ?

— Ce que vous faites d'ordinaire. Entretenir la maison. Une portion de la rente du Roi te sera confiée afin de couvrir toutes les dépenses. Je te demande juste de cacher l'argent dans un endroit où personne d'autre que toi ne pourra le trouver, parce qu'après la fuite de Sharpe avec ma bourse, nous ne pouvons faire confiance à personne. Assure-toi que tout soit prêt à tout instant en vue de mon retour.

Will me fixa. Puis je vis que son visage s'était chiffonné en une expression de tristesse troublante et il se mit à secouer sa vieille tête comme s'il était exaspéré par mes récents changements d'avis et d'humeurs.

— Qu'y a-t-il, Will ?

— Rien, Sir. Sauf que je risque de me sentir un peu seul et abandonné…

— Tu n'es pas « abandonné », Will. C'est juste pour quelque temps. Et garde à l'esprit qu'en dépit de mon absence, et eu égard à la généreuse rente qu'il me verse, Sa Majesté a le droit de s'inviter à Bidnold à tout moment. Le candélabre dans la salle à manger, et toute l'argenterie, ainsi que les étains, doivent briller en permanence.

— Je n'oublierai pas...

— Et ne va pas croire que je ne penserai pas à toi. Chaque matin, quand je me réveillerai dans quelque tour médiévale et que je regarderai vers le nord-ouest en direction de l'Angleterre, je t'imaginerai te levant, dans ta chambre à Bidnold, et buvant ton bol de chocolat, puis je te verrai donner tes ordres pour la journée concernant ce qui doit être frotté, réarrangé ou ciré, rentré ou sorti du manoir.

— C'est vrai, Sir ?

— Oui. Tout à fait.

Will hocha la tête. Ses traits se décontractèrent un peu, mais quelque chose de triste resta figé sur son visage tandis qu'il tournait les talons et quittait la pièce. Je sentis alors que, pour lui, je pourrais me détourner de mon audacieux projet de voyage en Suisse, aussi me dirigeai-je précipitamment vers mon écritoire pour y prendre la plume.

Ma chère Louise, écrivis-je.
J'ai pris ma décision : je m'en viens vous rejoindre.

23

Et donc je me mis en route.

J'imaginai un château aux nombreuses tourelles, auxquelles menaient des escaliers de pierre en colimaçon froids au toucher.

Avant de prendre la mer, je m'arrêtai à Londres pour y retrouver ma fille, tout à fait enchantée de sa nouvelle vie.

Fubbs me murmura :

— Margaret est fort remarquée par les galants de la cour. Le plus jeune fils de Lord Delavigne, l'honorable Julius Royston, en est évanescent à force de se languir, mais j'ai interdit à Margaret de perdre sa virginité avec lui. Elle doit tenir bon, et de cette manière elle recevra peut-être une demande. *Une alliance de bon aloi, mon cher Merivel ! La noble et riche famille Delavigne !* Et c'est un jeune homme si charmant, vous n'imaginez pas…

À l'observer, je compris que l'adoration que Fubbs portait à Margaret était tendre et touchante. Quand Margaret parlait, Louise de Kéroüalle posait sur elle son vif regard d'oiseau, comme une mère observe un jeune enfant avec encouragement lorsqu'il s'efforce de marcher ou de parler. Quand elles sortaient d'une pièce, Louise prenait le bras de Margaret et elles étaient alors penchées l'une contre l'autre comme des conspiratrices.

Une seule chose perturbait les deux femmes, et c'était la santé délicate du Roi. Fubbs m'informa qu'il avait eu une convulsion subite le matin même pendant qu'on lui taillait la moustache, et qu'il s'était évanoui. Quand je demandai si je pourrais le voir, elle me répondit :

— Il dort. Mais lorsque la Reine a eu vent de son malaise, elle a insisté pour qu'il soit installé dans ses appartements, et je ne puis décemment pas vous emmener là-bas.

Je fis le tour des jardins en compagnie de Margaret et remarquai des changements subtils dans son maintien. Alors qu'auparavant, à Bidnold, elle avait tendance à sautiller de-ci de-là, insouciante comme le sont les jeunes filles, elle se mouvait à présent avec une grâce lente, la tête immobile et relevée, et lorsqu'elle me prit le bras je remarquai qu'elle prit soin de poser sa main dessus en écartant joliment les doigts, comme pour une danse majestueuse. Les gens qui nous croisèrent – pour l'essentiel des groupes de dandys drapés de lourdes épées – lui sourirent et s'inclinèrent avec des petites courbettes inutiles.

— Ma foi, Margaret, je vois que tu es fort connue ici. Comment cela se fait-il ?

— Je ne sais pas, si ce n'est que la duchesse l'est et que je suis souvent à ses côtés, répondit-elle gentiment.

— Et tu es souvent aux côtés du Roi aussi ?

— Que voulez-vous dire, papa ?

— Te promènes-tu seule en sa compagnie parfois ?

Margaret releva le visage pour me jeter un regard oblique, puis elle continua d'avancer sans répondre à ma question. Lorsque nous atteignîmes l'ombre d'un jeune chêne, elle s'arrêta enfin et me répondit :

— Quand vous serez en Suisse, mon cher papa, j'ose espérer que vous ne vous torturerez pas l'esprit à mon endroit. Le sort m'a souri avec beaucoup de bonté. Je ne suis pas morte du typhus. Et maintenant, regardez donc dans quel endroit nous nous trouvons ! Il me semble que vous devriez faire davantage confiance à mon bon sens.

Je déposai un baiser sur son front. Il y avait encore bien des choses que je souhaitais lui dire, mais je discernai chez

Margaret peu de dispositions à les entendre. Nous poursuivîmes donc notre promenade et je tentai de détourner mon esprit de tout ce qui le perturbait encore, le projetant vers ce pays où les gentianes poindraient à mes pieds.

Mon périple vers la France fut empoisonné par un soleil ardent.

Dans la succession de coches que je pris, tous les passagers, homme ou femme, trouvaient à se plaindre de la chaleur, s'éventant, soufflant et haletant comme des carlins, dégrafant leurs vêtements, quitte à les enlever parfois, si bien que leurs corps humides de sueur étaient exposés à l'air libre par endroits.

La puanteur dans ces attelages était pire que ce qu'il m'avait été donné de supporter jusque-là et je ne suis point près de l'oublier.

Dans l'un d'entre eux eut lieu quelque chose de très particulier et honteux que je suis gêné de consigner ici, mais malgré tout je suis décidé à le faire (de toute évidence, il me semble inutile d'écrire sa vie sans y inclure les choses indignes et viles, qui y ont leur place au même titre que les choses bienséantes ou bienveillantes).

Sur la route de Besançon, mes compagnons étaient tous des hommes, à l'exception d'une femme assise en face de moi. Il s'agissait d'une matrone âgée d'environ cinquante ans, corpulente et plus pâle que le saindoux, tenant à la main un pot de pâté de viande qu'elle mangeait en continu en suçant une cuillère avec bruit.

Et voici que, arrivés à quelque trente kilomètres de Besançon, écrasés par le soleil brûlant sur le toit du coche, sans plus de cérémonie et sans la moindre gêne, cette créature décida bel et bien de retirer sa culotte. Elle le fit d'un seul coup et l'expédia en boule, puis remonta sa jupe en se moquant pas mal que les passagers vissent son con. Au contraire, éventant ses solides cuisses, si bien que toute son anatomie intime nous était entièrement visible, elle fit observer sur un ton nonchalant que les femmes doivent éviter d'avoir le con suant « parce que c'est à cause de la sueur qu'on attrape la petite vérole ».

— Ah, je n'ai jamais entendu cette théorie, madame, et je suis médecin, dis-je en détournant légèrement le regard du spectacle qu'elle semblait désireuse de m'offrir.

— Médecin ? Eh bien, monsieur, laissez-moi ajouter quelque chose à l'étendue de votre savoir qui, dans votre profession, est connu pour être très insuffisant. Ma propre mère est morte d'une petite vérole attrapée sous une chaleur tropicale, et c'est cette dernière qui en est seule responsable, et non la verge d'un homme.

Ceci étant dit, elle continua de manger sa viande en pot et je ne pus m'empêcher de dévisager sa bouche engloutissant le pâté, ainsi que son con, très sombre et luisant de sueur, poussé vers l'avant sur le siège qui me faisait face. Et je sus qu'en dépit du dégoût qu'elle m'inspirait, si j'avais été seul avec elle dans le véhicule brinquebalant et si elle avait été consentante, je l'aurais baisée en bonne et due forme. Je me dis alors, non sans une forme de pitié à mon endroit, que ma vie était devenue bien solitaire, privée qu'elle était de tout amour charnel.

Je fermai les yeux et dormis un peu, puis me réveillai avec l'esprit et le corps bouillonnant de désir, mais incapable de faire quoi que ce soit pour m'en soulager, et maudis la grosse de m'avoir ainsi torturé, regrettant de ne pas être un ours dénué de scrupules ou de pudeur et de ne point pouvoir sortir mon membre, devenu très large et douloureux, pour l'enfoncer en elle sans plus de cérémonie et prendre mon plaisir puis me soulager céans.

Je vis alors que la femme avait posé son pot de pâté et s'était avancée sur le siège, si bien que son derrière était presque au bord. Ses yeux étaient à présent fixés sur moi.

D'un regard circulaire, je dévisageai les autres passagers, trois hommes d'âges et de genres différents, tous m'observant dans un silence fébrile avec des expressions d'excitation et d'amusement. Au bout d'un moment, mon voisin, un propriétaire terrien au visage rougeaud avec de gros kystes sébacés sur le nez, me tapota la cuisse et me chuchota :

— *Allez-y, monsieur. Pourquoi pas, si elle vous y invite ?*

Il m'apparut alors qu'avec sa façon ostentatoire de sucer et d'avaler son copieux pâté, et avec ses histoires de chaleur et de petite vérole, cette putain vieillissante avait concocté tout du long une invitation à la copulation et juste attendu de voir lequel d'entre nous y répondrait de manière favorable.

Ma respiration était à présent très laborieuse et ardente. L'attelage cahotait le long de la route chauffée à blanc, elle aussi. La femme leva trois doigts d'une grosse main, qu'elle pointa vers ma poche : trois livres serait son prix. J'hésitai à peine un instant de plus, puis tâtonnai à la recherche de ma bourse, trouvai l'argent et le lui donnai, après quoi je me retrouvai agenouillé en un clin d'œil, me déboutonnai, entrai en elle et déchirai son corsage pour prendre un de ses gros seins dans ma bouche.

Je la labourai très durement et elle souleva les jambes qu'elle serra autour de moi. Je fermai les yeux. Jamais de ma vie je n'éprouvai d'excitation plus féroce. Je sentis le regard lascif des trois autres hommes posé sur moi et sur mes fesses dénudées qui bougeaient comme celles d'un chimpanzé en rut tandis que je sentais le coche trembler et osciller. Je me dis que jamais je ne me serais imaginé faisant pareille chose devant des inconnus, sur une route étrangère brûlante, et je crus que j'en éprouverais une grande honte, mais ce ne fut pas le cas. J'étais purement bestial et ne pus que poursuivre dans mon besoin fou de m'épuiser jusqu'à la jouissance et d'être vidé de mon désir dévorant.

Quand ce fut terminé, je retombai sur mon siège. J'aurais voulu me cacher.

Je me dis que je ne serais capable de raconter à quiconque, homme ou femme, ce que j'avais fait dans ce coche brinquebalant en route vers Besançon.

Je fermai les yeux. Mais quand je les rouvris, quelle ne fut
pas ma surprise de voir la putain les jambes écartées, se taqui-
nant les parties avec une main tandis que l'autre était sur le
téton que j'avais dégagé de son corsage. Et ceci semblait
emplir chaque homme du coche d'une telle excitation (leurs
femmes ou maîtresses n'étaient peut-être pas dévergondées
au point de se donner du plaisir devant eux) que lorsque,
grâce à cela, elle eut atteint une jouissance tangible et extatique accompagnée d'un long soupir frissonnant, chacun
sortit son argent et, l'un après l'autre, ils s'en approchèrent.
Ils la prirent tous, soit en un rut agenouillé comme je l'avais
fait, soit en la faisant sauter de tout son poids sur leur membre
en érection. En moins d'une demi-heure, nous l'avions possédée tous les quatre, et elle avait empoché douze livres.

Quand ce fut terminé, la femme (dont aucun de nous
ne connaissait le nom, ni ne se préoccupait de le lui demander) s'étendit à nos pieds, fatiguée et endolorie, supposai-je.
Elle ne sembla pas remarquer, ni s'en préoccuper, que le
sol du coche était taché ici et là de sperme séché. Elle se
contenta de poser la tête sur son bras et de se recouvrir,
non sans avoir fourré l'argent entre ses seins ; après quoi
elle s'endormit en silence tandis que les hommes autour de
moi ronflaient et pétaient, dans une puanteur pire que celle
d'un bordel. Je fus alors submergé par une grande tristesse.

Il me tardait d'arriver en Suisse. J'imaginais que le monde
n'y serait peut-être pas si enclin à se laisser aller à un furieux
et soudain désordre des sens tel que celui auquel je venais
de participer.

Je fis halte dans une auberge à Besançon et me lavai pour
me débarrasser de l'odeur aigre du coche et de la putain,
puis dormis douze heures de suite ; le lendemain, je traversai la frontière vers la Suisse et suivis la route menant au
grand lac de Neuchâtel.

Lorsque mon coche arriva en vue de l'eau, je demandai
à descendre dans un petit village du nom de Bellegarde. Je

m'y promenai sous la douce lumière du soleil, remarquant avec tendresse nombre de jardins potagers jouxtant de pauvres masures en bois, des vergers pleins de pommiers lourds de fruits, ainsi que des troupeaux de chèvres avec des clochettes autour du cou qui paissaient dans les champs en pente.

Je donnai deux sous à un jeune garçon pour une tasse de lait de chèvre et la bus aussi goulûment que j'avais jadis bu du lait aux portes de Versailles. Puis je m'assis sur une touffe d'herbe, avec ma seule et unique valise à mes pieds, et me demandai ce que je devais faire, maintenant que j'étais si près de ma destination.

Je caressai l'idée d'arriver aux portes du château de Saint-Maurice sur un beau cheval, ce qui, aux yeux du baron et à ceux de Louise, m'aurait fait paraître plus imposant et plus grand que je ne l'étais. Je pensai avec amour à Danseuse. Aucune monture ne m'avait jamais paru aussi belle, ni dotée d'une nature aussi sereine. Mais elle était morte depuis longtemps.

Je fis venir le chevrier et lui demandai où, dans Bellegarde, je pourrais louer un cheval. Il me répondit que personne n'en possédait, ils n'avaient que des ânes et des mules, et malgré ma contrariété, cela m'amusa soudain de m'imaginer monté sur une mule rustaude. Je me souvins que Louise de Flamanville avait semblé aimer en moi mon ridicule et mon absence désespérée de vanité, et aussi qu'autour de nos brèves amours avaient résonné les frémissements du rire.

Le chevrier m'informa que le château de Saint-Maurice n'était qu'à cinq ou six kilomètres de Bellegarde, « mais plus en altitude que nous, il paraît que de là-haut on a une très belle vue du lac » ; puis, appelant ses chèvres pour qu'elles rentrent dans leur enclos, il me conduisit à son père, un homme voûté assis dans l'obscurité d'une maison basse où il sculptait avec soin une pipe dans de l'écume de mer.

La mule qu'il possédait était petite et fine, avec un regard fiévreux.

— Son dos sera-t-il assez solide pour me porter, avec ma valise, jusqu'au château ? demandai-je.

— Oui, mais elle marchera pas.

— La mule ne marchera pas ? Vous aurais-je mal compris, monsieur ?

— Non. Elle marchera pas.

— Alors comment suis-je supposé arriver où que ce soit ?

— Vous allez la monter. Puis vous serez emporté au trot. Elle marchera pas. Trot-stop. Trot-stop. C'est sa nature. À prendre ou à laisser.

Et c'est ainsi que j'entrai en bondissant sur le chemin boisé menant à la demeure du baron.

Le soleil amorçait juste son déclin et les grands chênes et sapins, telles des sentinelles bordant la voie, s'assombrissaient alors que la mule et moi approchions. Une fois de plus, j'éprouvai la sensation déconcertante que c'était ma vue, et non le ciel, qui déclinait. Je m'efforçai d'y voir plus clair, afin que, lorsque la demeure apparaîtrait, je la verrais tout de suite et reconnaîtrais les tourelles circulaires que j'imaginais depuis si longtemps.

C'est alors que je l'aperçus. Elle était en pierre, avec un toit d'ardoises surélevé, de hautes fenêtres à la Mansard et de grandes cheminées, mais pas de tourelles. Je fis reculer la mule et, comme si elle était étonnée de se retrouver confrontée à un bâtiment sans tourelles, la créature daigna marcher doucement dans cette direction.

Ainsi, un petit pas après l'autre, nous en approchâmes. Si jusque-là je m'étais soucié de mon postérieur – fort endolori par le voyage en coche puis à dos de mule –, voilà qu'à présent c'était mon cœur et sa grande clameur suffocante qui me faisait souci. De la sueur perla sur ma lèvre. Dans les étriers qui étaient trop courts, pieds et jambes semblaient dénués de force.

Une fois de plus la misérable mule opta pour un trot, et tandis qu'elle peinait vers l'avant, je fus balancé à l'arrière de la selle, perdis complètement les rênes et l'équilibre et me retrouvai à la renverse sur le gravier, juste au moment où nous commencions à faire le tour du jardin aromatique planté devant la grande porte d'entrée.

Soulagée de mon poids, la mule entama alors un petit galop affolé autour du jardin aromatique, passa devant la porte et repartit à toute vitesse vers le chemin que nous venions d'emprunter, avec tous mes biens attachés sur sa croupe osseuse. La poussière de ses sabots qui volaient, ou plutôt fuyaient, me fut projetée au visage.

Je me redressai pour m'asseoir et perçus une sensation cuisante dans le tibia gauche. Je restai assis là, respirant bruyamment et me secouant de la poussière, telle une masse aux épaules arrondies dans le crépuscule qui tombait vite.

Personne ne sortit de la demeure. J'entendais au loin le bruit de l'eau du lac se brisant sur une grève caillouteuse.

« Merivel, te voici dans un fameux pétrin », me dis-je en moi-même.

24

Du sang se mit à couler en abondance de ma jambe, imbibant mes bas. En un éclair, je pus voir et entendre que j'étais encerclé de buses tournant au-dessus de moi dans le crépuscule. Je tentai prestement de me relever car je ne souhaitais pas leur servir de repas. Tandis que j'époussetais le sable et la poussière de ma redingote, un domestique en perruque arriva à mes côtés et m'offrit son bras, puis m'éclaira le chemin jusqu'à la maison.

Je me retrouvai dans un large hall pavé de dalles en pierre où brûlait un feu de pommes de pins. Louise descendit un large escalier. Elle prononça mon nom avec douceur. Derrière elle apparut son père, le baron, un grand homme chauve sur le dessus mais avec de longs cheveux blancs tombant sur les côtés comme les pétales déchiquetés d'une marguerite.

Je les saluai. Ils me dévisagèrent avec le plus parfait étonnement, comme si j'étais Jean de la Lune et que j'en serais soudain tombé. À leurs côtés, deux valets de pied en perruque étaient au garde-à-vous, jetant des regards de biais vers ma jambe ensanglantée gouttant sur la pierre.

— Pardonnez mon apparition soudaine, réussis-je à balbutier. J'avais espéré faire une entrée plus... digne, monté sur un cheval, mais tout ce que j'ai trouvé à Bellegarde c'est une mule, et pour dire vrai elle ne m'a pas plus aimé que je ne l'ai aimée ! Elle m'a jeté à terre, et...

— Chut, fit Louise. Vous êtes horriblement pâle. Vous risquez de vous évanouir si vous parlez davantage. Nous allons nous occuper de votre blessure. Papa, voici Sir Robert Merivel, qui nous vient d'Angleterre et dont nous devons prendre soin.

Le baron avança vers moi avec douceur et me serra la main. Je remarquai tout de suite des yeux noisette très vifs dans son visage ridé.

— Vous êtes le bienvenu, Sir Robert. Ma fille m'a beaucoup parlé de vous. Bien, avez-vous une malle qu'il faille porter à l'étage ?

— Hélas. La mule ne m'a pas amené à bon port, mais elle était très éprise de ma valise et elle est repartie au petit galop vers Bellegarde avec cette dernière sur le dos.

À ces mots, le baron de Saint-Maurice partit d'un grand éclat de rire.

— Ah, les animaux ! Ils ne cesseront jamais de nous étonner.

Puis il claqua des doigts à l'intention des valets de pied et je me retrouvai soulevé du sol dans une sorte de chaise composée des seules mains croisées de ces solides domestiques, qui me portèrent jusqu'à l'étage.

Louise elle-même nettoya et pansa ma blessure, avant d'y appliquer le baume qui avait été si efficace pour l'irritation sur le visage de Margaret.

Je demeurai silencieux pendant qu'elle tamponnait et nettoyait, puis baissai les yeux vers sa douce tête. Nouant un pansement autour de mon mollet, elle dit d'une voix tranquille :

— Ma lettre était précipitée, Merivel. Je suis désolée. Je ne pouvais pas savoir que votre fille avait été souffrante. J'étais blessée par votre silence, mais j'ai eu tort de vous écrire comme je l'ai fait, sous le coup de la colère. J'aurais dû avoir confiance en vous.

Puis elle releva la tête et me regarda. J'aurais pu l'embrasser mais ne le fis point. Après ma conduite honteuse dans le coche à proximité de Besançon, je découvrais que toutes mes envies charnelles étaient calmées, et que ce dont j'avais envie c'était surtout d'être aux côtés de Louise, de savourer sa compagnie, et plus tard seulement – pas avant des jours et des nuits peut-être – l'emmener dans mon lit.

Le dîner allait être servi, et l'idée d'être assis à une belle table, avec la lumière du feu dansant à côté et la conversation de Louise et de son père telle une mélodie sophistiquée à mon oreille, m'emplit de bonheur. Après de longs mois de souffrances, j'imaginai que mon cœur serait enfin en paix.

Il ne restait plus qu'à régler le problème de mon bas déchiré et de l'absence de mes vêtements, mais Louise me trouva sur-le-champ une jolie redingote cramoisie aux soutaches dorées appartenant à la girafe, ainsi que des culottes noires et des bas de soie blanche, ensemble rehaussé par une ample chemise blanche avec des frous-frous en dentelle au cou et aux poignets.

Me voyant flotter dans ces vêtements destinés à un homme très grand, je me fis l'effet d'un drapeau régimentaire, objet décoratif et ondulant, planté sur un étendard dans quelque lointain champ de bataille. Comme drapeau régimentaire frémissant dans le vent, j'aurais eu quelque dignité, mais en tant qu'homme, j'avais l'air totalement grotesque. Je descendis pour le dîner ainsi vêtu, avec la redingote cramoisie battant contre mes mollets et la dentelle de mes poignets me recouvrant les mains.

Le repas fut délicat, arrosé du vin produit sur les terres même du baron. Louise avait revêtu une robe en velours bleu profondément échancrée, et ses cheveux étaient ornés de rubans. Elle portait au cou un très joli collier de perles et, en la voyant ainsi à la table de son père, avec des bijoux exquis et pourtant simples, je compris à quel point sa naissance et sa position étaient supérieures aux miennes : c'était la fille du baron Guy de Saint-Maurice de Neuchâtel du pays de Vaud, et j'étais le fils d'un humble mercier de Vauxhall, qui avait réussi dans la vie uniquement parce qu'il possédait le talent de divertir le roi d'Angleterre.

Courtois, le baron me traitait comme si j'avais été l'invité le plus important à sa table depuis bien longtemps, ceci en dépit de la tendance contrariante de mes dentelles à choir dans la nourriture, ce qui les maculait de taches affreuses.

M'ayant laissé narrer le triste récit de Clarendon et de sa fin sordide, il m'entraîna dans une conversation sur les animaux et les insectes ; nous étions tous deux d'accord avec ces philosophes qui réfutèrent (en tout cas en tant que vérité avérée) la notion cartésienne selon laquelle ces créatures ne seraient que des machines, et qui au contraire spéculaient sur l'existence d'une âme au sein de certaines espèces.

— Songez aux fourmis, avec quel altruisme elles œuvrent ! lança le baron. Je les ai déjà vues, patte contre patte, formant un pont pour traverser un ruisselet dans les bois, afin que la reine soit transportée sur leurs dos vers un nouveau lieu et y établisse un nid ; certaines d'entre elles s'enfonçaient tellement dans l'eau à cause du poids de cette dernière qu'elles se noyèrent, sans un soupir. Cela ne s'inscrit-il point dans la conscience du bien commun, de la notion de sacrifice, et donc d'une âme, aussi petite soit-elle ?

— Ou alors, ainsi que cela a été souligné à de nombreuses reprises, c'est peut-être dû au simple *instinct*, comme celui qui les pousse à fourrager et à copuler. Mais nous ne saurons jamais, dit Louise.

— Pourquoi cela ? fis-je.

Je mentionnai alors cet ouvrage, le *De brutorum loquela*, de Fabricius, qui m'avait été légué dans la musette de Pearce. À dire vrai, je n'avais pas encore ouvert le livre en question, mais malgré tout je me sentis suffisamment encouragé pour déclarer :

— Fabricius a fort à dire sur le langage des bêtes.

— Ah oui, Fabricius.., acquiesça le baron.

— Le *De brutorum loquela* élargit à de nouveaux domaines la notion même de langage chez les animaux, poursuivis-je avec un air d'autorité feinte. Et donc nous pourrions en déduire que de nouvelles recherches feront avancer la notion d'*âme* chez ces derniers.

— Mais qui les consignera ? demanda Louise. Car même si nous n'aimons pas utiliser le mot *machine*, ne sommes-nous pas tous d'accord en secret avec Descartes quand il s'agit de pouvoir piétiner des scorpions à mort et de massacrer des moutons sans nous sentir coupables ?

À la seule évocation de moutons et de culpabilité, Clarendon me traversa promptement l'esprit – Clarendon, qui avait fini en un tas de viande morte. Je pensai à Patchett et à ses compères, le découpant et faisant bouillir ses os avant de l'engloutir.

— Je vous accorde les scorpions et les moutons, mais pas les ours, dis-je. Louise, vous étiez avec moi quand nous l'avons vu dans sa cage pour la première fois. Me direz-vous que les regards pitoyables qu'il nous a lancés ne *parlaient* pas en faveur de son salut ?

— Il était incapable de parler, Merivel.

— À moi il a parlé.

— Dans une langue que je ne pouvais pas entendre ?

— Dans aucune langue. Il a parlé à mon âme.

En entendant cela, le baron hocha vigoureusement sa tête rose et blanche et se mit à écrire dans le petit calepin qu'il gardait près de lui depuis le début du repas.

— À l'âme, dit-il. Voilà qui est bien formulé, Sir Robert. Je me fais parfois cette réflexion avec Constanza.

Constanza était la chienne de Guy de Saint-Maurice, une petite bâtarde grise aux pattes longues et douces qui me faisaient penser aux branches des saules pleureurs couverts de lichen. Ce chiot était resté tranquillement étendu à nos pieds durant le dîner, mais sa truffe frémissante sortit de sous la nappe dès qu'il entendit son nom. Le baron lui caressa la tête.

— Oui, Constanza, dit-il, est-ce que je te refuse jamais quoi que ce soit ? Tu sais être si éloquente quand tu me supplies pour obtenir promenades et attentions que j'y consens presque à chaque fois, même quand je n'ai pas vraiment envie de sortir. Tu me *parles*.

— Montaigne a dit quelque chose de très semblable au sujet de l'un de ses chiens, monsieur le baron. Il n'avait pas peur d'admettre que sa nature était si « enfantine » qu'il ne pouvait refuser à son chien de jouer, même si cela risquait d'interrompre son travail.

— Ah ! Eh bien je suis tout à fait d'accord avec lui. À chaque fois je reviens ravi de mes promenades avec Constanza, et je suis sûr que c'est son cas aussi. Ma tête se vide. C'est toute ma conception du monde qui est alors modifiée, et je ne le vois que plus agréable.

Louise sourit à son père avec tendresse. Elle dit :

— La conception du monde qu'a papa est déjà admirablement flatteuse, n'est-ce pas, papa ? Dites donc à Sir Robert pourquoi vous gardez toujours un calepin près de vous.

Le baron rit. Il prit son carnet et l'agita en l'air.

— Je crains de rater des merveilles, c'est tout ! À mon âge, la mémoire est défaillante, mais tout autour de moi le monde devient de plus en plus intéressant. Et donc je note tout.

— Papa possède une plume et de l'encre dans le pommeau de sa canne, ainsi il peut écrire à tout moment.

— Beaucoup de ce que j'écris est futile, Sir Robert. Totalement futile. Mais il existe aussi des merveilles. C'est le but. Parmi toutes les scories il y a toujours des pépites d'or qui brillent.

J'exprimai mon admiration pour cette habitude qu'il avait prise. Et puis, parce que mon cœur se sentait en paix (et parce que j'avais bu plusieurs verres de l'excellent vin du baron), je confiai à Louise et à son père ce que je n'avais jamais avoué à quiconque excepté Will Gates, qu'il y a bien longtemps j'avais tenté d'écrire l'histoire de ma vie.

— Oh, dites-nous-en plus, Sir Robert ! s'exclama le baron. Ce n'était pas trop ardu à rédiger ?

— Non, parce que cela m'amusait d'explorer ma propre nature, comme le préconise Montaigne. Louise sait que je suis un homme aux appétits impulsifs et hanté par la terrifiante perspective que la vie ne me passe à côté. Mais je suis par ailleurs sujet à la mélancolie et aux larmes d'apitoiement, surtout face à mes propres erreurs. Cela m'amusait donc de voir comment ces différents aspects de moi-même s'agençaient en une histoire.

— Voilà qui me plaît infiniment, répondit le baron. Et où se trouve cette histoire à présent ? Je veux dire, où est le livre ?

Je leur expliquai qu'il avait reposé sous mon matelas pendant seize années, victime des excréments de punaises, « or qui suis-je pour dire que même ces minuscules créatures n'ont pas d'âme » ?

— En effet ! Mais ne pourriez-vous demander à ce qu'il soit déterré de sous votre matelas pour vous le faire envoyer ici, ainsi Louise et moi-même pourrions enlever la poussière des punaises et le lire ?

— Eh bien, je pense qu'il est à présent enfermé à double tour dans le tiroir d'une écritoire et Will, mon domestique, pourrait le faire envoyer en effet. Mais ce qu'il contient, ce sont toutes les sottises de ces différentes périodes, toutes mes habitudes vénales doublées de ma négligence. L'image que vous vous formeriez alors de moi à partir de ces récits ne me rendrait pas attachant à vos yeux.

— Vous vous trompez peut-être à ce sujet, répondit le baron. Ce que j'ai toujours apprécié chez les hommes, c'est l'honnêteté par-dessus tout, et certainement celle qui va au-delà des petites faiblesses humaines. Je suppose que votre livre est honnête, sinon il n'aurait pas de raison d'être.

Le silence se fit dans la pièce majestueuse. Louise et le baron me dévisagèrent, dans l'expectative. Je finis par répondre :

— Au moment où je l'ai écrit, je le croyais honnête. Mais à présent, je vois bien qu'il est rempli de mensonges et d'aveuglements.

Ma chambre au château donnait sur les jardins boisés qui menaient au lac.

Un grand vent se leva et moi, étendu dans mon lit surélevé, j'écoutai les sapins soupirer. Il me sembla que j'étais arrivé à une sorte d'apogée de ma vie, sommet du haut duquel je pouvais regarder à la fois vers l'arrière et vers l'avant.

Je dormis du sommeil du juste et rêvai de Pearce. Il était debout devant moi tandis que je disséquais, avec panache et fougue, un cadavre étendu sur une table dans le vieil amphithéâtre d'anatomie du college Caius à Cambridge. Le corps me ressemblait, mais ce n'était point moi, juste quelqu'un que j'avais peut-être été en théorie, ou tenté d'être.

Tandis que ma démonstration progressait, Pearce prenait de nombreuses notes. Contrairement à son habitude, à aucun moment il ne mit en doute mes découvertes ni ne m'interrompit, et lorsque j'eus accompli mon exploit, il vint vers moi, mit son bras autour de mon épaule et dit :

— Tu m'as appris beaucoup de choses, Merivel. Et tu t'es rarement trompé. C'était tout à fait admirable. Buvons à tes nouvelles compétences.

Sur quoi, Pearce sortit une bouteille de sherry que nous nous fîmes passer et repasser, étanchant alors une soif qui n'était pas corporelle mais bien spirituelle, une quête de savoir comme celle de notre vieille amitié. Ce fut le rêve le plus doux que j'eus fait de Pearce depuis bien des années.

Lorsque je me réveillai au beau milieu de la nuit, ce fut pour me souvenir que tous mes biens avaient disparu.

Pour l'heure, j'étais enfermé dans une énorme chemise de nuit appartenant à la girafe comme dans un cocon de lin, et le lendemain ce seraient ses bas que je devrais enfiler.

Le fait de porter ses vêtements me contrariait quelque peu, parce que cela me rappelait que le colonel Jacques-Adolphe de Flamanville des Gardes suisses de Sa Majesté était toujours l'époux de la femme que j'étais venu honorer et aimer ici, tandis que je n'étais qu'un pauvre minable. Je me souvins aussi que de Flamanville pouvait arriver à n'importe quel moment et m'envoyer valser sur une mule.

Puis j'entrepris d'évaluer mes armes si je devais me protéger, et je sus que la première était la grande courtoisie que le baron de Saint-Maurice avait déployée à mon endroit. Je décidai que cet homme âgé, avec son calepin et son encre dans le pommeau de sa canne, doublés de sa bonne humeur en quantité et de sa grande sagesse, trouverait bien un moyen d'éviter qu'il ne m'arrive malheur.

Il avait promis de me montrer le lendemain sa bibliothèque, où il m'avait dit avoir des livres sur tous les sujets, de la botanique à la démonologie, de la gymnastique à la pharmacologie, des marées des océans au tannage du cuir, de l'art de Cathay à l'étude de la superstition dans le monde, du mariage à la mythologie, des zéphyrs à la zoologie...

Et j'imaginai tout ce savoir, à présent à ma libre disposition tel un bouclier, un invisible enclos d'édification me gardant à distance de tous ceux qui verraient en moi un ennemi et chercheraient à mettre un terme à mon existence.

25

Mes premières journées au château furent bénies par la douceur du climat qui m'accueillit.

Lors de ma première matinée sur place, alors que Louise se rendait à son laboratoire, le baron me fit faire le tour de ses terres après le petit déjeuner, et je vis ses hectares de vignes presque à maturité sous la douceur du soleil. Il possédait de grandes plantations de peupliers, arbres utilisés pour le commerce de leur bois, et dans les prairies éclatantes et pentues les vaches menaient une vie paisible et bien nourrie.

Avec leurs prunes mûres, leurs pommes et leurs poires, ses vergers étaient magnifiques. Il ne semblait pas y avoir la moindre parcelle de terre qui n'ait été utilisée pour un usage généreux, et il n'y avait point d'espaces en jachère ou sauvages. Dans les jardins à la française, l'on avait planté les herbes et les plantes médicinales qui avaient mené Louise vers ses expériences sur les baumes et les potions. L'esprit directeur que je voyais ici à l'œuvre était méthodique et peu enclin au gaspillage.

À ce même esprit, je dis :

— À voir ceci, je me rends compte que je n'ai pas été aussi ingénieux que j'aurais dû l'être à Bidnold. Une grande partie des terres y est constituée d'espaces verts, qui ne nourrissent rien à part mon modeste troupeau de cerfs.

— Eh bien, la Suisse est un petit pays dont la moitié pousse vers le ciel sous la forme de pics et de rochers escarpés. Il nous faut être pleins de ressources, ou bien mourir.

Après quoi il demeura silencieux quelque temps, puis il se tourna vers moi et dit :

— Sir Robert, nous devons à présent aborder une conversation délicate.

— Ah. Eh bien dans ce genre d'affaires je préfère que l'on m'appelle Merivel, et non « Sir Robert ».

— Merivel ? Mais bien sûr, si tel est votre souhait. Les noms sont importants. Donc maintenant, Merivel, je dois vous confier que ma fille endure cette chose tout à fait épouvantable qui s'appelle un mariage malheureux...

— Je suis un peu au courant...

— Je m'en veux d'avoir donné mon accord, pourtant de Flamanville l'a courtisée avec une grande galanterie et discrétion, et nous ignorions alors qu'il n'avait jamais aimé les femmes. Mais c'est une véritable torture, car c'est un homme cruel, et cette cruauté semble sans fin, ou en tout cas sans fin honorable. Et donc je prie, depuis quelque temps déjà, pour que Louise découvre l'amour ailleurs. Votre visite la rendra heureuse, j'en suis certain.

Nous traversions un verger planté de pommiers lorsque le baron cueillit une jolie *Délice* rouge et me la tendit. Je l'observai, posée dans ma main, brillante sous la lumière uniforme du soleil. Sa perfection était telle que c'était comme si le baron de Saint-Maurice m'avait offert un bijou.

— J'ai été très seul ces dernières années, répondis-je. Mais lorsque j'ai rencontré Louise, j'ai senti la vie reprendre. C'est une femme exceptionnelle. Permettez-moi de vous assurer que j'ai le plus grand respect pour elle, monsieur le baron, surtout pour ses talents de botaniste...

— Ses talents, oui. Ils sont considérables. Vous entendrez bientôt ses compositions sur le clavecin, qui sont fort belles.

— Je serai honoré de faire partie de ses auditeurs.

— Mais – je vous prie de me pardonner si ceci ne me regarde pas – je croyais que vous étiez amants ? C'est ce qu'elle m'a dit en tout cas.

— Oui...

— Elle a quarante-cinq ans, Sir Robert. Et tout comme moi, elle est extrêmement passionnée de nature.

— Oui...

— Elle ne devrait pas vieillir sans amour.

— Non, je n'ai pas l'intention...

— Elle m'a dit que vous n'aviez pas été la voir hier soir.

— Non, en effet.

— Donc je ne comprends pas tout à fait...

— Eh bien, je n'étais pas sûr de la façon dont je devais me comporter sous votre toit...

— Je vois. Laissez-moi vous demander comment vous pensez que votre roi Charles se serait comporté ?

Je tournai la *Délice* dans ma main, sentant sa fraîcheur et imaginant la chair ferme.

— Il n'aurait pas hésité. Il aurait fait l'amour à votre fille.

Le baron et moi marchâmes longtemps sous le chaud soleil, et nous remontions l'allée sans nous presser lorsque nous entendîmes derrière nous les claquements de sabots d'un cheval.

Une vision traversa tout de suite mon esprit : le colonel de Flamanville, monté sur un formidable étalon, prêt à me pourfendre d'un seul coup d'épée en guise de prélude, avant de traîner Louise de force à Paris ou à Versailles.

Me retournant, je découvris alors que le cheval était en fait une mule, celle-là même qui m'avait jeté sur le gravier, avec sur son dos le chevrier qui me l'avait louée.

Il tira sur les rênes, et la mule s'arrêta en effectuant un dérapage disgracieux. Puis je vis que, attachée sur la croupe de la créature, se trouvait ma valise perdue.

— Doux Jésus, mais que voici un pays honnête, monsieur le baron, m'exclamai-je.

— Eh bien. Ici l'air est pur. Tout se voit et rien ne peut être caché. Et donc nous sommes portés vers la droiture. Est-ce ennuyeux ?

Après cette promenade, j'allai dans ma chambre, ouvris ma valise et sortis les effets en ma possession, qui n'étaient point nombreux mais comprenaient la musette de Pearce avec le *De brutorum loquela* : à l'idée de l'ampleur de la bibliothèque du baron, j'étais heureux que l'on me voie avec au moins un livre. Je sortis le *De brutorum* et le déposai sur ma table de nuit.

« Pearce, me vois-tu ? Je pense que tu serais fier de moi à présent. Me voici dans un bel endroit pour apprendre. »

J'avais aussi emporté la redingote retouchée à Paris, avec sa cascade de rubans d'épaule. Tout en l'accrochant à un cintre, je décidai que, par égard pour Louise, je devais aussi faire des efforts pour apprendre à soigner mon apparence ; l'élégance et le décorum seraient désormais mes meilleurs conseillers, afin de ne point lui faire honte devant son père aux relations aristocratiques.

J'étais assis sur mon lit, entouré de sous-vêtements et de chemises froissés, lorsque Louise entra dans ma chambre.

Je fis mine de me lever, mais elle me lança :

— Non, non, Merivel, ne bougez pas.

Elle portait un verre sur un plateau en étain et le déposa à côté de moi en disant :

— Je vous ai apporté un cordial. Père m'a avoué que vous deviez être fort fatigué après le grand tour qu'il vous a fait faire. Pourquoi ne vous mettez-vous pas à l'aise, après quoi vous prendrez une gorgée de cette boisson à base de sureau et de cynorrhodons qui vous revigorera en un rien de temps.

Je fis ce qu'elle me proposait, puis m'étendis sur mes oreillers, mes vêtements entassés autour de moi. Elle s'approcha et s'assit à mon chevet en tenant le verre sous mes lèvres avec une infinie tendresse, comme si j'avais été un enfant.

Je bus le cordial. Louise me regardait avec une attention fascinée. Je me demandai si elle était venue dans ma chambre dans l'espoir que je lui fasse l'amour maintenant, durant l'interlude entre ma promenade avec le baron et le déjeuner.

Je trouvai sa présence à mes côtés très douce et réconfortante, mais me rendis compte, une fois de plus, que depuis mon méprisable comportement dans le coche vers Besançon, tout désir semblait avoir déserté mon corps. À la cour, j'avais régulièrement entendu des rumeurs concernant certains dandys qui, après s'être dissipés dans un millier de chambres, étaient incapables du moindre coït ensuite sans la stimulation d'orgies obscènes et honteuses autour d'eux. Et je priai pour que ce ne soit pas mon cas, pour que la putain de Besançon ne m'ait pas achevé avec son excitation illicite, au point que l'amour ordinaire et tendre ne me soit plus possible.

Je regardai Louise, me remémorant nos amours dans le Jardin du roi dans l'espoir que cela me fasse durcir un peu. Mais tout ce qui me revint à l'esprit était le froid hivernal qui nous avait enveloppés, pinçant et brûlant nos chairs à l'air libre, et voilà que je le sentis à nouveau et tremblai.

— Louise…, fis-je.

Mais, comme si elle anticipait l'excuse que j'étais sur le point de formuler afin de lui expliquer pourquoi j'étais si différent pour l'instant de l'amant qu'elle avait connu, elle posa doucement les doigts sur ma bouche et dit :

— Chut, Merivel. Je crois que vous devriez fermer les yeux. Essayez de dormir un peu. Je donnerai des ordres pour que l'on vous apporte à manger plus tard, parce que je sais que l'on a besoin de reprendre des forces lorsque l'on a fait de l'exercice.

Je dormis toute la journée et ne me réveillai que tard dans l'après-midi.

Sur une table dans ma chambre l'on avait déposé une assiette de poulet pané et de chou mariné, et je les dévorai avec une précipitation inconvenante. Au moins ai-je à nouveau faim, me dis-je. Je ne suis donc pas mourant ! Après avoir mangé, je me dirigeai vers ma chaise percée, chiai copieusement et m'en sentis fort soulagé, me disant que j'étais maintenant lavé de toute ma vilenie.

J'enfilai une chemise propre et descendis, mais je ne vis ni le baron ni Louise. Supposant qu'ils avaient dû sortir pour une inspection supplémentaire – les vignes et les vergers étaient arrivés à une maturité parfaite mais néanmoins fragile, nécessitant récolte –, je pénétrai dans la bibliothèque du baron.

Admirant la grande quantité de livres (qui dépassait de loin le nombre de volumes de ma bibliothèque à Bidnold), humant leur odeur, inspirant profondément tout leur contenu, je sentis un grand calme m'envahir soudain, et m'assis à la grande table en chêne qui occupait la longueur de la pièce. Je ne m'emparai d'aucun livre, me contentant de m'asseoir et de respirer les mots invisibles.

Et ce qui me vint à l'esprit fut l'exhortation de Margaret à me lancer dans ce qu'elle appelait une « entreprise d'écriture », et je sus que c'était ce que je désirais faire à présent. Je me dis que c'était peut-être même la raison de ma venue ici, en plus d'être l'amant de Louise, invitant mon esprit à se consacrer à un travail digne de ce nom, car c'était là-dedans que je trouverais ma consolation et un modèle adéquat pour mon avenir.

C'est dans cette position que Louise me trouva, assis à la table de la bibliothèque, plus immobile qu'un acteur dans un tableau vivant. La lumière à la fenêtre était dorée, signe que le soleil n'allait pas tarder à se coucher.

Elle m'entraîna à l'extérieur, vers une charmante terrasse où le baron se délassait avec un verre, Constanza à ses pieds.

Un valet de pied nous versa du vin. Devant nous, il y avait un noisetier où deux moineaux s'agitaient et pépiaient, et le bruit de ces oiseaux était extraordinairement agréable dans la douceur du soleil vespéral, comme si, pendant la durée de ce chant, rien ne pouvait aller de travers dans notre monde.

— Et donc, qu'avez-vous choisi dans la bibliothèque ? me demanda le baron. Peut-être que votre visite ne vous a pas emmené plus loin que les A ? Alberti ? *La Dialectique* d'Aristote ? Les courtes biographies de John Aubrey ?

— Non, pas plus loin que A. Et même pas en entier, d'ailleurs. Pourtant, j'ai *ressenti* avec force le pouvoir des livres. Cela semblait suffire...

— Ah oui ? Vous savez que vous pouvez considérer cette bibliothèque comme la vôtre et y emprunter ce que vous souhaitez, je vous en prie.

— Merci, monsieur le baron.

— L'hiver n'est pas loin. Il y aura de grosses neiges ici au château. Si chacun de nous a son occupation, nous les supporterons d'autant plus vaillamment, n'est-ce pas, Louise ?

— Oui. Père, je voulais aussi vous annoncer que je travaillais à une préparation qui devrait vous débarrasser de ces mouches qui vous empoisonnent la vie.

Le baron posa la main sur sa calotte chauve, au-dessus des pétales de marguerite déchiquetés qu'étaient ses cheveux blancs.

— Le fléau de mon existence, les mouches. Lorsque je sue de la tête, elles viennent s'abreuver à cette humidité.

— Je pourrais vous prêter une perruque, Sir..., proposai-je.

— Ah, les perruques. Voilà une coquetterie dont je ne suis pas très friand, vous m'en excusez, Merivel, même si la vôtre est très bien et propre. Mais à la seule idée de cette tonne de boucles moisissant sur mon crâne... quelque chose en moi se rebelle.

L'un des moineaux s'envola du noisetier pour atterrir sur l'herbe, où il se mit à picorer ici et là. Je le regardai un moment, enviant aux oiseaux leur absence de préoccupations vestimentaires, mais la seconde suivante il avait disparu. Un grand épervier gris était tombé du ciel en piqué et l'avait emporté dans ses serres.

Nous fixâmes tous trois le carré d'herbe où l'oiseau s'était posé. Son compagnon quitta le noisetier et atterrit au milieu des feuilles mortes puis examina les alentours, sautillant de-ci de-là. Nous l'observions, emplis de tristesse. Il s'envola de nouveau vers la branche supérieure du noisetier et s'y percha en équilibre, tentant de voir par où son compagnon disparu avait bien pu partir. Puis il lança un appel désespéré : « Piou-piou, piou-piou… »

Ce cri n'avait plus rien à voir avec le joyeux gazouillis que nous avions entendu plus tôt. C'était le son du chagrin. Nous l'écoutâmes en silence, puis Constanza émit un gémissement plaintif.

Caressant les oreilles de la chienne pour la calmer, le baron lança :

— Qui oserait prétendre, après ce spectacle, après la lamentation de l'oiseau, que les créatures n'ont point d'âme ? Aristote n'écrit-il pas dans le *De anima* que la « voix est la caractéristique tangible du contenu de l'âme » ? Pensez-vous donc qu'il n'y ait pas d'âme derrière cette plainte ?

— Je ne l'affirmerais pas, répondis-je.

— Et moi je te dirais que nous ne savons pas, rétorqua Louise.

*

Nous dînâmes puis je partis me coucher, me déshabillai, me lavai et enfilai une chemise de nuit propre. Étendu entre des draps en lin, j'écoutai les hiboux dans les sapins et le bruit du lac au loin.

Ma tête bouillonnait d'idées. Bien que j'aie continué de consigner mon histoire au fil de l'année et demie qui venait de s'écouler, et que cet exercice m'ait souvent calmé, apaisant ma mélancolie et parfois me faisant rire, je voyais aussi que, en dépit de toute sa singularité, ma propre vie n'avait pas assez de sens pour imprégner cette tâche d'un quelconque et authentique mérite.

Ce que j'aurais volontiers aimé découvrir – comme dans *L'Observation des pauvres en Angleterre* de Sir James Prideaux –, c'était un sujet susceptible d'accaparer toute mon attention et de me voir mener à bien un travail original et remarquable, suffisant pour me valoir une attention soutenue à la Royal Society, dont les membres m'inspiraient à la fois admiration et envie, en égales proportions.

Il ne s'agissait pas de banales spéculations, mais de considérations des plus audacieuses menant à une question capitale : ne pourrais-je pas, moi, Robert Merivel, être celui qui consacrerait toute la puissance de son esprit à la question de l'âme des animaux pour l'approfondir ?

Pourquoi pas, en effet ? Pourquoi pas ?

Je savais que de nombreux hommes avaient élaboré des théories sur la question, et que je ne pouvais m'y atteler dans l'ignorance, sans avoir d'abord lu avec attention les spéculations en question. Je supposai aussi que beaucoup d'entre elles devaient se trouver dans l'admirable bibliothèque du baron de Saint-Maurice, et donc m'être accessibles durant les jours et les semaines à venir.

Mon absence d'opinion tranchée sur la question me troubla quelque peu. Je n'avais pas encore élaboré d'hypothèse cohérente, encore moins de théorie. Mais je me souvins de ce que Pearce m'avait souvent dit, au sujet de l'anatomie (dans laquelle j'excellais, alors que lui non) : que la compréhension était, par nécessité, un lent voyage, et que l'on devrait s'avancer avec humilité avant de se lancer. « L'on ne peut pas connaître à l'avance le nombre infini de choses que l'on ignore », disait-il avec un panache de logique pearcéenne complexe.

Ce que je savais posséder – et que nombre d'autres ne possédaient pas – c'était une grande affinité avec les créatures de Dieu, depuis un étourneau que j'avais disséqué dans mon enfance jusqu'aux blaireaux que j'avais tant souhaité voir dans les bois de Vauxhall, depuis la grande illusion autour de ce cadeau que fut mon rossignol indien, et mes tentatives pour lui sauver la vie, jusqu'à ma gentille chienne, Minette, qui avait été mon compagnon pendant des mois d'adversité.

Et ainsi de suite jusqu'à Clarendon, mon pauvre ours qui m'avait coûté une bague à la valeur inestimable et dont j'avais cru entendre l'âme parler à la mienne, demandant à être libérée.

Je me dis que cette affinité – et je savais que je n'étais pas un érudit – pourrait me donner accès à une conscience supérieure qui demeurerait cachée aux hommes plus secs et plus froids. D'où provenait-elle ? Sûrement de ma propre nature animale, dont toute mon existence avait été l'esclave craintive. Rédiger ce traité ne m'enseignerait-il pas davantage de choses, non seulement sur les oiseaux et les ours, ainsi que sur leur place dans le monde, mais aussi sur ma propre place et mon âme d'homme, me permettant ainsi de vivre les dernières années de ma vie dans une plus grande dignité qu'auparavant ?

Toute cette réflexion me plongea dans un état d'optimisme et d'excitation. La douce musique du lac, les appels des hiboux, le soupir du vent dans les sapins semblaient offrir l'orchestration parfaite à cette agitation de mon esprit. Je savais que j'étais furieusement heureux. Pour un peu, je serais descendu dans la bibliothèque sur-le-champ afin d'y entamer ma quête de livres. Je brûlais de dire à Margaret que j'avais enfin trouvé un sujet qui me convenait tout à fait, et que j'allais me lancer dans mon grand œuvre avec tout l'enthousiasme dont elle me savait capable.

La nuit s'avançait et la lune descendait mais, bien que le sommeil semblât fort lointain, je sentis un superbe calme m'envahir. Je tenais mon plan et l'estimais bon. Je me sentais tel Dieu passant en revue la Création et se félicitant pour son excellent travail.

Alors je sombrai dans un repos profond et silencieux, et lorsque je me réveillai, en même temps que le soleil, je compris que j'avais failli à ma mission : je n'avais pas fait l'amour à Louise.

Il était six heures du matin. Je suivis en silence le couloir dallé de pierre jusqu'à sa chambre, cachant sous les pans de ma robe un membre doté d'une superbe érection. C'était comme si toute cette exquise excitation mentale – à m'imaginer dissertant devant ses sociétaires érudits dans les salons sacrés de la Royal Society – avait eu une incidence sur le plan physique.

J'entrai dans la chambre de Louise et me glissai dans son lit. Elle se réveilla, se tourna vers moi et m'embrassa. Lorsqu'elle sentit la raideur que je pressai contre elle, elle rit de joie.

26

Tandis que les couleurs d'automne qui luisaient à travers les brumes du lac brunissaient petit à petit jusqu'à se faner, et lorsque nous fûmes surpris par le premier froid hivernal, je suis en mesure d'affirmer que j'étais heureux et en paix, et que cela dura.

Mes journées se déroulaient dans une douce uniformité. Après le petit déjeuner, j'accompagnais Louise à son laboratoire afin qu'elle puisse partager avec moi les avancées de ses expériences. Je m'asseyais à ses côtés, l'observant mesurer, mélanger, chauffer et tamiser les herbes et autres composés. Elle testait six préparations différentes pour un répulsif contre les mouches, sans parvenir à un résultat concluant : ceux qui semblaient efficaces brûlaient la peau, et ceux qui ne brûlaient pas semblaient plutôt inciter les insectes à atterrir sur le crâne du baron.

Et pourtant, Louise n'abandonnait pas. Une des nombreuses qualités que j'admirais en elle était son calme face à l'échec. Et quand je l'interrogeais là-dessus, elle m'expliquait : «À mon petit niveau, j'essaye juste d'imiter votre sublime Newton. Il a fait la preuve qu'en chemin vers la vérité scientifique, la catastrophe et l'erreur doivent être surmontées en permanence. À quoi cela servirait-il de se mettre en colère ?»

Au bout d'une heure, je la laissais à ses travaux et filais vers la bibliothèque du baron. Là, dans la tranquillité parfumée de cette pièce, je me plongeais dans le *De anima* d'Aristote et réfléchissais longuement à ses conclusions sur l'âme, qu'il divise en trois éléments décrits comme suit : l'âme nutritive, que possèdent l'homme et les végétaux ; l'âme sensible, que partagent l'homme et les animaux ; et l'âme rationnelle, qui est propre à l'homme.

Il pourrait s'avérer très difficile de mettre en doute son raisonnement selon lequel seul l'homme posséderait une âme intellective capable de souvenir et de volonté, mais j'essayais de ne laisser ni moi ni mon prétendu traité trébucher sur ce premier obstacle. Je me souvins qu'Aristote avait *pu* être dans l'erreur lorsqu'il avait assigné une âme aux pommes de terre et aux courges. Il pouvait aussi bien s'être trompé sur les animaux lorsqu'il affirme qu'ils ne peuvent raisonner ou exercer leur volonté quand on le leur demande.

Je connaissais déjà beaucoup d'exemples de comportements animaux dans lesquels la volonté semblait s'exercer. Dans les travaux du naturaliste Henry More, j'avais, à mon grand étonnement, entendu parler d'un « parlement de corbeaux » siégeant sur de hauts perchoirs et visant à exclure de leurs rangs les oiseaux ayant fait montre d'une « conduite délinquante ».

Je me souvenais de Pline parlant d'une troupe d'éléphants qui apprenaient à danser avec un maître cruel et que l'on vit « s'entraîner en secret » afin de ne pas être punis lors de la prochaine leçon.

N'était-il point évident de voir que des chevaux comme ma Danseuse adorée, ainsi que des chiens comme Bunting, en venaient à comprendre très clairement le système élaboré de récompenses et de punitions infligé par leurs maîtres, preuve du processus de raisonnement à l'œuvre dans leurs têtes ?

Mieux encore, j'avais observé chez ces animaux, tout comme chez Clarendon, une haine de l'oppression et une étincelle de reconnaissance face à la justice. N'était-il pas vrai que le jour où j'avais fait sortir Clarendon de sa cage afin que ses pauvres membres ankylosés par la neige et la glace soient libérés et puissent s'exercer, il m'avait suivi avec une grande docilité, comme s'il comprenait tout à fait mes intentions bienveillantes à son endroit ? Il aurait pu me massacrer pour l'avoir laissé aussi long-temps emprisonné en cage, mais il ne l'avait pas fait. C'était comme s'il percevait ma tristesse face à ce qui avait eu lieu durant cette période de fortes neiges, et comme s'il com-prenait que je faisais de mon mieux pour me racheter auprès de lui.

Sentant que la route menant à mon traité (que j'avais intitulé de manière provisoire *Méditations sur l'âme animale*, par Sir R. Merivel) serait fort longue, je m'autorisai à grif-fonner quelques notes à ce sujet, et la sensation de prendre un vrai départ emplit mon cœur d'une telle joie que je ne pus m'empêcher de reprendre ma plume et d'écrire à Mar-garet pour lui dire combien son conseil s'était avéré précieux, et que je m'étais à présent embarqué dans un nouveau champ d'études, « qui apaisait en effet mon esprit et m'avait arraché à la mélancolie ».

Je ne racontai pas à ma fille que mon autre « domaine d'études » consistait à apprendre comment devenir un mer-veilleux amant pour Louise. Or ces études-là occupaient une bonne partie de mes nuits, et Louise étant une femme à l'esprit libre, elle n'hésitait pas à faire mon éducation et à placer des parties de mon corps exactement là où elle le souhaitait, prenant plaisir à des commentaires érotiques à chacun de nos ébats.

Ces nuits, qui m'apportaient une satisfaction sexuelle continue, m'épuisaient néanmoins ; Louise, elle, semblait s'épanouir. Au fur et à mesure que l'automne avançait, et en dépit du manque de sommeil, je détectai en elle une santé éclatante, si bien qu'elle paraissait plus jeune que lorsque je l'avais rencontrée à Versailles.

Nous ne parlions pas d'amour. Je ne me sentais pas capable de prononcer le mot. Pourtant, je savais que Louise brûlait d'entendre de ma bouche que je l'aimais. Et en un sens, c'était le cas, oui. Mais ce que je préférais c'était cette sensation nouvelle de me sentir un homme sérieux embarqué dans de grands travaux. Car pour la première fois de ma vie, je voyais que je tentais quelque chose qui trouverait un écho auprès des deux hommes à qui je m'efforçais depuis si longtemps de plaire : Pearce et le Roi.

J'imaginais Pearce lisant mes *Méditations*, tenant le traité près de son visage heure après heure, puis le reposant enfin et lançant : « Admirablement profond, Merivel. Tu m'as donné matière à réflexion. Pour une fois, tu t'es concentré sur un sujet *digne de ton époque*. »

Quant au roi Charles, je l'imaginais éclatant d'un rire affectueux, se tapant la cuisse et disant : « L'âme des animaux ! Quelle idée merveilleuse. Ma parole, cher fou, je vois à la lecture de ce travail magistral que vous avez rejoint les rangs des sages et que vous devez être élu céans membre de la Royal Society ! Prenons donc une cruche d'hydromel. »

Ces scènes imaginaires m'offraient une joie inimaginable.

*

Quand les après-midi étaient belles, Louise et moi descendions les chemins sinueux menant depuis la propriété jusqu'au lac, où nous regardions les voiliers effleurer la surface et les oiseaux aquatiques barboter au bord ou danser sur l'eau. Et ce panorama – avec les douces collines derrière le lac descendant en pente jusqu'à une bordure de sapins, ainsi que de jolies maisons en bois éparpillées ici et là avec des panaches de fumée bleue sortant de leurs cheminées – trouva très vite sa place parmi les paysages qui m'étaient chers tant il était gracieux de tranquillité et de calme.

Une seule fois le spectacle fut perturbé, alors que Louise et moi étions seuls par une après-midi qui avait débuté de manière agréable mais qui s'était peu à peu teintée de gris.

Debout au bord de l'eau, nous nous tenions main dans la main quand un gros bateau se dirigea vers nous et s'amarra à l'embarcadère le plus proche. Un groupe de soldats en débarqua ; ils étaient plus de huit ou dix, tous en uniforme et occupés à attacher leurs épées. Je n'avais aucune idée du régiment qui était le leur, mais le bleu foncé de leurs capotes me rappela les Gardes suisses.

À tout moment, pensais-je, le colonel Jacques-Adolphe allait apparaître parmi eux et déboulerait vers moi en fulminant, tentant probablement de m'énucléer avec une cuillère de billard, et tout s'arrêterait alors.

Les soldats nous dépassèrent, mais il n'y avait point de girafe au long cou. Dans le soudain rafraîchissement de l'après-midi, je m'étais néanmoins mis à trembler, et je dis à Louise :

— Nous vivons comme si votre époux était mort et ne viendrait jamais vous chercher. Or, il finira bien par réapparaître un jour.

Louise resta silencieuse. Elle toucha ma joue, devenue pâle pour sûr.

— Aussi longtemps que durera son engouement pour Petrov, il ne viendra pas.

— Et quand il n'y aura plus de Petrov ?

— Il pense que cette histoire durera toujours.

— Ne viendra-t-il pas pour Noël ?

— Non. Il a cette saison en horreur. Il ne supporte pas d'imaginer la moindre nativité.

Le soir, après un dîner toujours parfait préparé par l'un des deux chefs du baron (tous deux dotés de manières policées, contrairement à mon pauvre Cattlebury), nous nous rendions au grand salon pour écouter Louise nous jouer du clavecin.

Elle jouait très bien et avait une belle voix. À l'entendre, je ne pouvais faire autrement que me rappeler ces soirées à Bidnold, il y a bien longtemps de cela, lorsque Celia chantait pour moi, l'illusion de l'amour se faufilant en moi de manière catastrophique.

De la voix d'une femme à une autre seize ans plus tard, je me demandais ce que j'avais vraiment réussi ici-bas. Et la seule réponse était que j'avais persévéré. Cette persévérance m'avait amené ici, dans un beau château en Suisse et dans le lit d'une femme intelligente. Et cela me sembla assez fortuné.

Non seulement Louise jouait du clavecin, mais elle composait aussi de la musique. Telle une flèche, son esprit volait directement vers le cœur mathématique de la composition, sans rencontrer la moindre difficulté, semblait-il. Ses notations musicales étaient habiles et fluides. Ses harmonies émouvantes mettaient aussitôt en évidence les mélodies qu'elle entendait dans sa tête. À la fois éclatants et surprenants, certains de ses accords graves ramenaient le plus inattentif des auditeurs au cœur de l'émerveillement.

Certains de ces auditeurs étaient des hommes et des femmes possédant bien plus de connaissances musicales que moi. Le baron aimait recevoir lors de soirées qui avaient lieu le vendredi, et c'est ainsi que j'en vins à rencontrer quelques-uns des membres de la bonne société de Neuchâtel, qui comptait dans ses rangs artistes et chanteurs.

Je me sentis irrésistiblement attiré par cette dernière catégorie de gens. Je vivais comme une étrange provocation sexuelle l'amplitude de leurs torses ou poitrines, ainsi que le timbre profond de leurs voix. Hommes et femmes avaient pour habitude de s'étreindre, ce qui suscita en moi l'envie d'en faire autant. Lors de notre seconde rencontre, et comme s'il avait lu dans mon esprit, un baryton suisse du nom de Marc-André Broussel me tint contre son corps massif pendant dix bonnes secondes, après quoi il écrasa mes lèvres d'un baiser sensuel.

Cet homme parlait cinq langues, connaissait Londres et avait chanté pour le duc d'York. Ayant appris que j'étais un confident du Roi, il voulait entendre tous les détails de ma vie. Et, parce que j'appréciais son attention et son parfum musqué, je lui racontai comment le Roi m'avait récompensé avec des terres et des titres en échange du rôle de cocu professionnel, et comment j'avais rompu mon pacte avec lui.

— Hélas, en tentant de faire l'amour à ma femme j'ai accompli la seule action qui m'était interdite. Et j'ai donc été renvoyé dans le désert, expliquai-je à Broussel.

— Quel désert ? Où donc ? demanda ce dernier en agrippant ma manche.

— Eh bien, en Angleterre, seuls les Quakers estiment échapper à la grande ombre que projette Whitehall. Alors je me suis rendu auprès d'eux, afin de travailler dans un hôpital quaker avec mon seul ami au monde, John Pearce. Mais il était mourant…

— Mon Dieu, mon Dieu, mon cher, dit Broussel en me prenant dans ses bras, j'adore cette histoire ! Ah, j'aimerais en faire un opéra. Pourriez-vous me l'écrire ? Je cherche toujours des histoires et n'en ai jamais entendu d'aussi bonne.

Je suis fort sensible à ce genre de flatteries, qui me place au centre de l'attention, et je fus si séduit par ce Marc-André Broussel, sa stature, sa chevelure noire sauvage et son parfum de clous de girofle et d'eau de rose que je m'entendis consentir avec empressement.

Il s'écria alors, afin que tous l'entendent :

— Écoutez, vous tous ! Sir Robert Merivel va consigner une histoire pour moi – sa propre histoire ! – et je vais écrire un opéra à son sujet. Je jouerai son rôle ! Je le personnifierai en musique !

Cette nouvelle eut vite fait d'attirer l'attention de tous, qui me pressèrent de raconter « mon histoire ». Mais je vis bien vite que c'était une chose de la confier au grand chanteur, et tout à fait une autre de la raconter aux invités du baron assemblés là. Il y a du pathos dans ce récit, je le sais, qui risque aussi de me faire passer pour lascif et stupide ; et bien que je n'aie jamais été opposé au ridicule, je ne souhaitais point m'y exposer ici, sutout de peur de gêner Louise.

Me voyant hésiter, Broussel se leva, et, avec un geste théâtral du bras, il lança :

— Si Sir Robert s'y refuse, je la raconterai, moi. C'est l'histoire d'un homme auquel l'on offre le paradis. Oui, le paradis, comme Adam. Mais, comme Adam, il transgresse la seule règle qu'il devait respecter. Et il perd alors tout ce qui venait de lui être accordé. Mais pour les détails, vous devrez attendre que j'aie écrit mon opéra !

On entendit de vives protestations, puis quelqu'un demanda :

— Et comment se termine l'histoire ?

Louise répondit aussitôt :

— Nous l'ignorons. Aucun d'entre nous ne sait comment nos histoires vont se terminer.

Mon travail sur mes *Méditations* progressait à petits pas. J'avais enfin ouvert le *De brutorum loquela* de Fabricius, et y avais trouvé un très tendre passage à propos des poules et de l'éclosion de leurs poussins qui, si ma traduction du latin était juste, indiquait, de l'aveu du maître, que *l'amour* pouvait être présent dans le cœur des oiseaux, ainsi que je le supposais pour avoir observé le moineau sur la pelouse pleurant la perte de son compagnon. Je copiai donc Fabricius :

Ayant besoin d'air, le poussin dans l'œuf informe la mère en pépiant qu'il est temps pour elle de briser la coquille, son propre bec étant trop mou pour y parvenir.

Il y a néanmoins assez d'espace et d'air pour permettre au poussin de pépier de manière à être entendu, ainsi que Pline et Aristote en attestent tous deux. Le pépiement a sans doute un son plaintif, et la poule, entendant et comprenant le besoin ou, si vous préférez, souhaitant tenir contre elle son poussin, son cher petit, picore la coquille pour l'ouvrir.

Si, ainsi que le suggère Fabricius, un poulet peut éprouver de l'amour maternel, alors il admet l'idée que l'oiseau ait une âme. Les gens qui semblent incapables d'amour, nous les nommons « sans cœur » ou « sans âme ». Nous disons éprouver de l'amour dans nos cœurs, mais ce n'est pas de l'organe dont nous parlons (qui, ainsi que Pearce et moi-même l'avons découvert, est absolument dénué de sentiments) ; c'est de l'âme.

Nous ignorons où elle réside. Lors de la lecture attentive d'un ouvrage intitulé *Observations sur l'esprit humain* écrit par un auteur français, Jean Duquesne, j'ai découvert qu'au début du siècle, au Danemark, l'on croyait que le diable pouvait voler par les narines l'âme des nouveau-nés non baptisés.

Les gens superstitieux imaginaient Satan voler dans les airs et entrer par la fenêtre ouverte d'une chambre d'enfant, s'approcher du précieux berceau et, tendant un doigt crochu, aussi étroit et souple que la tige d'un oignon vert, emporter l'âme novice pour la déguster à petites gorgées comme un gourmet face à une sorte d'asperge rare. Après quoi, l'âme traversait le corps de Satan et retournait à la terre sous la forme d'excréments fétides piétinés dans la fange.

Ensuite, hélas, l'enfant privé d'âme grandissait sans qualités humaines, impitoyable et esclave de ses appétits toute sa vie. C'est pourquoi, afin d'éviter cette catastrophe, l'on gardait les fenêtres de leurs chambres soigneusement fermées, et il arriva que des nouveau-nés meurent par manque d'air frais.

Le livre de Duquesne était plein de fantaisie, mais tout ceci me perturba quelque peu. Je restai longtemps assis à la table de la bibliothèque à réfléchir. Et je compris que la raison qui m'avait poussé à choisir ce sujet sur l'âme des animaux était de vérifier si moi, homme que la croyance en Dieu avait depuis longtemps déserté et qui ne pouvait se résoudre à imaginer la moindre résurrection, je possédais vraiment une âme, ou si je n'étais pas un simple amalgame de désirs et d'appétits vains, guère meilleur qu'un jeune coq matinal se pavanant dans sa cour et réveillant le monde entier de sa voix discordante.

Chaque jour le temps se faisait plus froid ; et sachant que Noël serait bientôt là, je commençai à acheter des cadeaux pour Margaret, une broche en ivoire en forme d'edelweiss, une petite boîte à bijoux en cuir et un carton de jolie dentelle suisse. J'envoyai le tout à Londres, avec un message expliquant que je pouvais revenir à Bidnold pour l'hiver si Margaret n'était pas heureuse à Whitehall et souhaitait rentrer dans le Norfolk.

Puis j'écrivis à Will Gates ce qui suit :

Mon cher Will,

Ton employeur, Sir R. Merivel, t'envoie son meilleur souvenir de Suisse où, tout comme vous, nous glissons vers l'hiver, avec de temps à autre quelques légères chutes de neige.

Bien que je n'arrive pas à trouver pour l'instant la force de quitter ce magnifique endroit, je ne cesse de penser à Bidnold et prie pour que vous ne soyez point ensevelis sous la glace, ainsi que nous le fûmes la saison dernière.

Je t'en prie, envoie-moi un mot pour me dire comment tu vas, Will. Je suppose que le Roi n'est pas venu à Bidnold ces derniers temps ? Je me sens fort loin de vous tous. Mais je puis t'assurer que je ne suis pas resté les bras ballants et que j'ai entamé un ouvrage qui, je pense, plaira à mademoiselle Margaret.

Dans l'attente de ta réponse, je t'envoie en cadeau de Noël cet almanach illustré qui montre le déroulement des jours pour l'an 1685 qui sera bientôt là.

Ton maître affectionné et ami,
R. Merivel

Quand je montrai à Louise l'almanach fort joliment illustré de signes et de symboles astronomiques, elle lança :

— C'est trop beau pour un domestique.

Je le lui pris des mains et entrepris de l'emballer.

— Non, c'est faux, lui rétorquai-je.

27

Noël arriva puis repartit, et je reçus une belle lettre de Margaret me redisant combien elle se plaisait auprès de Fubbs, mentionnant en termes fort affectueux son admirateur, l'honorable Julius Royston :

J'ai instruit Julius quant aux règles du rami, et maintenant nous nous y adonnons ensemble. Nous aimons jouer seuls, sans d'autres joueurs plus lents ou plus faibles pour nous agacer, aussi nous faussons discrètement compagnie à la duchesse, et parfois même au Roi (qui fait montre d'une douce affection pour Julius) afin d'étaler nos cartes. Je crains qu'il n'y ait pas de remède à notre dépendance...

À lire cette tendre évocation de Royston, je sentis mes craintes pour Margaret s'apaiser un peu. Mais malgré cela je m'ordonnai de demeurer méfiant. Margaret était une jeune femme intelligente qui, depuis longtemps déjà, savait qu'il lui était facile de faire de moi ce qu'elle voulait, tel le joueur aux yeux bandés lors d'une partie de colin-maillard.

Aucune réponse de Will.

Je tentai d'imaginer les lentes avancées de ma lettre et de mon cadeau à travers la France et par-delà la mer, puis le long des routes du Suffolk et du Norfolk, guère plus rapides que le trot d'un cheval. Je savais que je devais être patient.

Mais dans mes rêves je voyais ma demeure prendre feu, chaque personne et chaque objet brûlant à l'intérieur comme mes chers parents avaient brûlé en 1662, et comme Londres avait brûlé quatre ans plus tard. Et la voix de Pearce me lançait : « Tu savais qu'il y aurait un troisième incendie, Merivel. Mais tu étais trop aveugle pour le voir arriver. » Lorsque ces cauchemars me réveillaient, Louise tentait à chaque fois de me calmer avec des caresses et des baisers, espérant chaque fois un nouvel acte impudique à quatre ou cinq heures du matin. Et pourtant, ce n'étaient pas toujours le cas, parce que je sentais alors s'abattre sur moi une grande lassitude pour le côté répétitif du monde des humains, et je me levais pour aller me coucher dans mon propre lit, sans me soucier que Louise se sente abandonnée – éprouvant juste le désir d'être seul.

Lors d'une conversation chuchotée un soir, Louise m'avait confié sans la moindre gêne, qu'à quarante-six ans, elle était arrivée à un moment de sa vie où, son mari lui ayant refusé tout plaisir sexuel et ses amants étant peu nombreux et, selon ses termes, « incompétents », elle avait découvert grâce à mes attentions un grand et perpétuel désir de jouissance.

De manière provocante, elle admit (espérant ainsi m'exciter) que cela la troublait tant qu'elle en devenait fréquemment distraite dans son travail, et que parfois elle avait recours, non sans culpabilité d'ailleurs, à des plaisirs solitaires, ce à quoi elle avait peu eu l'occasion de s'adonner avant de me rencontrer. Elle avait composé une série de chansons au clavecin, chacune sur une superbe mélodie, qu'elle avait baptisée *Louanges de la béatitude*. Les paroles me faisaient rougir pour elle.

— Comment chanterez-vous ces vers devant votre père ?

— Il les aimera, répondit-elle avec désinvolture. Il sera content que j'aie connu de tels embrasements avant d'être trop vieille. Il veut que je sois aimée.

Par une froide journée de janvier, Louise entra dans la bibliothèque en milieu de matinée.

J'étais en train de gribouiller des notes sur l'intelligence des orangs-outangs telle qu'observée par le roi Louis de

France, et susceptible d'avoir quelque signification au cœur de mon raisonnement. J'éprouvais cette chose rare et plaisante, le sentiment d'une grande avancée dans mon entreprise, et ne souhaitais pas être interrompu.

Mais Louise poussa mes livres de côté sans s'excuser le moins du monde, s'assit sur mes genoux et me chuchota à l'oreille ses besoins du moment, puis elle guida ma main sous sa jupe et, après un spasme rapide et violent, elle manqua s'évanouir dans mes bras.

Ainsi détourné de mon travail, je me sentis soudain oppressé par cette obsession qui était la sienne, ainsi que par les exigences que cela faisait peser sur moi, et lui dis sans aménité :

— Louise, n'essayeriez-vous pas de calmer un peu vos appétits avant qu'ils ne vous épuisent ?

— Impossible. Pourquoi me demandez-vous cela ? C'est vous qui les avez *éveillés* en moi, Merivel. J'étais chaste avant de vous rencontrer. C'est votre faute.

Je l'embrassai avec tendresse afin de racheter mon manque de gentillesse, et je crus qu'elle s'en irait alors et me laisserait retourner à mes orangs-outangs, mais excitée par mes baisers pourtant tranquilles et tendres, elle m'étreignit avec une ferveur terrible.

Nous tombâmes de la chaise et, une fois par terre, je sentis que l'on déboutonnait mes culottes. Je protestai, mais les baisers de Louise étaient tels qu'ils étouffèrent mes paroles et les rendirent inaudibles. Elle tira sur mes culottes pour me les enlever et s'agenouilla au-dessus de moi, puis s'assit à califourchon avec ses jupes relevées (une position que Violet Bathurst avait souvent privilégiée, et qu'elle choisissait parfois d'épicer avec une vulgarité et une débauche exquises en me pissant sur le ventre), mais je n'avais aucun désir pour l'acte, nulle érection, et tout ce que j'éprouvai fut un soudain et vif élan de nostalgie pour Violet. D'un geste brutal, je repoussai donc Louise, qui bascula sur le tapis.

À ce moment-là, la porte de la bibliothèque s'ouvrit. Atterré à l'idée que le baron me trouve dans cet état, déboutonné et rejetant sa fille comme s'il s'agissait d'un objet, je titubai pour me redresser, tentant avec frénésie de remonter mes culottes. Ma perruque était tombée et mon visage brûlait de honte. Je me retournai pour présenter mes excuses, et me retrouvai face à face avec le colonel Jacques-Adolphe de Flamanville.

Grand et austère, toujours vêtu de son uniforme des Gardes suisses et doté de son épée, il m'observait. Derrière lui, un autre officier, dans le même uniforme, me regardait lui aussi avec peur et dégoût, comme si j'étais quelque immonde reptile dans une cage.

Alors que je tendais la main de manière maladroite afin d'aider Louise à se relever, de Flamanville lança :

— Je suis à présent dans l'obligation de vous tuer. Vous n'avez pas d'honneur, Sir, mais pour sauver le mien, nous nous soumettrons au rituel du duel ; nous nous retrouverons vendredi matin à l'aube.

Aucun mot ne me traversait l'esprit. Tout ce que je percevais était la grande stupidité de ce qui venait de se passer. Il y a dix minutes encore je travaillais sur mon traité en toute tranquillité, et maintenant j'avais scellé mon arrêt de mort. Ou plutôt, c'était le fait de Louise.

À ma grande honte, je n'éprouvais aucune peur à l'idée des châtiments susceptibles de lui être infligés par de Flamanville, juste un regret soudain, intense et terrible, à l'idée de ma fin imminente.

Je me sentis près de m'évanouir et m'accrochai au dossier de la chaise sur laquelle j'avais été assis. Peut-être était-ce le fait de me voir aussi peu ému par la déclaration du colonel qui donna à Louise la force de dire à son mari sur un ton calme :

— Avec vos ridicules menaces de duels, Jacques, vous avez oublié de me présenter à votre camarade et de lui présenter Sir Robert. Est-ce là votre amant du nom de Petrov ?

— Louise, je vous suggère d'aller dans votre chambre et de vous rafraîchir. Vous puez comme une renarde.

— Et vous, mon cher, vous puez la cruauté, comme toujours. J'irai dans ma chambre, oui, *ma* chambre, dans la demeure de *mon* père, où je me comporterai comme bon me semble et avec qui je veux. Mais avant de m'y rendre, je souhaite juste savoir si c'est bien votre jeune amant que vous avez amené sous ce toit sacré, ou non.

De Flamanville ouvrit la bouche pour parler, mais son camarade fit un pas en avant, effectua un petit salut militaire en claquant des talons et lança :

— Je suis le capitaine Beck, madame. Je suis sous les ordres de votre époux à Versailles. Et je ne me prénomme pas Petrov.

— Ah, fit Louise. Eh bien, capitaine Beck, puis-je vous suggérer d'emmener mon époux hors de cette demeure avant que mon père ne rentre de sa promenade et ne vous jette tous deux dehors ? C'est le baron Guy de Saint-Maurice de Neuchâtel. Il ne cautionnera pas un duel engagé sur ses terres, et je puis vous assurer qu'il protégera Sir Robert Merivel de sa propre vie.

Beck parut décontenancé, mais la girafe releva son mètre quatre-vingt-dix et dit :

— Louise, je crains que vous n'ayez pas tout à fait saisi la situation. Peu importe ce que votre père fera ou dira, votre ridicule amant mourra. Mon honneur l'ordonne. Le capitaine Beck s'entretiendra avec Sir Robert pour les dispositions de rigueur. Peu importe qu'il s'agisse d'épées ou de pistolets. C'est égal en ce qui me concerne, parce qu'il n'a aucune chance avec l'un comme avec l'autre.

Et il avait raison. Je ne maîtrisais ni l'épée ni le pistolet. Même à vingt pas je n'aurais pu être certain de tuer de Flamanville avec un tromblon. Une fois les deux hommes partis, je m'enfonçai sur la chaise sur laquelle j'aurais aimé être assis tranquillement toute la matinée et dis :

— Eh bien, nous y voilà, Louise. Je n'ai d'autre choix que d'être lâche et de m'enfuir.

— Non ! Parce que c'est exactement ce à quoi il s'attend. Il effectuera les préparatifs nécessaires sur-le-champ. Et vous serez assailli puis poignardé dans le dos.

— Je n'ai donc d'autre choix que de mourir d'une façon ou d'une autre ?

— Non. Il y a une autre manière d'atteindre de Flamanville : l'argent. Parce qu'il en a fort peu – pas assez pour ses besoins au sein de la Fraternité –, son père ayant dilapidé la fortune familiale des de Flamanville au jeu. Notre seule possession, l'hôtel particulier du Faubourg Saint-Victor, a été achetée par mon père et me revient directement. Le baron pourra lever une large somme. Jacques-Adolphe l'acceptera et partira. Et vous et moi pourrons continuer comme avant.

— Que faites-vous de l'honneur de votre époux ?

— Ah, Merivel, ne m'aviez-vous point confié à une occasion que, dans votre contrat avec le roi Charles, vous aviez troqué votre honneur en échange de possessions matérielles ? Et n'est-ce pas un échange facile pour nous tous sur terre ? Je connais Jacques-Adolphe. Il trouvera cela *très* facile.

— Louise, je ne puis demander à votre père d'acheter ma vie.

— Non. C'est moi qui le lui demanderai.

Le baron et moi sommes assis devant un feu moribond et buvons du bordeaux.

Il est tard et il fait froid, mais nous traînons là. Pour l'heure, le baron est trop discret pour parler de De Flamanville, ou de ma mort imminente, ou encore de ce que lui-même pourrait faire pour la retarder ou l'acheter d'avance. À la place, nous discutons des choses nous rattachant au monde.

Nous nous tournons vers le sujet de mes *Méditations sur l'âme animale*, un travail qu'il approuve au plus haut point, et je lui confie ma vaniteuse vision le présentant à la Royal Society – devant tous ces physiciens qui m'écouteraient avec attention dans une pièce feutrée, sentant enfin que je suis devenu un homme d'importance.

— Ah, pourquoi nous est-il si difficile de croire en notre propre valeur ? À mes yeux, vous êtes déjà un homme solide, comme vous le dites. Avec vos compétences médicales et votre grande compassion, j'estime que vous êtes une personne de valeur. Peut-être le suis-je aussi à vos yeux. Mais ces dernières années, il m'est apparu que, en dépit de mon grand âge, je n'avais rien fait pour changer le monde. J'ai hérité de vastes sommes. J'en ai gagné encore davantage. Et voilà à quoi se résume ma vie. J'ai donc jeté mon dévolu sur une folle entreprise.

— Une folle entreprise ? De quoi s'agit-il, monsieur le baron ?

Ce dernier prend le petit calepin qu'il emporte partout avec lui, et me montre des pages et des pages de croquis de machines volantes.

— Vous voyez ? Je suis tout à fait dérangé. Et je suis loin d'avoir solutionné le problème de la propulsion, ou de la marche avant, mais si j'y parvenais je penserais que j'ai grandement contribué au bonheur de l'humanité. Car ne serait-ce point merveilleux que de voler au-dessus du monde, tels des anges ? N'est-ce point là une de ces choses que nous désirons très fort dans nos rêves ?

— Dans nos rêves, nous nous octroyons ce pouvoir. Et à notre réveil, nous retombons sur terre avec un bruit sourd.

— En effet. Mais supposez que nous puissions voler au-dessus du lac, et puis vers le sud, même, en direction des montagnes, ou au-dessus d'elles…

— Pas de simples anges, mais des dieux !

— Oui, des dieux ! Ah, Merivel, je crains de ne jamais parvenir à une solution. Il ne me reste pas assez de temps. Parfois je trouve que j'ai déjà trop vécu, de toute façon. J'ai enterré cinq chiens. Et vous savez, l'âge n'apporte aucune sagesse, Merivel. Il apporte la vanité, le babillage ridicule et un intérêt effroyable pour les richesses. L'idée que je pourrais perdre ma fortune m'obsède autant que mes machines volantes.

— C'est humain de craindre la pauvreté. C'est humain aussi de souhaiter transmettre ce que nous avons à nos enfants.

— Oui, et cela nous amène à la question de Louise, je suppose. Vous savez qu'elle est amoureuse de vous ? Vous êtes à présent ce qui la rattache, elle, au monde.

— J'admets trouver cela surprenant, monsieur le baron. Personne n'a jamais été amoureux de moi jusqu'ici.

— Je vois dans ses yeux le désir de vous dévorer ! Vous êtes le premier homme auquel elle se soit donnée de cette manière.

— Oui…

— Vous devez donc comprendre que je n'ai jamais pu refuser quoi que ce soit à ma fille. Pourquoi le devrais-je alors que je suis si fier de qui elle est et de ce qu'elle accomplit ?

— Je comprends tout à fait, Sir.

— Voici ce que j'ai décidé. Je paierai de Flamanville, mais pas juste pour épargner votre vie. Je lui donnerai une petite fortune afin que le mariage soit annulé, à condition que vous acceptiez d'épouser Louise.

Je me lève et, sur des pieds mal assurés, me dirige vers la carafe de bordeaux et verse tout ce qu'il en reste dans nos verres respectifs. Je frissonne en répondant :

— Je suis fort touché par votre générosité, monsieur le baron, mais je ne puis accepter. Il n'est pas question que l'on achète ma vie, ni mon avenir.

— Et pourquoi pas ?

Je voudrais rétorquer que ceci m'est déjà arrivé, il y a longtemps, et que depuis je me suis juré de ne plus jamais contracter de dette de ce genre. Voir un choix aussi terrible se dresser à nouveau devant moi me met au bord du malaise.

C'est comme si toute la vie que j'avais vécue – et tout ce que j'ai réussi grâce à mes efforts, entre le premier contrat avec le Roi et celui avec le baron – était sur le point d'être annihilée.

J'avale une gorgée de bordeaux et dis :

— La chose me rabaisse trop.

— Je comprends. Mais vous n'avez point besoin de la voir de cette manière.

— À ma place, Sir, l'accepteriez-vous ?

— C'est une honnête question. Je pense que cela dépendrait de mes sentiments pour Louise, mais je vous en prie, ne me répondez pas sur ce point. Laissez-moi juste vous rappeler que, en tant qu'époux de Louise, vous deviendriez héritier du château et de ses terres et vivriez à l'aise le restant de vos jours. Ne sous-estimez pas cette perspective. Quand vous aurez mon âge, vous comprendrez l'importance des grandes richesses.

Nous restons silencieux. Le tic-tac d'une comtoise est le seul bruit dans la pièce. Constanza gémit dans son rêve.

J'ai à peine fermé l'œil, en tout cas c'est mon impression, qu'un domestique me réveille, m'informant qu'un certain capitaine Beck demande à me voir.

— Non. Le duel est vendredi !

— Un duel, monsieur ? Quel duel ? Souhaitez-vous vous habiller, monsieur ? Ou dois-je le faire entrer ici ?

— Je dois m'habiller. Je ne puis aller à la mort en chemise de nuit !

Le domestique sort. J'extrais mon corps du lit où il brûle de rester. Il fait toujours noir dehors. Je me sens mal et j'ai la bouche sèche à cause de l'excès de bordeaux bu avec le baron.

Je me rince le visage, peigne ma perruque et tâtonne en quête d'une chemise propre. Tandis que j'enfile mes culottes, atterré à la perspective de la matinée qui m'attend, l'on frappe à ma porte.

Il s'agit de Beck, qui la referme sans bruit derrière lui. Il a perdu son air effrayé-par-le-reptile et, mû par une politesse anxieuse, il dit :

— Je suis désolé de vous réveiller aussi tôt, Sir Robert. Mais l'on m'a ordonné de vous parler, à vous et à vous seul, d'un sujet d'importance.

— D'importance ? soupiré-je en boutonnant mes culottes aussi vite que possible. Eh bien, oui, il s'agit bel et bien d'un sujet grave, Beck. Et autant vous dire que je ne souhaite pas vraiment mourir.

— Je comprends. C'est pourquoi j'ai été envoyé ici. Pour vous dire que ce ne sera pas nécessaire.

Je m'assieds sur le lit et remarque qu'il fait toujours nuit de l'autre côté de ma fenêtre. Beck s'approche puis s'immobilise, une main posée sur le montant du lit.

— Essayez-vous de me dire que le duel est annulé ?

— Non, pas du tout. Mais ce n'est pas vous qui serez tué ; c'est le colonel.

— Capitaine Beck, pourquoi ne vous asseyez-vous pas ? Vous pourrez alors m'expliquer calmement ce que vous voulez dire.

Beck choisit un fauteuil tapissier sans pour autant se laisser aller au fond ; il se penche plutôt vers l'avant, les coudes posés sur les genoux.

— Quelqu'un peut-il nous entendre dans cette pièce ? demande-t-il.

— Non, je ne crois pas. Les murs sont en pierre.

— Très bien. Je vais tout vous expliquer, alors. Le colonel est venu ici au château, sachant parfaitement que vous y étiez avec son épouse, afin de *provoquer* un duel. C'est son souhait, un duel étant synonyme de mort honorable. Et c'est ce qu'il recherche.

Je dévisage Beck. Il semble avoir chaud dans son uniforme alors que l'aube est fraîche, et il se tord les mains. On le dirait au bord des larmes.

— Je ne vous suis pas tout à fait, capitaine.

— Je vais être clair. Le colonel avait un amant. C'était un très jeune officier, presque un enfant.

— Petrov.

— Oui. L'amour que le colonel éprouvait pour lui était immense. Selon lui, c'était un amour sublime, celui qu'il avait toujours cru possible entre compagnons d'armes, un amour *prescrit* par Dieu qui le plongeait dans une ferveur religieuse et physique. Petrov était beau comme une fille et plein de grâce. Le colonel était aux anges. Il croyait que sa vie se déroulerait désormais aux côtés de Petrov, et que ce serait une existence merveilleuse, noble et fidèle. Mais il s'est passé quelque chose.

— Oui ?

— Petrov l'a trahi. Je veux dire qu'il l'a quitté, pour un autre officier. Je suppose que c'est classique, chez ces beautés : elles essayent de séduire le monde entier.

Beck déglutit. Il est visiblement fort mal à l'aise, mais je demeure silencieux ; au bout d'un moment, il poursuit son récit :

— Le colonel a lutté pour continuer à vivre, pour remplir son devoir au sein des Gardes de Sa Majesté. Il a été courageux, mais il ne souhaite plus lutter. S'il ne peut vivre avec Petrov, alors il préfère mourir.

— Ne peut-il persuader Petrov de revenir vers lui ?

— Il a essayé. Il s'est prosterné devant lui. Mais Petrov est las de lui, amoureux d'un autre et voilà tout. L'amour est une chose terrible.

Beck s'essuie le front, suant abondamment. Je me lève pour lui verser de l'eau et il me remercie. Je m'en retourne vers le lit et dis :

— Excusez-moi, capitaine, mais si le colonel est si désireux de mourir, pourquoi ne se suicide-t-il pas ?

— C'est un soldat, Sir Robert. Il a vécu selon le code des Gardes suisses, qui exige une « mort honorable ». Il n'y a pas d'honneur dans le suicide, si ce n'est comme acte d'expiation pour avoir fait montre de lâcheté au combat.

— Et donc il est venu *me* chercher ? Il a fait semblant d'être en colère contre sa femme afin que je devienne son bourreau ?

— C'est exact. Vendredi matin, vous prendrez vos places en vue du duel. Le colonel pointera son pistolet vers vous, mais il ne tirera pas. C'est vous qui tirerez. Vous viserez le cœur.

Nous sommes assis en silence, nous dévisageant l'un l'autre. Après quelques instants, je demande :

— Comment puis-je être sûr que ceci n'est pas un piège ? Le colonel de Flamanville m'a toujours détesté, et je puis aisément imaginer que me tuer lui offrirait pleine satisfaction.

— Je comprends vos soupçons, mais je vous assure que ce n'est pas un piège, Sir. En tant que son adjudant, j'ai vécu avec le colonel de Flamanville pendant de nombreux mois. C'est un homme qui court à sa perte. Avec le tourment qu'il endure, il se mutile dans sa chair. Il ne mange ni ne dort. N'avez-vous point remarqué combien il est devenu mince ? Quand il aperçoit Petrov, il tremble et s'évanouit. Il vit un enfer et ne pense qu'à mourir.

Je regarde vers la fenêtre et vois les premières lueurs d'une aube pâle posée au bord de la terre.

— Il y a... un problème, dis-je.

— Oui. Lequel ?

— Je ne serai pas capable de le tuer.

— Non. Nous avions prévu cette éventualité. Vous n'avez pas d'expérience. Aussi avons-nous mis au point une solution.

28

Lorsque je me réveillai à nouveau, je regardai par la fenêtre et vis Louise déambuler seule dans le jardin aromatique couvert de neige. Elle portait une houppelande et marchait d'un pas mesuré autant que désespéré.

Je la dévisageai longtemps, envahi de tendresse à sa vue, mêlée au chagrin de savoir que mon amour pour elle n'était pas aussi puissant que le sien.

En décrétant cela, je maudis mon obstination et mon refus. Louise était la femme la plus gracieuse, la plus cultivée et la plus merveilleuse que je puisse jamais espérer avoir à mes côtés. J'aurais dû me réjouir d'être l'objet de sa passion. Et c'était le cas, en partie, surtout quand mon désir charnel pour elle était égal au sien. Malgré tout, la perspective de passer le restant de ma vie avec elle m'ennuyait. Parce que je savais qu'elle attendrait trop de moi, de mon corps et de mon esprit. *Et donc je savais que je la décevrais.*

Je m'habillai et descendis à la salle à manger, où je trouvai le baron attablé devant une tourte aux prunes et un café. L'on me servit les mêmes choses et, lorsqu'elles m'eurent un peu remonté, je lui racontai la teneur de ma rencontre avec le capitaine Beck.

Il me répondit sur-le-champ :

— Je crains quelque piège, Merivel. Cette histoire me fait l'effet d'être trop extrême et fantasque pour un militaire. Je pense qu'elle vous a été racontée uniquement pour s'assurer que vous honoreriez l'engagement du duel.

— C'est bien possible, monsieur le baron. Et pourtant le capitaine Beck semblait très peiné pour le colonel, comme s'il sentait sa souffrance dans son propre corps. Il est difficile de remettre ses paroles en question.

Le baron sirotait son café. Puis il dit :

— Laissez-moi faire ce matin à de Flamanville la proposition dont je vous ai entretenu hier soir. Peut-être acceptera-t-il. Si c'est le cas, alors nous saurons que ce désespoir et cette tentative de suicide étaient un stratagème pour vous mener à votre exécution certaine. Et il vivra le reste de sa vie très heureux, libre des contraintes du mariage et avec assez d'argent pour faire battre son cœur ailleurs. Il obtiendra de moi l'hôtel particulier à Paris, bien sûr ; je ne crois pas que Louise y soit très attachée.

En repensant à cet endroit me revint tout de suite la terrible image de la sœur du colonel, mademoiselle Corinne, un morceau de panais bouilli accroché à son menton, et hurlant après moi de sa bouche édentée, puis passant de lugubres soirées à découper des silhouettes dans du papier noir.

— Non, je ne pense pas qu'elle y soit très attachée en effet.

— Louise et vous pourriez vivre sur vos terres en Angleterre. Il y a assez de place là-bas pour un laboratoire, je suppose ?

Je contemplai les restes de ma tourte aux fruits d'un air distrait. Je savais ce que signifiait cette question. Le baron vit ma gêne, se pencha vers moi et dit avec douceur :

— Bien que je vous admire, Sir Robert, et n'aimerais certainement pas vous voir tué, je fais ceci pour Louise. Nous devons tous les deux saisir ce qui est en jeu ici. Si vous ne pouvez promettre de l'épouser, vous devez me le dire maintenant. Et vous devrez alors assumer vos responsabilités avec le duel, quels que soient les risques.

S'ensuivit un silence. Le baron observait de ses clairs yeux noisette ma lutte pour prononcer des mots qui, nous le savions tous deux, changeraient ma vie. J'étais conscient d'être perché sur un terrible promontoire avec un vide béant des deux côtés, et ce sentiment de vertige était effrayant. Je souhaitais juste me retirer là où je m'étais senti en sécurité jadis, mais je savais que c'était impossible. À mon grand désarroi, je m'entendis bégayer :

— Il y a assez de place pour un laboratoire à Bidnold…

Un long moment je regardai Louise faire les cent pas dans le jardin, plongée dans ses pensées. Puis j'allai dans la bibliothèque, comme si je pouvais m'atteler à mes *Méditations*, et d'ailleurs j'allai jusqu'à étaler mes papiers et mes plumes. Mais je savais que je n'étais pas d'humeur à travailler. Je me contentai donc de m'asseoir à la table, blême et gelé, fixant le mur d'un œil incarne.

Comme j'aurais aimé être à nouveau jeune : godillant sur la rivière, folâtrant avec Rosie Pierpoint, pêchant avec Pearce, amusant le Roi rétabli depuis peu sur le trône avant qu'il ne change ma destinée. En clair, j'aurais aimé être un homme libre.

Mais je ne l'étais point. Soit je mourais le lendemain, soit je m'engageais à épouser Louise de Flamanville.

Je me dis que, si elle devenait ma femme, je ferais l'envie de beaucoup d'hommes. Ils observeraient sa passion à mon endroit et souhaiteraient coucher avec elle, mais elle refuserait. Et si elle refusait, ils me regarderaient alors d'un autre œil, se demandant de quelle astuce j'usais pour garder une telle femme esclave de ma personne. Je serais révéré.

En outre, et bien plus important encore, je serais riche. Louise apporterait avec elle une dot généreuse. Je n'aurais pas une vieillesse misérable. Je ne mourrais pas dans la pauvreté. Je pourrais subvenir aux besoins de Will. Et lorsque ma fille se marierait, je pourrais lui offrir une noce somptueuse…

Toutes mes pensées étaient donc à présent péniblement axées autour de l'argent et du statut social. Je ne serais pas juste riche ; j'aurais une place permanente et honorable dans l'entourage du baron. Broussel écrirait un opéra sur moi et je m'entendrais être immortalisé en musique...

À ma grande honte, je découvris qu'en peu de temps, ces aspects-là m'offrirent une ample consolation. En vérité, ces considérations matérielles et artistiques me réjouissaient assez pour risquer d'aller retrouver Louise, sachant qu'à présent je pouvais être tendre envers elle, ma future épouse.

Je la trouvai dans sa chambre, où elle se brossait les cheveux. Je lui enlevai la brosse et lui dis que je l'aimais.

Elle frissonnait après sa longue promenade dans la neige et je la tins serrée contre moi afin de la réchauffer ; elle m'embrassa et me dit que nous serions heureux ensemble, « comme aucun de nous ne l'avait jamais été ».

Mais tout ce à quoi je pensais, à vrai dire, c'était que, près de sa peau et près de la mienne, il y aurait toujours, à partir de maintenant, de la soie, du satin ou du lin fin. Et je plongeai mon visage entre ses seins puis le posai sur son caraco en soie, prenant un coin du vêtement dans ma bouche et le caressant.

*

Au déjeuner, le baron revint.

— Je l'ai vu de mes propres yeux, dit-il. Et je n'aurais point cru cela de la part de ce soldat endurci, mais c'est vrai : le colonel de Flamanville est terrassé par le chagrin.

— Pensez-vous qu'il veuille vraiment mourir, Sir ?

Le baron soupira et demanda à un domestique de lui apporter un verre de vin du Rhin.

— Oui. Son esprit est obsédé par l'idée de la mort. Je n'ai jamais compris comment un homme pouvait faire dépendre tous ses espoirs des caprices et désirs d'un autre être humain. Mais c'est bien le cas. Il a été on ne peut plus honnête à ce sujet, à mon grand désarroi. J'aurais préféré qu'il soit plus circonspect et pudique, mais de toute évidence il souhaitait tout me raconter. À l'entendre, il s'est découvert lui-même lorsqu'il a rencontré Petrov, et quand il l'a perdu, il a perdu aussi son âme.

» Et donc nous y voilà. Il souhaite mourir. Mon offre d'argent ne l'a pas plus ému que ma main sur son épaule. Il ne s'intéresse pas aux choses matérielles. Il n'a même pas envie de retourner dans l'hôtel particulier à Paris, parce qu'il y a emmené Petrov et qu'il ne supporte pas d'y remettre les pieds si ce dernier n'est pas auprès de lui ou dans son lit.

— Ne se préoccupe-t-il même pas de sa Corinne adorée ? interrogea Louise.

— Il n'en a pas parlé. Je pense qu'il ne se soucie de rien ni de personne. Il m'a expliqué qu'il n'avait plus qu'un but : trouver une mort honorable. Donc nous y sommes. Le duel doit bel et bien avoir lieu.

De terribles visions me traversèrent l'esprit.

D'abord, je pointais mon pistolet vers le colonel ; mon coup claquait contre un tronc d'arbre puis ricochait vers moi pour m'arracher l'œil. Ma deuxième tentative pour le tuer le manquait d'un centimètre, dégommant son chapeau et une petite touffe de cheveux, ce qui lui donnait un air tout à fait ridicule. En troisième lieu, j'étais si aveuglé par la gravité de l'instant que je faisais pivoter le pistolet et tuais Beck. Et pour finir en beauté, j'oubliais totalement les règles du duel, pointais le pistolet sur moi et me faisais sauter le cœur.

— Monsieur le baron, laissez-moi vous rappeler que je ne suis pas un tireur d'élite, insistai-je. Je n'ai pas l'habitude de tirer sur quoi que ce soit, encore moins sur un homme. Je ne puis d'aucune manière être sûr de tuer le colonel.

— Il le sait. Beck s'en occupera.

*

Et voilà que ce jour redouté est arrivé.

Pour me rendre au duel, je revêts ma plus belle redingote, noire et dorée, sachant qu'il n'est pas impossible que je perde la vie dans les trente minutes, et je me force à me demander en quoi je me soucie de la mort. Ceux que j'aime poursuivront leur route sans moi. Margaret se mariera. Avec ou sans moi, Will sera bien vite dans sa tombe, et Pearce est déjà parti. Quant au Roi, il se pourrait qu'il ne remarque même pas ma disparition...

Marchant d'un pas lourd dans la neige, je me prends pourtant à regretter de n'avoir guère foi en Dieu ou son paradis. Car je pourrais alors espérer voir Pearce m'attendre de l'autre côté dans son costume quaker qui, à ma vue, entamerait sa course mal assurée, s'écriant : « Merivel ! Bienvenue ! Je n'aurais pas pensé te trouver *ici* ! »

Mais je sais que ce qui m'attend si je meurs, ce n'est point mon ami – juste l'obscurité. Je me sens si vivant moi-même, dans mes humeurs, ma générosité et mes vices, qu'il m'est impossible d'imaginer ma propre absence. Impossible d'imaginer Bidnold sans m'y mettre en scène dans une pièce ou une autre. Impossible d'imaginer Cattlebury élaborant des repas que je ne mangerai pas. Je suis capable de visualiser ma tombe dans le cimetière de Bidnold avec une jolie pierre tombale, des fleurs et des branches de sapin autour, mais pas mon cadavre en dessous. L'idée que je ne sois plus m'emplit d'indignation.

La matinée est inondée de soleil. Je traverse la forêt et vois les arbres chargés de neige scintiller de beauté. Je remarque les traces des animaux – renards et cerfs – et je leur envie leur liberté et leur joie tandis qu'ils gambadent à travers le grand bois dans toute sa gloire hivernale.

Il n'y a pas de vent. Les arbres silencieux semblent nous regarder et nous plaindre lors de notre passage, moi devant, suivi du baron, qui s'est proposé comme témoin, vêtu d'une grande redingote en fourrure, me rappelant forcément Clarendon.

Nous sommes le 15 janvier de l'an de grâce 1685 et j'ai cinquante-huit ans.

Nous finissons par arriver dans la clairière où le duel doit avoir lieu.

Il n'y a personne.

Je m'arrête et me tourne vers le baron. Un rouge-gorge volette depuis la branche d'un frêne et nous observe. Je songe à la vision terrible du sang sur la neige.

Le baron regarde autour de lui et nous guettons des pas, mais seul le silence nous répond. Je lève mon visage vers le ciel bleu et me dis qu'il n'y aura peut-être pas de duel après tout. Le colonel retournera à Versailles, et séduira Petrov à nouveau, il n'y aura pas d'annulation, et donc pas de mariage avec Louise…

Le baron a apporté une flasque de cognac, qu'il ouvre et nous buvons. C'est alors que nous voyons les deux soldats s'avancer en silence dans notre direction le long d'un étroit sentier.

Ils ont mis leur tenue de cérémonie. Ils se tournent vers nous et semblent comprendre que leurs longues jambes confèrent à cette terrible rixe l'image même de la perfection masculine, quasi inégalable. En comparaison, je sais que, dans ma redingote noire et avec mes culottes un peu trop larges, j'ai l'air d'un humble *quémandeur* en attente de faveurs.

Nous nous avançons jusqu'au milieu de la clairière, nous saluons puis nous serrons la main, ainsi qu'il est coutume de le faire. Le visage du colonel est blanc et émacié. Il ne trahit rien de ses émotions.

Beck porte les armes. Les deux pistolets sont posés dans une boîte en bois qu'il nous présente à tour de rôle, comme s'il offrait des cigares ou des confiseries. Je prends mon pistolet et pense au bandit de grand chemin sur la route de Douvres, et à la fin inattendue qui fut sienne. Et je comprends que je ne sais toujours pas comment cette journée va se terminer.

Beck sort deux balles de sa poche. Il les tient dans la paume de sa main et le plomb brille au soleil. Nous les prenons et les glissons dans les pistolets.

Puis je regarde soudain Beck avec angoisse, parce qu'il ne semble pas porter d'arme. Il me demande si je suis prêt, je réponds que je le suis et sens la main du baron me toucher le bras avant que les deux témoins ne se retirent. Je suis à présent dos à dos avec le colonel de Flamanville. Au signal, nous devons nous éloigner l'un de l'autre en faisant de grands pas. Lorsque les témoins en auront compté dix, ils lanceront un deuxième signal, qui nous ordonnera de nous arrêter. C'est à ce moment-là que nous devrons nous retourner et faire feu.

J'entends le premier avertissement et je me mets à marcher. Dans ma main le pistolet est lourd. Très au-dessus de moi, j'entends des corbeaux tourner en cercle et pousser des cris.

QUATRIÈME PARTIE

La Grande Transition

29

Une fois de plus, voilà que je traverse la France, cette fois-ci en direction du nord-ouest. L'Angleterre est loin, et de nombreuses routes épuisantes et une mer bouillonnante la séparent encore de moi.

Le crépuscule se glisse autour de notre coche tandis que nous avançons vers Dijon et qu'une fine neige se met à tomber.

Il n'y a que deux voyageurs dans la voiture, un vieux prêtre anglais et moi-même. Jusqu'à la tombée du jour, il est occupé à gribouiller des sermons. N'ayant rien à lire, j'ai demandé à emprunter sa Bible, mais je remarque que le précieux livre est fort taché et aplati et qu'il s'en dégage une odeur âcre, comme si l'homme d'Église le berçait contre son corps chaque nuit (ou peut-être le garde-t-il sous son matelas, avec les punaises et les souris, comme ma *Cale*).

Pour tenter de me réconforter, je lis le miracle de Cana, lorsque les hôtes mesquins n'offrent pas assez de vin, si bien que ce pauvre Jésus, déjà débordé de travail, est contraint d'en fabriquer à partir d'eau claire. Mais je suis frappé à nouveau, non seulement par la parcimonie des hôtes, mais par une chose qui m'a toujours dérangé dans cette histoire.

Il est écrit, non sans fierté, comment le meilleur vin – celui fabriqué par Jésus à partir de l'eau – a été « préservé pour la fin ». Ce qui me semble fort stupide. Car je suis on ne peut plus familier avec la tournure que peuvent prendre nombre de soirées, notamment en ce qui concerne les vins. Et quand, dans mon autre vie, je donnais de grands dîners à Bidnold (et il y en eut beaucoup), j'ordonnais toujours à Will de servir mes meilleurs vins *d'abord*, car nous savions tous deux que lorsque les hommes sont aussi soûls que ne manquaient pas de le devenir mes invités, et ce devait aussi être le cas de ceux de Cana, ils sont incapables de différencier un vin de l'autre, ou même une *boisson* d'une autre, et ils se contenteront d'avaler bêtement ce qui leur sera donné, jusqu'à rouler sous la table. Dans cet état, leur donner le « meilleur vin » serait un horrible gâchis. Notre Sauveur aurait pu se contenter de faire du vin bon marché ou ordinaire, et je me prends à regretter ne point avoir été à Ses côtés pour l'en informer, au cas où produire du bon vin aurait été un effort supplémentaire pour lui.

Je parcours un autre miracle – la résurrection de Lazare –, mais je ne m'en délecte pas davantage, m'inquiétant de la puanteur qui a pu entourer le cadavre dans la chaleur d'une après-midi en Judée, et je m'en détourne pour tomber au hasard sur le Livre de l'Ecclésiaste, où je lis : *Car le sort des fils de l'homme et celui de la bête sont un même sort : comme meurt l'un ainsi meurt l'autre. Ils ont tous un même souffle et la supériorité de l'homme sur la bête est nulle, car tout est vanité.*

La mort occupe mes pensées. Elle m'a visé, mais elle ne m'a pas touché.

Je suis reparti de la clairière enneigée dans les bois, mais ce ne fut pas le cas du colonel de Flamanville, étendu par terre, visé au cœur par Beck. Il baignait dans son sang ; il y en avait sur lui, autour de lui et en dessous de lui, un sang cramoisi, brillant. Beck s'agenouilla à côté de lui, pleurant et baisant son visage, et tout son bel uniforme fut taché de rouge. Je me dis combien ce capitaine avait été courageux de cacher son arme afin de pouvoir honorer une promesse aussi épouvantable. Et je sus, sur l'instant, qu'il l'avait fait par amour pour le colonel.

Je lui rendis le pistolet avec lequel j'avais tiré, bien loin de mon adversaire, abattant par inadvertance un pigeon qui était tombé d'une branche gelée avec un « floc ». Je lui serrai la main très chaleureusement, puis le baron et moi retournâmes à pied au château, laissant l'adjudant en deuil procéder aux arrangements nécessaires pour le cadavre. Au départ, nous marchâmes en silence, puis le baron constata :

— Vous avez été courageux, Merivel. Je me rends à présent compte que vous avez risqué votre vie.

Je souhaitai lui répondre que, de ce que j'avais pu comprendre de cette situation compliquée et incertaine, il y avait eu bien plus qu'un « risque », mais je me tus, refusant de teinter par des mots cyniques ma joie à l'idée d'être en vie.

Nous poursuivîmes notre promenade. Le soleil était au zénith et brillait sur la neige. Loin au-dessus de nous, les grandes montagnes nous regardaient de haut, inébranlables, indifférentes. J'éprouvai alors une grande soif de sherry.

Au bout d'un moment, le baron prit la parole :

— Nous laisserons s'écouler un laps de temps convenable. Puis nous arrangerons votre mariage avec Louise. J'inviterai tout Neuchâtel. Marc-André Broussel chantera pour vous. Je ne reculerai devant aucune dépense. Ce sera la plus belle célébration que j'aie jamais donnée de ma vie ! Votre fille viendra peut-être d'Angleterre, avec la duchesse de Portsmouth ? Nous serions fort honorés...

D'après ce que je savais d'elle, je n'imaginais pas Fubbs se lever de sa chaise longue et se déplacer, elle, sa garde-robe et sa montagne de bijoux, à l'autre bout d'un continent ou presque, pour assister au mariage d'un fils de mercier, aussi je répondis au baron :

— Si j'en crois ma fille, la duchesse ne raffole pas du grand air, et peut-être que la Suisse, où l'air pur est omniprésent, risque de la décourager ? Mais elle sera invitée bien sûr.

Puis je me retrouvai à réfléchir qui, en effet, je pourrais bien inviter, et il m'apparut que la personne dont la présence à mon mariage me toucherait le plus serait Will. Je me réjouissais à l'idée de voir une joie soudaine emplir son cœur et s'inscrire sur ses traits.

Mais je n'avais pas reçu la moindre nouvelle de lui. Chaque jour je guettais la voiture ou la mule qui m'apporterait une lettre de Bidnold, mais il n'en arrivait point. J'aurais bien tenté d'écrire à Cattlebury pour lui demander des nouvelles de Will, mais Cattlebury est pratiquement incapable de lire, « à moins, Sir Robert, que ça soye une recette avec tout écrit sur des lignes séparées, et que les chiffres soyent écrits en chiffres, et alors là je comprends ». Donc cela ne me semblait pas une idée fort probante.

J'avais à présent décidé d'écrire à Sir James Prideaux, le suppliant de chevaucher jusque chez moi et de me rassurer sur la situation là-bas, mais pris par les angoisses du duel, je n'avais pas encore rédigé mon courrier.

— Que diriez-vous d'un mariage au printemps ? me demanda soudain le baron.

Vers le soir, alors que Louise et moi étions étendus sur son lit, épuisés par les ébats de l'après-midi célébrant notre futur mariage, elle me confia :

— Oh, j'ai oublié de vous dire, Merivel. Une lettre est arrivée pour vous ce matin.

Mon cœur s'envola vers Will sur-le-champ. Mais ce n'était pas son écriture laborieuse sur l'enveloppe, c'était celle de Margaret, qui m'écrivait ceci :

Mon très cher papa,
Je prie pour que cette lettre vous parvienne et ne soit pas stoppée par la neige.
Vous devez me pardonner de perturber votre séjour en Suisse, mais je n'ai d'autre choix. Le Roi a été pris de terribles convulsions il y a peu. Il va un peu mieux depuis, mais à voir sa mine, nous comprenons tous qu'il est faible. Il souffre beaucoup de la vessie et des reins. Et sa jambe est très douloureuse.

Cher papa, j'aurais préféré ne point vous déranger avec ceci, mais aujourd'hui il est venu dans nos appartements, s'est étendu sur le lit de la duchesse et m'a fait appeler. Il m'a pris la main et m'a dit : « Margaret, je vous en prie, écrivez à votre père et demandez-lui d'avoir la bonté de venir à mon chevet. Je ne sais pas exactement ce qui m'arrive, si je suis en partance vers la mort ou pas, mais je sais que mon moral serait fort égayé s'il était à mes côtés afin de s'occuper de moi et de me faire sourire. »

Papa, je vous prie de venir sur-le-champ. Je vous en supplie. La duchesse craint terriblement que Sa Majesté ne meure. Je sais que vous feriez n'importe quoi pour prévenir cela. Vous pourrez être logé dans les appartements de la duchesse afin d'être près du Roi à toute heure.

Nous espérons votre arrivée d'un jour à l'autre.

De votre fille qui vous aime,
Margaret

Je restai assis, immobile et pétrifié, sur le lit de Louise. Voyant que la lettre m'avait transformé en statue, elle me la prit des mains et la lut, et cette femme, dont l'intelligence ne cessait de m'étonner, lança, sans une trace de déception ou d'égoïsme :

— Vous devez partir sans tarder. La voiture de père vous emmènera à Neuchâtel dans la matinée, et de là vous pourrez prendre un coche vers Dijon puis un autre vers Paris.

Je serrai Louise contre moi et lui embrassai la joue.

— Vous avez raison, je ne puis m'y soustraire, dis-je.

— Je vous attendrai, Merivel. Je ne laisserai pas la vie vous enlever à moi pour toujours.

— Non, en effet. Et je rendrai visite au joaillier du Roi à Londres et vous achèterai une bague.

— Un saphir, comme la bague qui a sauvé Clarendon ?

— Ce sera la pierre de votre choix.

— Apportez-moi un rubis, alors. Chaud et fougueux comme mon sang.

Lorsque je partis, Louise s'accrocha à moi et pleura. C'était comme si nous nous disions quelque terrible adieu.

Je montai dans le coche et le baron fourra dans mes mains une liasse de feuillets arrachés à son calepin. J'espérais qu'il s'agissait de ses observations sur mon traité, pour lequel il semblait éprouver un intérêt passionné, mais ses papiers ne concernaient en rien mon grand sujet : il s'agissait de simples listes des futurs invités à mon mariage, des divertissements que nous pourrions envisager, des chansons que Broussel nous chanterait et des festins qui seraient servis.

Je les regardai à peine et me contentai de les fourrer dans ma valise ; ce faisant, je me souvins de mon mariage avec Celia, il y a bien longtemps ; je ne pouvais m'empêcher de pleurer, avant de me retrouver enfermé dans un placard à regarder à travers une fissure le Roi faire l'amour à ma nouvelle épouse.

Et je compris alors que l'agencement de ma vie avait découlé tout entier de ce mariage, qui n'avait pas été authentique, mais une simple parodie destinée à servir les ardeurs du Roi, et que, dans ma cinquante-neuvième année, je prenais le chemin d'une seconde cérémonie de mariage qui, à vrai dire, ne me semblait pas très authentique non plus, arrangée afin d'assouvir les désirs tardifs de Louise de Flamanville.

Observant mon compagnon de voyage, tout de noir vêtu, qui dormait à présent tandis que le coche cahotait dans l'obscurité, je me pris à imaginer que ce n'était pas le prêtre que j'avais en face de moi, mais Pearce. Sauf que Pearce ne dormait pas. Il jeta sur moi un regard fixe dénué de pitié.

— Que fais-tu, Merivel ? demanda-t-il. Quelle est la signification de ce second mariage ?

Je me vis me pencher vers lui et prendre l'une de ses mains froides pour la poser sur mon cœur, tentant de la réchauffer.

— Je vais être honnête avec toi, Pearce. Je ne mentirai pas. J'ai une grande admiration pour Louise de Flamanville.

C'est une femme remarquable. Et j'éprouve de l'amour pour elle à plusieurs reprises dans une même journée. Mais, pour te dire la vérité, ce mariage est affaire de richesses. Afin d'obtenir un grand domaine et une vie aisée.

— Tout comme le premier.

— Si tu veux.

— Et tu n'as pas honte ?

— Un peu. Pas autant que tu l'aimerais.

— C'est bien dommage, mon ami.

— Puisque c'est si « dommage », que suggères-tu à la place ?

Là, je n'arrivais pas à deviner ce que Pearce pourrait répondre. Sa voix ne me parvenait plus. Tout ce qui hantait le coche à présent, c'était son silence, qui ne ressemblait à aucun autre silence sur terre et qu'il me fallait endurer sans broncher. Je lâchai sa main, fermai les yeux et tournai mes pensées vers le Roi.

Le 29 janvier 1685, un trois-mâts baptisé le *Kentish Maid* m'emmena de l'autre côté de la Manche ; malgré une mer houleuse et mouchetée d'écume, et des embruns impétueux s'abattant sans cesse sur les ponts, je demeurai en forme et me sentis une fois de plus étrangement heureux de me trouver dans ce nouvel élément où l'homme n'a guère de prise, contraint d'accepter ce que le vent ordonne et de tenter de diriger son frêle esquif à bon port.

Et je songeais comment, avec ma perpétuelle agitation et ma soif de merveilles, j'aurais pu faire un bon marin et peut-être même devenir capitaine de quelque navire de commerce en route vers de lointains continents, ne me fixant jamais nulle part, mais allant sans répit d'un bout à l'autre du globe sous des cieux empourprés et des milliers d'étoiles.

Il me sembla aussi que l'on trouve une sorte de paix sur l'océan, une belle tranquillité presque toujours absente de la vie sur la terre ferme, où hommes et objets ont l'habitude de faire appel à nous et de nous importuner avec telle ou telle exigence, et où il ne règne pas le moindre calme où que ce soit.

Si j'avais passé ma vie en mer, serais-je à présent une personne au calme stoïque, acceptant sans rechigner tout ce que le temps et les éléments m'enverraient, vêtu enfin de cette cape de sérénité dont Pearce avait toujours souhaité me vêtir sans jamais y parvenir ?

J'entamai une conversation avec le capitaine du *Kentish Maid*, lui confiant combien les subtilités de son navire m'enchantaient, et je vis que cela le réjouit beaucoup. Il caressa le bastingage en bois auquel nous étions accoudés et me répondit :

— C'est une vraie beauté, n'est-ce pas ? Il voguera jusqu'au dernier souffle sans se plaindre. Nous avons traversé quelques terribles tempêtes avec succès, lui et moi. Mais il est vieux, hélas, et maintenant il prend l'eau. Il ne verra peut-être pas de nouvelle saison.

— Ah, pauvre *Kentish Maid*. Et dire que nous devons affronter cette même angoisse avec le Roi lui-même.

— Pardon, Sir ?

— Je rentre en Angleterre pour être à son chevet. C'est un homme malade.

Le capitaine me regarda, bouche bée. Il secoua sa tête blanche en signe d'incrédulité.

— Il ne peut pas mourir. Vous n'êtes pas occupé à me raconter que Charles Stuart va mourir ?

— Je l'ignore, capitaine. Tout ce que je sais c'est que l'on m'a mandé. Je suis médecin, et qui plus est un vieil ami du Roi.

Le capitaine secoua à nouveau la tête, fixant du regard l'eau mouvante et chatoyante.

— Il a su nous redonner confiance, admit-il avec tristesse. Comme si nous étions à la cape. Quand il est monté sur le trône, nous avons tous poussé un grand soupir de soulagement.

30

Au soir du samedi 31 janvier, j'arrivai dans les appartements de la duchesse de Portsmouth ; là, point de scène de lamentation, juste Fubbs un peu plus grasse que la dernière, fois et vêtue d'une robe en velours cramoisi, qui dînait tranquillement avec Margaret. Il y avait un jeune homme à leurs côtés, qui me fut présenté comme étant l'honorable Julius Royston, le cadet de Lord Delavigne.

Les deux femmes m'accueillirent avec joie. Margaret, ravissante dans sa robe bleu foncé doublée de la dentelle suisse que je lui avais envoyée, semblait espérer de ma part une sympathie immédiate pour Julius Royston ; sachant que c'était là le jeune homme qui courtisait ma fille, je tournai vers lui mon regard le plus sévère.

Peu découragé par mon air (qui n'est jamais aussi austère que je le voudrais), ce Royston se plia en deux en une révérence impeccable et bredouilla qu'il avait été « fort impatient » de me rencontrer, regrettant néanmoins que mon retour soit ainsi placé sous le sceau de la maladie du Roi.

— Comment va Sa Majesté ? demandai-je à Fubbs.

— Pour l'heure, il dort. Il aime se retirer tôt. Mais ces derniers jours il semble être redevenu lui-même, n'est-ce pas, Margaret ?

— Oui. Il a même fait une promenade hygiénique hier, jusqu'au crocodile. Il sera si content de vous voir, papa. Chaque jour il m'a demandé si vous étiez arrivé.

Je m'assis à la table du dîner, et l'un des domestiques de
Fubbs me mit le couvert avant de m'apporter une soupe
froide de poireaux pommes de terre fort rafraîchissante.
Entre deux cuillerées voraces, j'observais ma fille et Royston
et vis s'échanger entre eux ces regards propres aux soupirants
énamourés ; je me pris alors à prier pour que ce fils de
comte soit un honnête homme.

Il était beau, dans le genre blafard, me rappelant un peu
le Roi dans sa jeunesse, avec de grands yeux bruns, des
boucles sombres et un doux sourire. Je ne pouvais que l'ap-
précier. Il devait avoir vingt-deux, vingt-trois ans et, en
étudiant ses traits, je ne pus y déceler le moindre signe de
débauche ou de méchanceté. Sa voix était doucereuse.

— Alors, dites-moi, Royston, qu'est-ce qui vous a amené
à la cour ? lançai-je en m'emparant du verre de vin blanc
posé devant moi.

— Mon père est secrétaire du duc de Buckingham, Sir,
et il m'a trouvé un poste dans le bureau du surintendant
des palais royaux. J'ai étudié l'horticulture à Paris, et j'ai
placé toute ma passion dans la conception de paysages et
de jardins. J'espère m'imposer dans ce domaine.

— De jardins ? En ce qui me concerne, ils me sont une
grande consolation, ainsi que Margaret vous l'a peut-être dit ?

— Oui, Sir. Elle m'a décrit l'allée de hêtres que vous
avez plantée à Bidnold Manor il y a peu.

— Des *hêtres* ? demanda Fubbs. Vous voulez dire « charmes »,
n'est-ce pas ?

— Non, Votre grâce, répondis-je. Il s'agit de *hêtres blancs*,
en français, je crois.

— Ah, des hêtres blancs. Oui, je vois. Très joli. Quoi
qu'il en soit, voyez-vous, Merivel, notre cher Julius est
homme d'ambition. Voilà quelqu'un qui sait la direction
qu'il veut donner à sa vie.

— Oui, c'est l'impression qu'il donne…

— Vous l'aurez oublié, Sir Robert, mais l'on m'a amené
jadis à Bidnold Manor lorsque j'étais enfant, lança Royston.

— Ah bon ?

— Lady Bathurst était ma marraine.

— Violet Bathurst était votre marraine ?

— Oui.

— N'est-ce point une coïncidence, papa ? s'exclama Margaret.

— Oui, bégayai-je. Oui, en effet...

— Je me souviens que votre valet de chambre a dû me garder quelque temps parce qu'elle devait régler dans votre demeure des affaires personnelles auxquelles je ne pouvais assister ; votre valet fut très gentil avec moi.

— Ah. Ce cher Will. Cela ne m'étonne guère. Oui, il a dû être fort gentil.

Dans mon esprit passa un souvenir vivace de Violet arrivant en hâte à la maison en compagnie d'un petit garçon plutôt attachant, qu'elle ramenait à ses parents ou à son école ou que sais-je (mais je lui accordai bien peu d'attention), et se précipitant vers moi pour aller dans ma chambre nous adonner au plus vite à quelque indécente fête sexuelle avant qu'elle ne poursuive son voyage.

Je ne pus m'empêcher d'esquisser un sourire. J'avalai une gorgée de vin et répondis :

— Cette chère Violet. Nous étions bons amis. Royston, je vous assure que j'ai fait tout mon possible pour la sauver de son cancer. Mais j'ai échoué.

— Je le sais, Sir Robert. Elle parlait toujours de vous avec une grande tendresse.

Nous restâmes silencieux l'espace d'un instant. L'on m'enleva mon assiette de soupe pour la remplacer par un morceau de poulet.

Me tournant vers Fubbs, je demandai :

— Votre grâce, avez-vous eu des nouvelles de Bidnold ? J'ai envoyé une lettre à Will Gates depuis la Suisse, mais je n'ai pas eu de réponse.

— Non. Nous n'avons rien entendu, n'est-ce pas, Margaret ?

— Non. Mais tout va bien, pour sûr, papa. Les lettres de Suisse s'égarent souvent.

Après dîner, sur un signal de Fubbs sembla-t-il, les deux femmes nous souhaitèrent soudain bonne nuit et disparurent dans leurs chambres respectives, me laissant seul avec Julius Royston.

Moi aussi j'étais fatigué et brûlais d'envie de poser ma tête sur un oreiller. Mais à peine Margaret et la duchesse étaient-elles parties que Royston, le visage tout à coup écarlate, se pencha brusquement vers moi et me lança :

— Je dois vous confier ceci avant que le courage ne m'abandonne. Et je ne vais pas atermoyer, parce que l'affaire est fort simple : Sir, j'aime Margaret. Je l'aime de tout mon cœur et de toutes mes forces. Je l'ai aimée dès l'instant où je l'ai vue. Et j'ai été perdu...

— Ah...

— Sir Robert, j'ai demandé à Margaret d'être ma femme et elle y a consenti. Et je sais que nous serons le couple le plus heureux de toute l'Angleterre, si seulement vous nous accordiez votre bénédiction.

Le visage tout rouge, les boucles soudain moites et les mains à présent serrées comme pour une prière fervente, il offrait un spectacle attendrissant et toucha quelque chose dans mon cœur.

— Asseyons-nous, proposai-je. Et nous discuterons de cela au calme. Ainsi que, je suppose, vous en avez discuté avec votre père. Que pense Lord Delavigne de cette union ?

— Oh, il s'en réjouit fort ! Il trouve Margaret tout à fait adorable, ce qu'elle est, ce qu'elle est. Il n'y a pas de jeune femme plus adorable en ce monde...

— N'aurait-il pas préféré que vous preniez pour épouse une fille issue d'une famille plus noble que la mienne ?

— Eh bien, en ce qui concerne la « noblesse », Sa Majesté parle avec plus d'affection de vous que de nombreux nobles lords à la cour. Mais cela m'importe peu. Je suis le cadet de quatre fils. Tout ce que mon père souhaite pour moi, c'est que je me fasse une situation et que je sois heureux. Mais, Sir Robert, je ne le serai jamais, je n'aurai pas une once de contentement dans ma vie si je ne puis épouser Margaret. Je vous en prie, dites-moi que vous y consentirez ! Oh, je vous en supplie, ne me torturez pas, mais dites-moi plutôt que vous nous bénirez et donnerez votre accord !

Je versai un peu de vin à Royston, le lui tendis, et il le but avec avidité.

Puis je m'en servis un peu et dis :

— Un mariage heureux est une chose précieuse qu'il convient de rechercher avec ardeur. Le mien fut bref et empli de tristesse. Aussi j'ai toujours prié pour que Margaret soit plus chanceuse que moi. Mais elle est fort jeune, Royston. Elle n'a que dix-huit ans. Et elle connaît peu de choses du monde, ou des hommes...

— Je lui enseignerai tout ce qu'elle pourrait souhaiter savoir. Je prendrai soin d'elle et lui vouerai tous mes efforts. Je ne lui interdirai jamais de leçons de danse, de musique ou de géographie, quoi que son cœur désire. Je ne construirai pas de prison autour d'elle, comme certains hommes le font autour de leurs épouses, je vous en donne ma parole. Elle sera ma femme, mais elle restera Margaret pour toujours.

Les sentiments de Royston étaient si intenses que les larmes lui montèrent aux yeux. Il les essuya et poursuivit :

— Vous ne me connaissez pas, Sir Robert. Si Lady Bathurst était en vie, elle pourrait se porter garante de moi, mais elle n'est plus de ce monde. Vous estimerez peut-être que j'aurais dû attendre avant de faire ma demande, mais c'était impossible. C'était impossible parce que tout le monde craint que le Roi ne meure, et comment pourrais-je alors vous présenter cette requête si Sa Majesté venait à nous quitter ? Vous n'auriez guère de temps à me consacrer. Donc c'est maintenant que je dois m'exécuter. Maintenant, ce soir. Et je vous supplie de me répondre !

Je regardai le jeune homme avec tendresse. Quelque chose en moi lui enviait sa grande passion, son optimisme et son visage couleur tomate. Je savais que je n'avais jamais éprouvé ce qu'il éprouvait, et je décidai à l'instant que je ferais bien de mettre tout de suite un terme à la torture qu'il endurait. Les premières amours sont souvent les plus fortes et ne devraient pas être repoussées.

Malgré tout, je ne pouvais lui donner sa réponse avant de m'être entretenu en tête à tête avec Margaret. Je lui demandai donc d'attendre ici, près de la cheminée de la duchesse, l'informant que je me rendrais auprès de ma fille pour l'interroger sur ses sentiments, puis que je reviendrais vers lui et lui donnerais ma réponse.

Il ne pouvait discuter cette suggestion, et d'ailleurs ne le fit point. Alors que je me dirigeais vers la porte, il me lança :

— Margaret m'aime ! Elle me l'a juré !

Cette dernière était assise sur son lit et lisait une lettre de son amie, Mary Prideaux.

— Envoyée de Cornouaille, peut-être ? demandai-je.

— Précisément. Elle a ramassé quarante-neuf minuscules coquillages.

— Magnifique. A-t-elle vu des macareux ?

— Elle n'en dit rien. Avez-vous parlé à Julius, père ? Vous a-t-il fait sa... ?

— Oui. Il l'a faite.

Margaret reposa sa lettre et jeta ses bras à mon cou.

— Je sais, vous allez dire que c'est précipité. Mais ça ne l'est pas pour nous. Nous savions que cela devait advenir dès notre première rencontre. Julius est l'homme le plus adorable, le plus charmant et le plus intelligent, papa. Avec le temps, vous verrez. Et si nous ne pouvons pas être ensemble, alors je pense que je serai une des femmes les plus malheureuses et les plus misérables sur terre, et que je n'aurai plus qu'à me cacher dans un couvent et vivre de pain sec et d'eau.

— De pain sec et d'eau ? Ce n'est pas possible.

À ce moment-là, vêtue d'une chemise de nuit bouffante couleur pêche et d'un bonnet en dentelle cachant ses boucles, Fubbs entra dans la pièce en tourbillonnant sans y avoir été invitée.

— Et alors ? lança-t-elle. J'ai entendu votre voix, Merivel. Royston vous a-t-il fait sa demande ? Tout est-il arrangé ? Ne me dites pas que vous avez refusé ?

Fubbs s'assit à côté de nous sur le lit. Sans attendre de réponse à sa question, elle se lança dans un péan de louanges sur l'honorable Julius Royston, me rappelant de quelle bonne famille il venait, et comment toutes les jeunes femmes à la cour étaient « folles de jalousie » vis-à-vis de Margaret qui avait dérobé son cœur.

— Et ils s'aiment tant ! poursuivit Fubbs. Je n'ai jamais vu deux tourtereaux plus épris, c'est adorable. Le Roi lui-même est d'accord avec moi, vous devez vite donner votre consentement pour le mariage, puis nous vous aiderons à préparer une somptueuse cérémonie. Dans votre charmant Bidmould.

— Bid*nold*, Votre grâce.

— Eh bien, Bidnold alors. Un mot bien étrange. Mais le Roi est heureux là-bas. Et voilà qui l'aidera à aller mieux, de préparer un mariage au printemps dans le Norfolk.

Un mariage au printemps.

J'étais à mille lieues de pouvoir parler à Margaret de mes fiançailles avec Louise, aussi ne me laissai-je même pas troubler par l'idée de le faire. Je regardai les deux visages passionnés devant moi, leurs yeux grands ouverts par l'espoir et la soif de bonheur, et je me laissai porter par eux et par le jeune homme que j'avais laissé près du feu.

— Bien sûr, fis-je. Bien sûr.

Je m'en retournai vers Julius et lui annonçai la bonne nouvelle ; il m'adressa une profonde révérence puis me remercia et m'embrassa la main, promettant sur sa vie que je n'aurais pas à regretter ma décision.

— Il y a juste une chose, Royston. Si vous espérez que Margaret apporte une large dot, vous serez déçu.

— Non, non...

— Je vis surtout de la rente que le Roi me donne chaque année. Elle est généreuse, mais je n'ai pas de fortune personnelle, juste assez d'argent pour financer mes terres et rien de plus. Margaret héritera du manoir de Bidnold quand je ne serai plus là, mais je n'ai pas grand-chose à lui donner maintenant.

— Je ne m'en soucie guère, Sir Robert. Comme vous le savez, mon père est fort riche et il nous trouvera une maison à Londres. Mais j'ai l'intention de me faire un nom dans le monde avec mes talents de jardinier. Les jardins font battre le cœur des Anglais. J'en ai vu des exemples partout.

— Oui, je pense que vous avez raison là-dessus. Je l'ai remarqué aussi.

— Même dans les villages pauvres, chaque cottage a son jardin, et pas juste pour la nourriture et la volaille, mais aussi pour les asters d'automne, les myosotis et les rosiers grimpants. Quant aux hommes près de faire fortune, une fois qu'ils ont passé commande d'un portrait d'eux-mêmes, de leurs femmes et de leurs chiens, alors leurs pensées se tournent tout naturellement vers les belvédères, les lacs, les fontaines et autres folies. Je ne manquerai point de commandes, j'en suis certain.

— Bien. Je trouve admirable que vous suiviez votre propre voie dans la profession de votre choix.

— Et quand je serai établi, j'espère que Margaret et moi aurons des enfants. Je sais que sa propre enfance fut quelque peu solitaire...

— En effet.

— Ce n'était pas votre faute, Sir Robert... votre épouse était décédée. Nous espérons juste...

— Avoir une grande famille.

— Oui. Et mon esprit s'emballe en imaginant Margaret avec nos bébés.

C'est seulement à ce moment-là, lorsque Julius Royston évoqua le doux avenir qu'il avait planifié avec ma fille et leurs enfants, que je sentis la fin soudaine et miraculeuse de mes craintes pour Margaret.

Il me sembla que pendant un nombre incalculable de jours et de mois elle s'était amassée dans ma poitrine tel un cancer proliférant, et que l'on avait enfin effectué une grande incision (néanmoins indolore) sur mon corps afin d'enlever la tumeur, laissant mon cœur libéré de toute angoisse. Toutes ces inquiétudes que Violet Bathurst m'avait fourrées dans la tête, comme quoi le Roi séduirait Margaret et ruinerait sa vie, semblaient à présent lamentables et erronées. J'étais désormais tout à fait certain qu'aucune séduction de ce genre n'avait jamais eu lieu.

Je m'enfonçai dans mon fauteuil et regardai Julius Royston. Ce n'était pas un mari d'opérette. C'était un jeune homme passionnément amoureux. Je laissai échapper un long soupir de satisfaction.

— J'espère que Sa Majesté et moi-même vivrons pour voir ces bébés, ajoutai-je.

*

Il était tard quand je finis par me retirer dans la chambre que la duchesse m'avait attribuée, mais je savais qu'une tâche supplémentaire m'attendait encore : il me fallait écrire de nouveau à Will.

Cher Will, écrivis-je,
Je viens d'arriver à Whitehall car, le Roi se sentant un peu souffrant, il m'a demandé de rentrer de Suisse. Je verrai Sa Majesté demain et prie pour que ses ennuis soient passagers et disparaissent bien vite.

Dès qu'il sera rétabli, je rentrerai à Bidnold. Je suis quelque peu inquiet de ne pas avoir eu de tes nouvelles, Will. Je t'en prie, écris-moi ici pour me rassurer et me dire que tout est bien dans le Norfolk, sans incident ou grande catastrophe.

J'ai trouvé mademoiselle Margaret en bonne santé, elle est très heureuse auprès de la duchesse de Portsmouth. J'ai des nouvelles concernant son avenir, que je serai heureux de te confier la prochaine fois que nous nous verrons à Bidnold.

En attendant, je demeure,
Ton employeur affectueux et ami,
Sir R. Merivel.

31

Le jour se leva sur un froid mordant, malgré le beau soleil qui éclairait l'aube. Sur l'insistance de Fubbs, je me dirigeai vers les appartements du Roi dès que j'eus pris mon petit déjeuner, et le trouvai debout devant une fenêtre à regarder le jour qui étincelait. Lorsqu'il se retourna et me vit, il s'écria :

— Merivel ! Oh, j'ai rêvé que vous étiez enterré dans quelque glacier suisse. Votre visage bien-aimé était tout écrasé et couvert d'une couche de glace. Je tentais de vous parler au travers, mais vous ne parveniez pas à m'entendre.

— Eh bien, Votre Majesté, comme vous le constatez, je ne suis pas gelé du tout, mais je suis ici devant vous, et je vous entends très bien.

Le Roi, qui avait l'air fort pâle, s'avança dans ma direction en boitillant, me serra dans ses bras et fit claquer un baiser sur ma joue. Dans la chambre il y avait aussi Thomas, Lord Bruce, l'un des lords attachés à la personne du Roi, qui avait toujours été courtois à mon égard, et qui déclara :

— Maintenant que vous êtes là pour distraire Sa Majesté, Sir Robert, je suis sûr qu'il recouvrera la santé.

— Bruce et moi étions sur le point de prendre une calèche, expliqua le Roi, pour voir les nouveaux flamants roses dans le parc, mais cela ne vous dérangera pas, Bruce, si Merivel m'accompagne à votre place ?

— Non, Sir. Pas du tout. Mais je vous recommande de ne pas rester trop longtemps dehors et de garder une fourrure sur les genoux.

J'avais peu souvent eu l'occasion de me promener seul avec le Roi dans l'une de ses nombreuses calèches, et je ne pus m'empêcher de m'émerveiller soudain du fait de me retrouver là, enveloppé dans des fourrures, tiré par quatre chevaux gris en cette froide matinée ensoleillée.

Sachant quelle angoisse la maladie du Roi avait suscitée dans le cœur de Fubbs, et lui voyant un air bien pâle et fatigué, je ne pus m'empêcher de le questionner sur sa condition. Je m'attendais à ce qu'il écarte mes interrogations avec désinvolture, mais il n'en fit rien. Il jeta un œil vers les gens qui prenaient l'air dans le parc et dit :

— Je ne veux pas les abandonner, Merivel, tous ceux qui déambulent, vaquant à leurs affaires, et qui constituent ce précieux tout qu'est l'Angleterre. Mais je tends à croire que l'heure approche. Et il y a tant de choses inachevées.

Impossible pour moi de trouver que répondre à ce triste énoncé. De sa vie, le Roi n'avait jamais été du genre à susciter une vaine compassion, donc je savais qu'il croyait vraiment ce qu'il disait. Et que s'il estimait être bel et bien mourant, alors je devais le croire aussi. Ce qui me laissa un moment sans voix.

— Ma mère m'a toujours exhorté de me convertir à sa religion, l'Église catholique romaine, avant de quitter ce monde, poursuivit le Roi. Mon frère l'a fait, mais pas moi, Merivel. Pas moi parce que ce n'était pas une bonne idée d'un point de vue politique. Et pourtant, mon âme brûle soudain de l'imiter. Que me conseillez-vous ?

— Si tel est le cas, Sir, eh bien je pense que vous devriez mander un prêtre et prononcer vos vœux.

— En effet. Mais ce n'est pas aussi facile que cela. Il y aurait un tollé de la part de tous les membres du Conseil privé et au-delà, dans tout le royaume. Le roi d'Angleterre ne peut se soumettre à Rome sans causer un terrible esclandre ecclésiastique et politique. La seule manière serait d'agir en privé, afin que l'affaire demeure entre Dieu, moi et l'esprit de ma mère, et personne d'autre hormis le prêtre. Mais depuis que je suis entouré de docteurs jour et nuit, je vois mal comment je puis faire entrer en cachette un prêtre catholique dans mes appartements. Pourriez-vous réfléchir à un moyen ?

— Bien sûr, Sir.

— Pourriez-*vous* prétendre être prêtre, Merivel, et nous pourrions alors arranger cela ici et maintenant, dans cette calèche, sans témoins.

— Ah, et quel prêtre j'aurais été ! Je n'aurais pas eu une minute pour mes ouailles tant j'aurais été pris par la confession de mes péchés et mes pénitences.

Le Roi rit et me pinça le nez ; puis, voyant que nous étions très proches de l'endroit où se rassemblaient les flamants roses, il fit arrêter la calèche.

— Regardez-les. Quels oiseaux surprenants, lança-t-il.

Nous observâmes leurs pattes roses, la courbe de leurs cous et la fragile pellicule couleur corail que leurs reflets déposaient sur l'eau. Je remarquai la délicatesse et la grâce avec laquelle ils se mouvaient.

— Combien y a-t-il de merveilles dans le monde que je n'ai jamais vues, et que maintenant je ne verrai jamais ? constatai-je.

— En effet. Je suis le roi d'Angleterre mais je n'en verrai plus non plus. C'est pourquoi j'ai fait venir des crocodiles et des casoars ici, à Saint-James. Votre Mme de Flamanville est-elle fascinée par les oiseaux et les animaux, elle aussi ?

— Oh…

Je fus gêné par l'apparition inattendue de Louise dans la conversation.

— Je pense que oui. Elle a été très contrariée par le destin de Clarendon.

Je ne cessai de fixer les flamants, mais sentis le regard du Roi posé sur moi de manière attentive. Pour finir, il demanda :

— Et qu'en est-il d'elle, Merivel ? L'avez-vous rendue à son Garde suisse ?

— Non. Le colonel de Flamanville est mort, tué en duel.

— Un duel ? Nous pensions qu'ils n'étaient plus du tout à la mode. Et pourtant c'est fort pratique. Vous êtes donc libre de l'épouser, si tel est votre souhait. Est-ce le cas ?

À ce moment-là, un bruit surprit les flamants roses qui s'envolèrent de concert, nuage de pétales roses de magnolias papillonnant autour du lac, puis ils se posèrent sur la rive opposée. Je me tournai vers le Roi et lançai :

— D'autres fiançailles me préoccupent depuis mon retour, à savoir celles de ma fille avec Julius Royston.

— Ah, oui, en effet. Qu'en dites-vous ? Fubbs adore cette idée. Elle est folle de votre fille et de Julius. Donnerez-vous votre consentement ?

— Que savez-vous sur Royston, Sir ?

— Eh bien...

Et le Roi se pencha vers moi pour chuchoter dans mon oreille.

— Ne dites cela à personne, Merivel, pas même à Margaret, car j'ai le plus grand respect pour Lord Delavigne et je ne voudrais point causer de gêne ou de chagrin à lui ou à sa famille. Mais j'ai toujours pensé que Julius Royston était mon fils.

— Votre fils ?

— Hortensia Delavigne et moi... eh bien, ce fut une histoire d'une nuit, comme avec Lady Bathurst... mais neuf mois plus tard, Julius est arrivé, et il ne ressemble guère à Delavigne, qui est brun-roux avec des taches de rousseur : il me ressemble.

Je dévisageai le Roi. L'idée que ma fille soit mariée à un enfant du Roi – même si aucun d'eux ne le savait – me paraissait extraordinaire.

— Bien sûr, ajouta le roi, j'éprouve une affection paternelle pour Julius. Et Margaret lui apporte beaucoup, en tout cas c'est ce qu'il me semble. Leurs natures sont toutes deux bonnes et tendres, et elle l'encouragera dans ses entreprises professionnelles. Si je vis jusqu'à l'été, je lui passerai une petite commande pour un nouveau lac et un massif d'arbustes à Newmarket.

Je savais que je devais écrire à Louise et ne pas reporter cette lettre ainsi que je l'avais fait pour la précédente, lui causant beaucoup de peine.

Penser à elle et à ses impudiques et insatiables besoins de *jouissance* me procura une légère excitation sexuelle et je songeai à me rendre, dans l'après-midi, à London Bridge pour y voir ma chère putain, Rosie Pierpoint ; combien cela me consolerait de me comporter comme un enfant gâté dans ses bras, déchargé de toute conscience ou responsabilité.

En attendant, j'écrivis à Louise :

Ma chère Louise,

Je suis bien arrivé à Whitehall et rentre à l'instant d'une courte promenade en calèche avec Sa Majesté dans Saint-James's Park, où nous avons vu des flamants roses. Vous en déduirez que Sa santé ne semble pas en danger immédiat, et pourtant quelques angoisses perdurent. La plaie sur Sa jambe lui fait très mal, et il est fort pâle. Je le verrai à nouveau après dîner, lorsqu'Il viendra dans les appartements de la duchesse.

Je pense beaucoup à vous et prie le ciel que vous alliez bien, ainsi que le baron et Constanza, et que l'hiver ne soit pas trop rude pour vous. Ici il fait froid, mais le soleil brille.

Et maintenant, Louise, je dois en arriver à ma grande nouvelle : avec mon consentement, Margaret est fiancée à l'honorable Julius Royston, le benjamin de Lord Delavigne. Tous ici, y compris le Roi, nous réjouissons de cette union, car ce jeune homme est très bien et tous deux semblent ravis. Mais

comme ils sont jeunes et passionnés, ils ne souhaitent pas repous-
ser leur mariage au-delà du printemps.

C'est moi qui organiserai la réception à Bidnold, et comme
il y aura beaucoup à arranger et à superviser, je me verrai
dans l'impossibilité de revenir en Suisse avant juin. Notre
propre mariage doit donc, hélas, être reporté.

Je sais que vous serez aussi contrariée que moi par cette
nouvelle. Mais soyez assurée que je reviendrai dès que Mar-
garet sera mariée, et qu'alors nous aurons tout le loisir de
penser à notre propre avenir.

J'inclus dans cette lettre quelques feuilles de sauge mauve
qui ont survécu à tous les vents et aux amoncellements de
neige hivernale, en gage de mon respect pour vos entreprises
scientifiques ainsi que de mon éternelle affection.

Votre humble chevalier,
R. Merivel

Relisant cette lettre à plusieurs reprises, je ne pus m'empêcher d'être frappé par sa froideur et son formalisme. Telle
n'avait pas été mon intention, mais le résultat était là, et je
me sentis quelque peu honteux, comme s'il s'était agi d'un
devoir scolaire mal rédigé. Si ce n'est que je n'avais pas la
patience de recommencer.

Puis autre chose se mit à me torturer. En tant que future
belle-mère de Margaret, Louise de Flamanville devait être
invitée de droit à Bidnold pour ce mariage printanier. Peut-
être en serait-elle consciente et, cherchant dans la lettre une
invitation qui n'y serait point, en serait attristée.

Pourtant, j'avais eu beau essayer à de multiples reprises,
il m'était impossible d'imaginer Louise de Flamanville
jouant le rôle de maîtresse de maison à Bidnold. Je n'avais
pas oublié sa remarque sur mon almanach illustré destiné
à Will Gates qu'elle estimait « trop beau » pour un domestique. Et j'en déduisis qu'elle ne comprendrait ni ma maisonnée ni son organisation, ni comment mes loyautés y
étaient réparties – même envers Cattlebury, tout débordant
qu'il était des sueurs de sa folie – et comment je refusais

de me séparer de mes domestiques à mon service depuis des années.

Je scellai ma lettre et la donnai à poster, ne pouvant me résoudre à y ajouter un post-scriptum invitant Louise en Angleterre. Une fois dans la rue, mû par mon désir de rendre visite à Rosie, je me dirigeai vers London Bridge. Mais à peine avais-je mis un pied dehors que la voiture de Fubbs s'arrêta à ma hauteur ; elle me tira à l'intérieur afin de m'interroger sur l'état de santé du Roi, et c'est donc sous un déluge d'interrogations que je rentrai vers ses appartements, mettant un terme à mes désirs obstinés.

Ce soir-là, le dîner avec Fubbs, Margaret et Julius fut très animé et joyeux. Plus tard, Lord et Lady Delavigne nous rejoignirent, courtois et gentils à mon égard, me montrant avec grande fierté une somptueuse bague en diamant que Julius glissa ensuite au doigt de Margaret.

Voyant cela, ce rouquin de Lord Delavigne fondit en larmes de joie (cela me le rendit aussitôt sympathique car, étant moi-même un pleurnicheur, j'imaginais qu'il avait dû, comme moi, user de nombreux et coûteux mouchoirs au fil des ans). S'essuyant les yeux, il mit un bras sur les épaules de Margaret et un autre sur celles de son benjamin et se lança dans un discours impromptu sur la nature insaisissable du bonheur humain, et sur l'art de l'attraper avec ce qu'il nommait une « vigoureuse avance », ainsi que l'on attrape un papillon dans un filet.

— Oh, et ensuite on *l'épingle*, Delavigne, n'est-ce pas ? le taquina Lady Delavigne.

— Non, Hortensia, pas du tout. Si par « épingler » vous insinuez une sorte d'endiguement ou d'esclavage, et j'espère vraiment que ce n'est pas le cas, vous avez tout à fait tort. Quand, en trente années, vous ai-je jamais « épinglée » si ce n'est pour répondre à votre propre désir sur le lit conjugal ?

— Delavigne, voyons ! Quel discours choquant devant Sir Robert !

— Mon but n'est pas de choquer. Je dis juste que le bonheur est une denrée rare et que l'on doit s'en emparer quand il est offert.

— En effet, répondit Hortensia. C'est ce que nous souhaitons de tout notre cœur.

Ce moment avait rapproché la famille Delavigne, mais je ne pouvais m'empêcher de regarder Hortensia, qui était encore fort belle, en me demandant dans quelles circonstances il lui avait été « offert » de faire l'amour avec le Roi, avec quelle rapidité ou hésitation elle avait saisi l'occasion et ce qu'elle pensait depuis.

Elle aussi devait savoir – ou en tout cas soupçonner – que Julius était le fils du Roi mais, en vingt-trois années, elle n'en avait jamais soufflé mot à quiconque, pas même pour obtenir le moindre avantage de Sa Majesté, et je me dis que cela faisait honneur à son caractère et à son amour pour Delavigne.

Puis le Roi nous rejoignit et nous nous installâmes pour une partie enfiévrée de bassette, un divertissement devant peu à l'habileté mais beaucoup à la chance. Nous jouâmes sans retenue, pariant fort et riant, rire qui ramena des couleurs sur le visage du Roi. Et j'étais tout surpris de constater que ma bonne fortune m'avait valu plus de vingt livres. Ce qui, hélas, ramena mon esprit vers l'argent et le fait que la cérémonie à Bidnold serait coûteuse, car tout se devait d'être splendide, or j'ignorais comment j'allais y pourvoir.

Sur ces entrefaites, l'un des musiciens français de Fubbs entra et nous chanta de douces mélodies ; nous devînmes tous silencieux, pensant aux temps à venir et à ce qu'ils nous apporteraient en termes de bonheur et de malheur. Je voyais Fubbs regarder le Roi avec tristesse, et je me dis que de toutes ses maîtresses elle avait peut-être été la plus aimante et la plus réconfortante. Et cela me peina de penser que, si le Roi devait mourir, le duc d'York la chasserait, ses appartements iraient à quelqu'un d'autre et tout son statut social s'envolerait.

Mais ainsi le veut notre époque. Ainsi le veulent les jours et les heures de tout un chacun, et peu importe combien nous travaillons et luttons, nous ne pouvons jamais savoir quand une chose nous sera donnée ni à quel moment elle nous sera reprise.

32

Un étrange spectacle m'accueillit tôt le lendemain matin : Fubbs, avec une véritable roseraie de papillotes sur la tête et les joues tels des pétales écarlates, se penchait sur moi, m'implorant de l'aider.

— Qu'y a-t-il, Votre Grâce ?

— Une autre attaque ! bredouilla-t-elle. Plus violente encore. Et selon Lord Bruce, je ne peux pas me rendre à son chevet parce que la Reine y est déjà. Vous devez y aller, Merivel. Il est inconscient ! Il pourrait ne jamais se réveiller. S'il vous plaît, je vous en supplie, allez-y pour moi.

Je m'habillai aussi vite que je le pus. L'une des bonnes de Fubbs m'apporta un bol de chocolat que je bus avec reconnaissance. Puis je pris un moment pour nettoyer mes instruments chirurgicaux et me dirigeai vers les appartements du Roi, laissant à Margaret le soin de consoler Fubbs prête à s'évanouir de chagrin et d'appréhension.

Les gardes devant la porte extérieure étaient à présent au nombre de six. Ils étaient sinistres, on les aurait dits forcés d'assister à une exécution, mais l'un d'eux me reconnut et me laissa entrer dans les appartements du Roi, déjà engorgés de monde.

Me frayant un chemin à travers cette multitude de conseillers privés, d'évêques, de divers lords, de domestiques et de docteurs, je finis par repérer la silhouette de la reine Catherine, agenouillée au chevet de Sa Majesté, semblant flotter sur ses larges jupes noires, comme si le Roi était déjà embarqué sur le cours rapide du Styx l'emmenant vers une perdition protestante, tandis qu'elle essayait de le sauver dans sa fragile barque catholique. Il était étendu sur le côté, tourné vers elle. Je ne pouvais voir son visage, mais je fus consterné de remarquer qu'il n'avait pas de couverture, à peine sa chemise de nuit chiffonnée et souillée. Sur les trois autres côtés du lit, les docteurs essayaient sur lui leurs « remèdes », le saignant au bras ou lui tondant la tête. Et, tandis que deux évêques marmonnant des prières le regardaient avec intensité, le cul royal était soumis au tubes et aux vessies de la poire à lavements.

Ma compassion pour le Roi me fit suffoquer. Je me tins très immobile et regardai. Et je me fis la réflexion que ma profession, avec toutes ses atroces interférences, est si souvent incompétente et maladroite que j'aurais voulu que les docteurs s'en aillent et laissent Sa Majesté en paix. Mais j'étais impuissant.

Je cherchai Lord Bruce du regard, sans parvenir à le repérer dans la foule. Puis j'aperçus William Chiffinch, grand officier du Roi, un homme très proche du souverain durant tout son règne. Chiffinch était avec moi dans les appartements royaux cette nuit de septembre 1666, il y a bien longtemps, lorsque l'incendie se déclara. Deux ans plus tard, quand je retournai à Whitehall, il me reconnut, m'attrapa la main et me dit, non sans émotion, qu'il était content que je n'aie pas péri dans les flammes.

Chiffinch tentait à présent de contrôler sept épagneuls glapissants tenus en laisse. Je lui pris trois des chiens ; l'un était Bunting qui, me reconnaissant, se mit à sauter et déchira mes bas. Je la pris dans mes bras et tentai de tenir les autres tranquilles, mais voilà qu'à présent ils voulaient tous être portés comme des enfants, alors je reposai Bunting, à qui je lançai un ordre sur un ton sévère ; du coup les autres chiens s'assirent pendant un ou deux instants bénis des dieux, le temps que Chiffinch me raconte ce qui s'était passé.

— Il s'est rendu dans son cabinet vers huit heures, Sir Robert, et j'ai attendu à l'extérieur. Mais il y est resté longtemps, alors je suis entré et lui ai demandé : « Comment allez-vous, Sir ? » Il était pâle comme un linge et ne semblait pas en mesure de me répondre, il s'est juste contenté de gonfler un peu les joues.

» Je l'ai emmené dans sa chambre, où son barbier, Follier, attendait pour le raser. Ce dernier l'a salué, mais Sa Majesté n'a rien répondu, et Lord Bruce et moi-même l'avons aidé à s'asseoir sur la chaise, puis Follier s'est mis à l'œuvre ; mais à peine avait-il commencé qu'un son terrible est sorti de la bouche de Sa Majesté, l'on aurait dit le hurlement ou le cri d'un animal sauvage, puis il est retombé sur sa chaise.

» Son pouls était faible et il respirait par à-coups. Nous l'avons porté sur le lit et avons fait mander les docteurs et la Reine, ainsi que le duc d'York qui n'est pas encore arrivé ; on l'a vu ramer sur la rivière, mais on ne l'a point trouvé. Les hommes du Conseil privé sont arrivés, ainsi que des évêques, mais ils engorgent la chambre et consomment tout l'air du Roi.

Je restai silencieux un instant, avant d'ajouter :

— Moi aussi je suis de trop ici. Dites-moi ce que je pourrais faire.

— Eh bien, vous pourriez emmener les chiens pour une promenade, Sir Robert. Ou sinon je crains qu'ils ne chient par terre et que nous ne marchions tous dedans. Sa Majesté les emmène d'ordinaire pour leur promenade à cette heure-ci.

Je me mis donc en route avec les sept chiens, et remarquai qu'une foule avait commencé à se former aux portes du palais.

La journée était froide mais belle, et je décidai d'emmener les chiens en direction du parc ; vu comme ils s'étaient mis à gambader, c'était plutôt eux qui m'emmenaient, et je fus obligé de trottiner pour les suivre tandis que les sept laisses menaçaient de s'emmêler entre elles et de me faire tomber.

Dès qu'ils eurent reniflé l'air du parc, les chiens décidèrent chacun de leur côté de faire leurs petites affaires ici et là, et j'avoue que je me sentis un peu ridicule, debout à attendre pendant qu'ils chiaient et pissaient, et que les gens qui me croisaient me regardaient avec dégoût car j'avais laissé certains d'entre eux se soulager sur l'allée de graviers sans les tirer sur l'herbe.

Mais c'est alors qu'un homme, reconnaissant les armoiries du Roi sur les laisses, m'arrêta, l'air sérieux, et me demanda :

— J'ai entendu une rumeur, Sir, disant que le Roi serait mourant. Ce sont ses chiens, je le sais. Pouvez-vous me dire si cette rumeur est fondée ?

Je tirai avec force sur les laisses pour maîtriser ces derniers, et une douleur monta le long de mon bras tandis que je lui répondais :

— Nous ne savons pas, Sir. Les docteurs sont à son chevet. Il a été victime ce matin d'une sorte de convulsion, et depuis il semble dormir. C'est tout ce que je puis vous dire.

L'homme me dévisagea, bouche bée. Il avait environ mon âge. Il regarda à nouveau en direction de Whitehall et répondit :

— J'étais présent à son couronnement. J'ai vu sa barque de cérémonie sur la rivière. J'ai entendu les cloches sonner aux quatre coins de Londres. Nous l'appelions notre Pâtre noir, à cause de ses boucles sombres et de sa peau mordorée. Nous le croyions immortel.

Je hochai la tête d'un air grave.

— Êtes-vous l'un de ses domestiques ? me demanda l'homme.

— Oui. Je pense que l'on peut m'appeler ainsi. J'ai passé une grande partie de ma vie à tenter de le servir.

— Pardonnez-moi si je me suis trompé. Peut-être êtes-vous quelque noble lord ?

— Non, vous ne vous êtes pas trompé.

Je pris conscience à ce moment-là que, d'autres passants écoutant notre conversation, un petit groupe s'était formé autour de nous, et que tous ces gens semblèrent abasourdis quand ils entendirent que le Roi était gravement malade. Au centre du groupe, les chiens gambadaient en gémissant et les gens se baissaient pour les caresser, comme si le fait de toucher l'un des chiens du Roi revenait à toucher Sa Majesté Elle-même.

Une femme, très joliment vêtue, prit Bunting dans ses bras et, appuyant la tête de la chienne contre sa poitrine, demanda :

— Si cette époque est révolue, que va-t-il advenir de l'Angleterre ?

— Jacques le papiste montera sur le trône, lança un autre passant sur un ton hargneux – c'était un homme à l'air féroce et colérique –, tout sera corrompu et faussé par les diktats de Rome, puis l'Angleterre entrera une nouvelle fois en guerre avec la Hollande. Ce sera sanglant et cela n'aura pas de fin...

Ces mots (prédiction à la fois fort vraisemblable et fort exacte) soulevèrent un tollé au sein du petit groupe, qu'à présent d'autres avaient rejoint. Certains crièrent : « À bas les papistes ! », « Mort à Rome, pas au roi Charles ! » et « Que Dieu maudisse le duc d'York. »

Je me rendis alors compte que nombre d'entre eux *me* regardaient avec un air accusateur, comme si j'avais été le vrai duc, ou peut-être le pape en personne. Je trouvais cela tout à fait injuste et déraisonnable, mais ne pus que tenter de les calmer en disant :

— Le Roi n'est pas mort ! Il peut encore se remettre et finir aussi vieux que Mathusalem. Mesdames, merci de reposer les chiens afin que je puisse poursuivre leur promenade. Je vous en prie...

Mais elles refusaient de les lâcher, et, la foule qui m'entourait s'étant encore agrandie, je ne savais que faire pour m'échapper. Pris dans cet élan, il m'était difficile de ne pas repenser à ma conversation de la veille avec le Roi, presque au même endroit, où il m'avait confié son désir de se convertir à l'Église de Rome. Je craignais même que quelque vestige de cette confession secrète ne soit visible sur mes traits.

J'arrachai Bunting à l'opulente poitrine de la dame et, serrant la chienne contre moi, tentai de raisonner les gens en disant :

— Mesdames, messieurs, écoutez-moi. Taisez-vous, je vous en supplie. Que dirai-je au Roi si Sa Majesté se réveille, demande après ses épagneuls et qu'aucun n'est là ? Il leur est très attaché et aime les avoir auprès de Lui en permanence. S'il vous plaît, je vous le demande, rendez-moi ces animaux afin que je puisse les ramener chez eux.

Ainsi que le colonel de Flamanville et nombre d'autres personnes le savaient, je ne possède pas d'« autorité naturelle », mais ce fragile argument finit par prévaloir et je pus me frayer un chemin à travers la foule, serrant toujours fort les sept laisses et dirigeant les chiens vers leur logis, leurs queues duveteuses frétillant joyeusement au soleil.

Après avoir rendu les épagneuls au pauvre Chiffinch, je remarquai qu'il n'y avait pas de changement dans l'état de santé du Roi, si ce n'est qu'Il était à présent tout chauve, qu'on lui appliquait des ventouses sur les pieds et que le duc d'York avait remplacé la Reine à son chevet ; je retournai donc dans les appartements de Fubbs.

Margaret et elle étaient assises devant un grand feu et tentaient une partie de rami, l'esprit ailleurs. La chevelure de Fubbs n'était plus une forêt de papillotes et elle portait un joli bonnet sur ses boucles brunes tombant en cascade.

À ma vue, elle se précipita vers la bouteille de cognac qu'elle gardait toujours sur une petite table en marqueterie et nous versa à chacun un verre.

— Dites-nous. *Dites-nous...*

Reconnaissant, j'en avalai une gorgée (dont l'odeur me rappelle toujours avec nostalgie le laudanum, et me donne envie d'en prendre) et annonçai :

— Il n'y a pas de changement. Mais la Reine s'est retirée. Peut-être serez-vous autorisée à entrer, duchesse ?

Ayant enlevé ses chaussures pour jouer au rami, Fubbs entreprit céans de les chercher sous la table à jouer, son large postérieur français dressé en l'air, tel le derrière d'une fille de cuisine lavant un sol, et je fus empli d'une immense tristesse à son endroit.

Une fois qu'elle les eut trouvées, elle fit quérir sa houppelande de satin bleu (le vêtement préféré du Roi) et, s'enroulant dedans, quitta l'appartement à la hâte, me laissant seul avec Margaret.

Je m'enfonçai dans un fauteuil et avalai une gorgée de cognac. La bousculade autour des chiens dans le parc m'avait laissé en sueur. Margaret vint vers moi, s'agenouilla et posa la tête sur mes genoux. Elle resta silencieuse un long moment, me laissant reprendre ma respiration, puis elle demanda :

— Va-t-il mourir, papa ?

— Eh bien, les médecins s'y emploient.

Fubbs fut longtemps absente et j'étais heureux pour elle qu'elle ait été reçue dans la chambre du Roi.

Margaret et moi nous assîmes et discutâmes de son mariage, qu'elle disait vouloir à Bidnold et nulle part ailleurs, avec les filles Prideaux comme demoiselles d'honneur, « la maison couverte de fleurs le long des escaliers et, à chaque étage, un grand cortège descendant l'allée, et les villageois qui participeraient en frappant sur des tambourins, et en jetant des rubans et des fleurs en l'air.

Elle était devenue toute rose, excitée à l'idée de cette journée (dont les images ne pouvaient que me rappeler mon mariage « d'opérette » avec Celia Clemence en 1664), et alors même que je la rassurais sur le fait que tout serait organisé exactement comme elle et Julius le souhaitaient, le coût probable de l'entreprise continuait de m'emplir de terreur.

Si le Roi mourait, la rente qu'il me versait cesserait sur-le-champ. Le duc d'York y veillerait. La seule manière de couvrir les dépenses du mariage de Margaret serait d'emprunter une large somme à un prêteur à Norwich, en promettant de lui en rembourser la majeure partie d'ici Noël, une fois parvenu à un accord financier avec le baron de Saint-Maurice au sujet de la dot de Louise. Mais cette perspective, marquée par le déshonneur, me faisait horreur.

Puis je me fis la réflexion que mon silence vis-à-vis de ma fille au sujet de Louise était lui aussi entaché, cette fois-ci par la tromperie, et je respirai un bon coup pour lui narrer mon récit du faux duel et ma promesse de retourner en Suisse afin d'y épouser Mme de Flamanville ; mais c'est alors que la porte s'ouvrit à la volée et que Fubbs réapparut.

— Il s'est réveillé ! cria-t-elle. Je lui ai tenu la main, j'ai bien cru qu'il ne me reconnaissait pas, mais alors je me suis penchée pour lui embrasser le visage, et il a chuchoté « la poitrine de Fubbs » et tenté de tendre une main pour me toucher à cet endroit.

— Que disent les docteurs ? demandai-je. La crise est-elle passée ?

— Ils sourient tous. Ils pensent que leurs lavements l'ont guéri. Mais je n'ai pu rester pour leur parler, parce que le duc d'York a ordonné que l'on aille chercher la Reine. J'aurais adoré rester à son chevet toute la journée et toute la nuit, mais au beau milieu de cet attroupement je ne suis rien. Je ne suis rien !

Margaret se dirigea vers Fubbs, lui embrassa la joue et lui prit sa houppelande bleue, puis les deux femmes s'étreignirent en pleurant.

Je sortis une nouvelle fois par cette journée froide et lumineuse.

Je m'arrêtai chez un volailler pour y acheter un gros chapon, que je regardai plumer et vider, puis je me dirigeai vers un crémier où j'achetai un pot de crème.

J'arrivai à la blanchisserie de Rosie Pierpoint à London Bridge juste au moment où les cloches de la mi-journée sonnaient, et la trouvai concentrée sur son repassage, tandis que ses employées, Mabel et Marie, étaient occupées à frotter et faire mousser du linge sur leurs planches à laver. La puanteur de la lessive était très vive dans la pièce emplie de tourbillons de vapeur.

Je me dirigeai vers Rosie et l'embrassai sur la bouche ; les filles suspendirent alors leur travail et applaudirent. Je déposai le chapon et la crème entre les mains de Rosie et dis :

— Voici votre dîner, Mrs Pierpoint, à partager avec les filles, l'oiseau est gras et succulent. Alors faites un feu dans votre four pour le rôtir, puis allumez-en un dans votre cœur et emmenez-moi au lit.

Elle ne protesta pas. Elle mit de côté une chemise de dentelle à moitié repassée, donna à Marie des ordres pour le rôtissage du chapon et m'emmena vers sa chambre à l'étage. En montant les escaliers, j'entendis les filles glousser.

Rosie me laissa la déshabiller en douceur, me délectant de la rondeur familière de son corps, de sa poitrine bien pleine et de son ventre dodu, puis elle chuchota :

— Sir Rob, j'ai entendu une rumeur comme quoi le Roi est mourant. Dites-moi que ce n'est pas vrai.

— Ce n'est pas vrai. Il a été malade, mais il se remet petit à petit.

— Vous êtes sûr ?

— Non. Je ne suis sûr de rien en ce monde sauf que ma verge est si dure qu'elle en est douloureuse. Sentez ici. Votre pauvre Sir Rob est tout empêtré à un moment capital devenu fort inconfortable. Ayez pitié de moi, s'il vous plaît, et penchez-vous vite sur elle, car je ne peux point attendre.

Plus tard, épuisé et à nouveau détendu, j'entrepris d'embrasser Rosie très tendrement, comme j'aurais pu embrasser une épouse qui m'aurait été chère. L'idée que ma vie serait désormais à Neuchâtel et que, après l'été, je pourrais ne jamais revenir ici me remplit de peur.

33

Le lendemain matin, je retournai dans les appartements de Sa Majesté en espérant y trouver le calme et apprendre qu'il avait passé une nuit reposante, mais j'y vis surtout panique et angoisse tandis que les médecins ne tarissaient pas de remèdes nouveaux, que le duc d'York gesticulait en ordonnant qu'un cordon de gardes soit placé autour de Whitehall, et qu'il signait des papiers décrétant la fermeture des ports à tous ceux désireux d'entrer ou de sortir, craignant peut-être que le duc de Monmouth ou le prince d'Orange ne fomentent une révolution.

J'en déduisis alors que l'état de santé du Roi devait être fort mauvais.

Lord Bruce me confirma que Sa Majesté avait eu une autre attaque à sept heures, et que depuis il avait repris connaissance mais ne pouvait point parler.

À cause de la myriade de médecins qui l'entourait, il était difficile d'approcher de la couche royale, mais la plupart d'entre eux me connaissaient, ainsi que ma profession, et comme ma loyauté ne pouvait être mise en doute, je fus enfin en mesure de m'approcher du Roi.

J'assistai alors à une scène terrible. James Pearse, son « premier chirurgien », avait décidé qu'il fallait évacuer du sang par la jugulaire de Sa Majesté. Levant avec empressement son scalpel aiguisé, il tentait à présent de la main gauche de trouver la jugulaire en pressant, en poussant et en pinçant le cou du Roi d'un côté puis de l'autre, ne semblant pas remarquer que son patient, dont les yeux commençaient à sortir du crâne, s'étranglait peu à peu.

— Je ne la trouve pas ! s'écria Pearse irrité, pressant et poussant encore plus fort. Il n'y a pas de veine !

Les autres médecins, qui travaillaient avec des cantharides et des emplâtres et qui posaient des sangsues sur la plaie à la jambe du Roi, lui administrant par ailleurs un énième lavement, dévisagèrent le chirurgien, l'air impuissant.

— Sacrebleu ! s'écria-t-il, ne restez pas là comme des veaux ! Que l'un de vous m'aide donc à trouver la jugulaire !

Personne ne bougea et, debout à côté de Pearse, je dis à voix basse :

— Vous étranglez le Roi, Sir. Ne pouvez-vous relâcher votre main ?

Il vit alors, presque surpris, que la pression de sa main gauche causait bel et bien une grande douleur et il l'enleva tout en jurant dans sa barbe. Le Roi eut un haut-le-cœur et vomit un peu de bave verdâtre sur l'oreiller. Je sortis un mouchoir de ma poche et lui essuyai la bouche, qui était fort enflammée, sa langue gonflée et recouverte d'une pellicule jaune.

Je demandai à un domestique d'apporter un oreiller propre. La puanteur provenant du lit était infecte, pour moi qui savais comment, sa vie durant, il avait émané du corps du Roi un parfum délicieux si particulier, semblable à un mélange de miel et de fruits d'été ; or voilà que maintenant il puait comme un putois, ce qui me rendit très mélancolique.

Mais je n'eus point le loisir de m'attarder là-dessus, car je découvris le scalpel de James Pearse fourré dans ma main et entendis l'ordre terrible qui me fut donné

— Trouvez la jugulaire, Merivel, ou vous ne serez plus digne de vous proclamer médecin dans cette pièce !

Tentant de rester calme, je dis à Pearse (la ressemblance de son nom avec celui de mon cher ami, John Pearce, m'indisposait fort) :

— Ne pourriez-vous pas le saigner au bras ? Si la jugulaire est percée, il en sortira une grande quantité de sang
– peut-être plus que vous ne le souhaitez – et Sa Majesté
s'affaiblira beaucoup.

— Nous l'avons déjà saigné au bras, mais ce n'est pas
suffisant. Le mal ne s'arrêtera point à moins que l'on ne
purge le sang convulsif. Alors je vous en prie, allez-y et ne
faites pas tant de manières.

Durant toutes mes années d'exercice, je n'avais jamais
entendu le terme de « sang convulsif », mais les médecins
me dévisageant tous à présent, je n'eus d'autre choix que
de me saisir du scalpel et d'obéir à l'ordre.

Je me penchai vers le Roi, posai doucement la main sur
son pauvre cou et lui parlai de très près :

— Sir, c'est Merivel, chuchotai-je. Je n'oublie pas ce
dont nous avons discuté dans votre calèche. Je réfléchis à
présent avec beaucoup de sérieux à la manière d'arranger
cela.

Les yeux du Roi clignèrent dans ma direction, il ouvrit
la bouche et tenta de parler. Aucun mot ne sortit, mais j'en
déduisis qu'il m'avait entendu.

Je dois admettre que je n'avais pas la moindre idée de la
façon de débarrasser la chambre de tous les gens qui s'y
trouvaient, et de faire apparaître comme par enchantement
un prêtre catholique au chevet de Sa Majesté – pas la
moindre –, mais je ne lui en dis rien.

Pendant ce temps, une tâche plus pressante et terrible
m'attendait. À mon vif soulagement, le premier chirurgien
du Roi avait quitté son chevet, ce qui m'octroyait un peu
plus d'espace et d'air. Ma main tâtonna avec douceur autour
de l'oreille du Roi et le long de son cou. Et je me souvins
comment, à Whittlesea, John Pearce avait fait saigner la
jugulaire d'un homme très colérique nommé Piebald, et
m'avait expliqué tout en cherchant à sentir le vaisseau : « La
jugulaire est facile à trouver, Merivel. Elle te *parle*. Elle
résonne comme une pendule. Sens ici. Elle y est. Là elle n'y

est pas. Nul besoin de pincer ou de presser pour la trouver. Il te suffit d'écouter avec ta main pour entendre sa voix. » Je demandai à l'esprit de mon ami décédé de m'aider, ce n'était pas la première fois, et je pus ainsi garder mon calme, la main assurée et mes doigts alertes en quête du « tic-tac » de la veine.

Et je la trouvai. Je pressai un peu plus fort, juste assez pour la voir, mais faisant bien attention de ne causer à mon patient ni douleur ni étranglement. Je demandai que l'on m'apporte un plat et qu'on le place près de ma main, et d'un coup de scalpel je perçai le vaisseau. Un sang rouge vif sortit en cascade de la minuscule incision, éclaboussant ma main et ma manche. Le Roi se mit alors à crier et à avoir un nouveau haut-le-cœur. Et voici que deux autres docteurs se précipitèrent à mes côtés.

— Quelques onces, précisa l'un d'eux. N'en faites pas sortir trop. Voyez comme cela coule vite. Refermez maintenant ! Il faut la refermer maintenant !

L'on me tendit un tampon de mousseline que je dus à présent presser avec grande fermeté sur la veine afin d'endiguer le flot. L'on éloigna le plat. Je me remis à parler au Roi, lui disant :

— Ça y est, c'est fait. C'est terminé. Le sang convulsif est sorti.

Je restai à son chevet. Je lui essuyai à nouveau la bouche et fis tomber goutte à goutte sur sa langue gonflée un peu d'eau que je le vis avaler. À l'autre bout du lit, l'on enleva enfin les tuyaux de la pompe à lavement qui avait accompli son travail d'évacuation, et il n'était point difficile d'imaginer que le pauvre corps de Sa Majesté avait maintenant perdu toute son humidité vitale. Je continuai donc à lui donner de l'eau qu'il absorbait en la suçant, tel un bébé sans défense se tendant à l'extrême vers le sein maternel. Au bout d'un moment, je vis ses yeux se fermer et le sommeil s'emparer de lui avec miséricorde.

Je ne racontai pas cette scène à Margaret et à Fubbs. J'avais manqué m'évanouir devant tant de souffrance. Lorsque je retournai dans les appartements de Fubbs, je vis à ma grande consternation qu'il y régnait surtout désordre et hystérie.

La duchesse avait de toute évidence décidé que le Roi n'allait pas survivre. Terrorisée à l'idée de se trouver ainsi abandonnée, elle rassemblait à présent tous ses vêtements et bijoux, ainsi que les petits objets de valeur en sa possession, et les rangeait dans quatre malles. Margaret l'y aidait, s'affairant en tous sens, cachant colliers et bracelets dans de petits vases dorés et des boîtes, enveloppant les fourrures dans des tissus et triant les bas par paires.

— Où ferez-vous envoyer ces malles, Votre Grâce ? demandai-je.

— Où ? glapit-elle. Pour l'amour du ciel, Sir Robert, à votre avis ? À l'ambassade de France bien sûr, où aucun membre de la famille royale ne pourra me les arracher ! Car je devine ce qui va se passer : Sa Majesté sera à peine enterrée que les vautours feront leur apparition pour me lancer que je ne suis qu'une vulgaire putain française et me jeter à la rue.

— Je suis sûr que non. Tout le monde sait quelle consolation et quel réconfort vous avez été pour le Roi...

— Oh vraiment ? Et la Reine est-elle au courant ?

— La Reine a toujours pardonné ses maîtresses au Roi.

— Tant qu'il respirait, oui. Elle n'a pas eu d'autre choix. Mais quand ce ne sera plus le cas ? À ce moment-là elle prendra sa revanche sur nous et sur nos enfants et se délectera de nous voir ruinées.

— Cela pourrait être vrai, papa, dit Margaret. La duchesse a raison de mettre ses affaires à l'abri. Pouvez-vous nous aider ? Il y a beaucoup à emballer.

Je regardai le sol jonché de toutes sortes d'objets allant de peignes à des cafetières, de chandelles à des vases en laque de Chine, de couverts en or à des jeux de cartes illustrés. De tout cela, qu'est-ce qui appartenait vraiment à

Fubbs, qui ne lui avait été simplement prêté au même titre que les meubles de ses beaux appartements ? Je n'avais aucun moyen de le savoir.

— Que désirez-vous que je fasse ? demandai-je à voix basse. Quelle tâche souhaitez-vous me confier ?

— Les chaussures ! répondit la duchesse. J'ai tenté de les rassembler par paires, mais il en manque beaucoup qui doivent se cacher dans les chambres, sous les lits ou sous les chaises ou je ne sais trop où.

— Des chaussures ?

— Oui. Cela vous donne une idée de la négligence des domestiques chargés d'épousseter et de balayer, mais ceci est une autre histoire. Pourriez-vous s'il vous plaît chercher les chaussures manquantes, Sir Robert, si vous le voulez bien ? Nombre d'entre elles ont des boucles en diamant, ou encore des bijoux cousus dans le satin, et sont donc des objets de valeur sans lesquels je ne peux partir.

Pour ma part, j'aurais de loin préféré m'asseoir tranquillement et siroter un cognac, mais je n'avais guère d'autre choix que d'obtempérer. Il fallut donc me voir, rampant sur les tapis à quatre pattes, écartant le bas des lourds rideaux, me tordant le cou pour scruter en dessous des commodes, des armoires et des chaises longues, dans une vaine quête des chaussures de la duchesse de Portsmouth.

Et j'imaginai comment Pearce se serait moqué de moi en cette occasion et m'aurait surnommé « le laquais de la putain », mais je m'en moquais bien, parce que je savais au fond de mon cœur que tout mon univers était sur le point de basculer, alors ma façon de passer le temps entre maintenant et l'avènement de cette terrible transition était le cadet de mes soucis.

Je trouvai une chaussure. C'était un objet d'une perfection inégalable, façonné en satin bleu, avec un talon bobine haut et élégant. Le satin était brodé de fil d'argent au point de croix, et sur la bride, une fleur en ruban argenté retenait en son centre une petite grappe de minuscules perles.

La tenant dans ma main, je frottai la poussière qui s'y était déposée. Je remarquai sa petitesse et me demandai quelle taille devaient avoir les pieds de la duchesse pour pouvoir y rentrer. Puis je pensai au cordonnier qui avait peiné là-dessus et lutté pour fabriquer un objet parfait, et à ce moment mon esprit revint vers mon ami hollandais, Jan Hollers, qui avait visé la perfection avec ses pendules mais avait échoué de si peu.

Mon cœur s'emplit de chagrin. Du chagrin pour Hollers, du chagrin pour le cordonnier, et une sorte de chagrin sentimental pour la chaussure elle-même, abandonnée avec une telle désinvolture.

La promesse que j'avais faite au Roi dans sa calèche résonnait très fort dans ma tête, et je savais qu'il n'était pas question de ne rien faire à ce sujet. Mais quoi faire, je n'en avais pas la moindre idée.

Je savais que c'était à la Reine que je devais parler de cette promesse. Mais étant donné mon accointance publique avec la maîtresse du Roi par le biais de Margaret, je ne pouvais guère prétendre me rendre aux appartements de la Reine et m'en voir autoriser l'entrée. Il n'y avait qu'une seule autre personne susceptible d'aider le Roi pour la conversion secrète qu'il souhaitait : le duc d'York.

Ce dernier ne m'aimait pas beaucoup. Il m'avait dit jadis que j'éveillais chez le Roi sa « disposition oisive et paresseuse », et que je mettais par là même en péril la bonne marche de la nation. Mais je craignais de manquer de temps, et que pouvais-je faire sinon tenter de parler au duc et remettre le problème entre ses mains ?

Après avoir pris un déjeuner léger avec Fubbs, Margaret et d'autres suivantes appelées à la rescousse pour aider la duchesse à faire ses bagages, je demandai à être dispensé de ma mission et m'en retournai vers les appartements du Roi, où j'espérais trouver York et parvenir d'une manière ou d'une autre à attirer son attention en privé.

Toujours grouillants de monde, les couloirs de Whitehall l'étaient encore plus que d'ordinaire. Mais il me sembla que l'angoisse et la peine causées par la mort imminente du Roi avaient quelque peu affecté la capacité de ces pauvres créatures à se tenir droites. Tous ceux que je croisais bougeaient avec une infinie lenteur, quand ils n'étaient pas appuyés contre le mur ou effondrés sur les bancs en pierre ; j'en conclus que leur dessein habituel – qui était de voir le Roi et d'obtenir de lui quelque faveur ou avancement (ce qu'ils faisaient d'ordinaire pleins d'entrain et empressés) – n'ayant plus de raison d'être, ils n'en avaient plus et ne savaient à présent plus comment s'occuper ni où aller, sans être pour autant désireux de partir.

Tentant de ne pas me laisser contaminer par cette lenteur débilitante, je me dépêchai de poursuivre ma route et ne m'arrêtai que lorsque j'entendis crier mon nom ; je vis alors venir vers moi le père John Huddleston, ancien homme de confiance du Roi qui l'avait aidé à se cacher durant la grande fuite de Worcester en 1651, et que le Roi avait récompensé en lui obtenant un poste dans la maison catholique de la Reine.

Je connaissais John Huddleston depuis de nombreuses années, je lui avais même sauvé la vie avec un puissant émétique composé de sel gemme et de sirop de bourdaine après qu'il eut absorbé un porridge arrosé de poison. L'empoisonneur (soupçonné d'être un Quaker) n'avait jamais comparu en justice. Mais à partir de ce moment-là, Huddleston avait toujours sur lui une bouteille de l'« émétique efficace de Merivel » en cas de seconde tentative. Il était donc enclin à me voir comme son sauveur, fermant les yeux sur mes débauches notoires, ainsi que sur l'influence peu recommandable que j'avais pu avoir autrefois sur la moralité du Roi.

Nous nous saluâmes avec chaleur et simplicité. Huddleston m'était toujours apparu comme un homme d'un grand humanisme auquel j'avais avoué jadis que, après le décès de mes parents dans un cruel et terrible incendie en 1662, j'avais complètement perdu ma foi en Dieu.

Au lieu de m'admonester, ou de tenter de me reconver-
tir, il m'avait demandé si mes parents avaient aussi cessé de
croire en un Dieu d'amour, et quand je lui répondis que
ce n'était point le cas puisqu'ils étaient demeurés inébranlables dans leur foi, il avait évoqué avec gentillesse à mon
intention une image du paradis dans lequel ils se trouvaient.

Eu égard au commerce de mon père, il s'agissait d'un
paradis pour les merciers, avec des nuages en laine et des
arbres en plumes ondulant dans le vent, des chemins jonchés
de boutons de nacre, des champs de tissus de lin et des
maisons en bougran. Parfois, lorsque la mélancolie m'as-
saillait, j'essayais de visualiser ce royaume imaginaire, avec
mes parents au beau milieu et ma mère s'exclamant : « Oh,
regarde, mon chéri : un bosquet de rubans. Vois comme
c'est joli ! »

— Les nouvelles sont mauvaises, Merivel, me confia
Huddleston. Très mauvaises. Je me rends auprès de la Reine
et nous allons prier ensemble.

— Comment se porte Sa Majesté ?

— La Reine est accablée. Elle ne peut ni manger ni
dormir. Elle s'accuse de ne pas avoir été une « assez bonne
épouse ».

— Ah. Et pourtant, peut-être est-ce l'époux qui n'a pas
été « assez bon ».

— En effet. Mais elle se blâme, et elle est tourmentée
par une autre chose : en dépit de toutes les promesses qu'il
lui a faites, le Roi n'a jamais été accueilli au sein de l'Église
catholique romaine.

— Cela préoccupe la Reine ?

— Oui. Elle en est très chagrinée.

À ces mots, je pris le bras du père Huddleston et l'emmenai à l'écart, dans ce que je pensais être une antichambre,
lui expliquant qu'il y avait une affaire urgente à discuter et
que je devais m'entretenir avec lui en privé.

Or, nous nous trouvions non pas dans une antichambre,
mais dans un placard à balais.

— Oh, dis-je en voyant autour de moi grande quantité de balais de bouleau et de plumeaux empilés dans ce petit réduit, voilà qui ne conviendra guère...

Je m'apprêtai à ressortir, mais Huddleston lança :

— Non, au contraire, c'est un endroit parfait pour un secret, et vous devez savoir que les prêtres catholiques de mon âge ont pris l'habitude de se faire tout petits pour pouvoir rentrer dans les trous qui leur sont destinés. Lorsque les hommes de Cromwell sont venus fouiller Moseley Hall, Sa Majesté et moi avons passé la nuit dans un espace pas plus grand que celui-ci. Bien sûr, nous n'avions pas de balais pour compagnie ; mais nous avions la peur. Dois-je craindre ce que vous êtes sur le point de me révéler ?

— Non. Pas du tout. Je vous demande juste de m'aider.

Le père s'assit sur un seau de bois retourné et je réussis à faire rentrer mon corps dans le réduit, puis m'accrochai au manche des balais pour garder mon équilibre, tandis que je racontais à Huddleston tout ce que le Roi m'avait confié dans la calèche.

Quand j'eus fini, il observa ses mains, que de nombreuses décennies de prière avaient raidies et pâlies, et resta silencieux un moment. Puis il leva les yeux et dit :

— Merci, Sir Robert. Aucune autre révélation n'aurait pu me faire plus plaisir. Mais nous devons prier qu'il ne soit pas trop tard...

— Je ne sais toujours pas comment il convient de procéder.

— Je m'en chargerai. Je consulterai la Reine et le duc d'York, et nous trouverons un moment convenable avant que Sa Majesté ne s'éclipse loin de nous. Je sais que vous ne croyez pas aux récompenses du Ciel, mais si vous y allez, peut-être changerez-vous d'avis.

34

Au matin du mercredi 4 février, le Roi semblait aller mieux, après une longue nuit de sommeil. J'insistai pour qu'on lui prépare un bouillon d'os à moelle, comme celui qui avait maintenu Margaret en vie durant le typhus, et l'on s'exécuta ; après qu'on l'eut assis, rasé et lavé, je l'aidai à en boire un peu.

Nourrir Sa Majesté à la cuillère me permit de m'asseoir très près de lui et de lui parler sans être entendu par les autres personnes présentes dans la pièce. Je fus donc en mesure de l'informer que, une fois que le duc d'York aurait trouvé les moyens de vider la chambre de tous les évêques et conseillers privés assemblés là, le père Huddleston entrerait avec l'hostie.

— Quand cela aura-t-il lieu ? chuchota-t-il.

— Je ne saurais vous le dire, Sir. Mais cela *aura* lieu. Vous pouvez me faire confiance.

À ces mots, quelque chose passa sur le visage de Sa Majesté que je n'avais pas vu depuis des lustres, et c'était un sourire.

— Je sais, dis-je en lisant sur-le-champ ce qui se cachait derrière, que j'ai trahi votre confiance jadis, mais c'était il y a longtemps. Et dites-moi, Sir, vous ai-je jamais trahi depuis ?

La mâchoire du Roi s'activa avec une lenteur terrible afin d'avaler le bouillon, comme s'il s'était agi d'une bouchée de viande récalcitrante. Puis il répondit avec douceur et tristesse :

— ... trahi Clarendon.

— Ah, Clarendon. Oui. Mais j'expie. Je me suis lancé dans la composition d'un traité sur l'âme des animaux, et Clarendon est dans mes pensées en permanence.

J'espérais que cela ferait rire le Roi, ou qu'en tout cas il sourirait, mais non.

— L'âme des animaux... c'est certain, dit-il en hochant sa pauvre tête affligée avec autant de vigueur que possible. Les animaux ont une âme...

Puis soudain il se mit à agripper son drap et demanda :

— Où est Bunting ?

J'envoyai un domestique pour savoir où se trouvaient les chiens et ramener Bunting à Sa Majesté. J'espérais qu'il continuerait de boire le bouillon, mais il repoussa la cuillère au loin et redemanda :

— Où est Bunting ? Elle doit être auprès de moi.

Puis il regarda d'un air distrait les visages qui l'entouraient dans la chambre bondée et dit :

— Pourquoi n'y a-t-il personne auprès de moi ? Où sont mes enfants ? Où est Fubbs ?

Durant les derniers jours, je me fis l'effet d'être un diable à ressort, tantôt appelé au chevet de Sa Majesté, tantôt renvoyé, rappelé auprès de lui et renvoyé encore.

Ceci – et je ne pus m'empêcher de sourire à cette idée – ressemblait à une version accélérée de mes relations avec lui. Et je me dis que, de fait, cette condition incertaine aurait dû me rendre subtil et prudent, sauf que ce n'était point le cas. Ainsi que le commenta Pearce, j'avais toujours été l'esclave de César. Et maintenant, encore esclave, voilà que je vieillissais et que mes pieds devenaient plats.

Pourtant, j'entretenais la certitude que, lorsque l'heure serait arrivée et que le roi Charles ferait ses adieux à son royaume, je serais auprès de lui. Bien qu'il soit susceptible de mourir au beau milieu de la nuit, j'étais convaincu que quelqu'un me réveillerait avant que le moment n'advienne.

Il mourrait peut-être dans les bras de la Reine, ou dans ceux de Fubbs, mais je me voyais néanmoins à ses côtés.

Le mercredi soir, la rumeur se répandit dans la ville au-delà de Whitehall que le Roi allait mieux et se rétablirait sous peu ; nous entendîmes les cloches que l'on sonnait aux quatre coins de Londres, et, depuis une fenêtre en hauteur à la tombée du jour, je vis la lueur intermittente de feux de joie. Mais je savais que le Roi n'irait pas mieux. J'aurais voulu aller en ville, me réchauffer devant ces feux et dire aux gens de sortir leurs vêtements de deuil et de les emporter à nettoyer à la fameuse *Blanchisserie de première classe de Mrs Pierpoint,* à London Bridge.

De retour dans les appartements de Fubbs, je vis qu'ils avaient été retournés de fond en comble. Tout ce qui pouvait entrer dans une malle, comme le reste d'ailleurs, tables à jouer, repose-pieds brodés, avait été empilé dans le hall d'entrée, dans l'attente d'une charrette qui les emporterait à l'abri.

Margaret et moi regardâmes autour de nous avec une réelle consternation.

— Eh bien, je me réjouis qu'elle n'ait pas confisqué les lits, dis-je.

Dans la chambre de Margaret cependant, de nombreux objets précieux avaient été enlevés, si bien qu'il ne lui restait plus rien pour se brosser les cheveux ; on lui avait juste laissé un bougeoir. Elle s'assit sur le lit et me dit :

— Si le Roi meurt, la duchesse partira pour la France. Elle m'a demandé de l'accompagner. Elle a été si bonne pour moi, papa, mais je préférerais rester en Angleterre, où je peux être proche de Julius. Que dois-je faire à votre avis ?

— Tu dois suivre ce que te dicte ton cœur. Et tu devrais te souvenir que, séparée du Roi, la duchesse ne sera rien ni personne en France, et donc que ta vie pourrait y devenir terne et triste.

— Mais elle s'attend à ce que je l'accompagne.

— Elle ne peut te garder auprès d'elle toute sa vie, et elle le sait bien. Je rentrerai à Bidnold, tu peux m'y accompagner si tu le souhaites, Julius pourra nous rendre visite et nous lui montrerons l'allée de hêtres blancs...

C'est à ce moment précis que Julius Royston apparut et, nous trouvant assis d'un air las dans une pièce aux trois quarts vide, il s'exclama :

— Oh misère ! Mais qu'est-ce donc que ce taudis dans lequel vous habitez à présent ?

Cela nous fit beaucoup rire et Julius élabora tout de suite un plan afin que Margaret puisse emménager dans la demeure de Lord Delavigne, « où vous pourriez être à nouveau à l'aise, mon bel amour, et en possession d'une brosse ! ».

Et je vis que Margaret était très tentée par cette perspective et préférerait de beaucoup habiter chez les Delavigne sur le Strand que de voyager vers le Norfolk en février, séparée de son fiancé.

Il fut donc convenu que, dès l'instant où le Roi aurait effectué ses derniers adieux, Margaret vivrait sous la protection de Lord et Lady Delavigne, dans un hôtel particulier où l'on ne manquait pas de repose-pieds ni de candélabres, et que je partirais seul à Bidnold, où je priais pour que tout ait été nettoyé et rangé en vue de mon retour.

*

Le jeudi, le Roi me fit à nouveau venir. Au cas où il pourrait s'agir d'une requête médicale, j'allai chercher mes instruments chirurgicaux, mais ne les trouvai point.

Depuis mon retour de Suisse je les avais gardés à côté de mon lit, dans le tiroir en bas de ma table de chevet ; mais quand je l'ouvris, il ne contenait rien, juste un peu de poussière couleur fauve là où un insecte avait rongé le bois.

Je fouillai partout dans ma chambre, tout en sachant que je ne retrouverais pas mes instruments. Et je ne pus qu'en conclure que Fubbs avait ordonné à ses domestiques de saisir tout ce qui avait de la valeur – peu importait le propriétaire – et de le jeter dans les malles en partance.

Cela m'attrista et me mit en colère. Je gardais ces instruments depuis 1665. Le Roi me les avait offerts à Bidnold afin de me réveiller d'une léthargie dans laquelle j'étais tombé, et il avait fait inscrire en guise de devise sur le manche du scalpel *Merivel, ne vous endormez pas.*

J'en avais pris soin avec une scrupuleuse attention, les gardant brillants et aiguisés. C'est avec eux que j'avais tenté d'extraire le cancer de Violet Bathurst, avec eux que j'avais saigné le bras de Margaret à l'époque de son typhus, et avec eux encore que j'avais essayé d'enlever les calculs et les tumeurs de mes patients ces vingt dernières années. Sans eux, je me sentais diminué.

C'est donc les mains vides que je me dirigeai vers la porte royale. Lorsque l'on me fit entrer dans la chambre, je vis que Sa Majesté faisait ses adieux au fils de Fubbs, le duc de Richmond, le plus jeune de ses enfants illégitimes ; je remarquai que tout le monde autour du lit avait tourné le dos à Fubbs et à son fils, qu'ils s'efforçaient de snober. Effet conjugué de son immense chagrin et de l'insulte ouverte infligée par tout un chacun, Fubbs avait les yeux tout rouges et s'était mise à loucher.

Une fois qu'elle et son fils furent partis, je fus amené au chevet du Roi ; en voyant son teint et les traits creusés de son visage, je sus qu'il déclinait.

— Merivel, chuchota-t-il. Le moment est venu. Je vous en prie, allez chercher Huddleston et demandez à ce que tout le monde quitte la chambre, à l'exception de mon frère et de lord Feversham, qui est catholique et sera témoin de ma conversion.

— Je me charge de Huddleston, Sir, mais je ne possède pas l'autorité de faire évacuer la chambre.

— Demandez au duc d'York de s'y employer. Mais ne tardez point.

Ce dernier faisait partie des nombreuses personnes ayant tourné le dos à Fubbs. Mais je vis maintenant qu'il pleurait lui aussi, et je ne savais comment interrompre ses larmes sans paraître cruel et impoli. Je m'approchai néanmoins. Il me regarda avec un air de dédain absolu, mais m'autorisa à me pencher à son oreille, et, lorsqu'il entendit mon message, il se moucha avec bruit et consentit à faire évacuer la pièce.

Je filai quérir Huddleston, qui avait promis d'attendre dans les appartements de la Reine jusqu'à ce qu'on le convoque ; quand il me vit, il sut que le moment était arrivé et courut précipitamment afin de se procurer l'hostie sanctifiée par l'un des prêtres de la Reine, puis enfonça violemment une perruque sur sa tête afin de ne pas être reconnu.

— Mon père, je doute que la perruque suffise, tout le monde verra vos habits sacerdotaux en dessous. Pourquoi ne prenez-vous pas ma houppelande pour vous envelopper dedans ? lui suggérai-je.

Je déposai ma houppelande chaude autour de ses épaules et nous repartîmes ensemble vers les appartements du Roi, où nous vîmes partir l'aréopage d'évêques qui s'était montré si fasciné par les procédures du lavement ; je me sentis heureux que ces hommes d'Église orgueilleux ne soient plus en faveur, et que l'humble Huddleston prenne une soudaine importance grâce à une étrange configuration entre l'époque et la conscience de Sa Majesté.

Avec discrétion, nous restâmes tous deux à l'extérieur de la chambre, feignant un intérêt soudain pour une tapisserie représentant un sanglier percé par les flèches des chasseurs en approche, jusqu'à ce que le dernier des lords et des conseillers soit parti. Puis le duc d'York s'approcha de la porte et fit entrer Huddleston dans la chambre ; je m'apprêtai à le suivre, mais l'on me ferma la porte au nez.

La journée était très froide, avec un ciel violet annonciateur de neige. Privé de ma houppelande, et face à la porte claquée avec tant de cruauté à deux centimètres de ce nez que le Roi adorait tirer, je me retrouvai à frissonner de détresse, et ne pus m'empêcher de penser à la tombe gelée qui attendait mon pauvre souverain, aussi froide que celle dans laquelle nous avions enterré Pearce.

Je m'assis sur un banc en pierre à haut dossier et me pris la tête entre les mains. Je savais que ces deux hommes – John Pearce et Charles II d'Angleterre – avaient été les gardiens de mon âme, se la passant de l'un à l'autre, sans jamais la laisser échapper. Qu'en adviendrait-il à présent, j'étais bien incapable de le dire, mais force m'était de l'imaginer destinée à une longue chute dans l'obscurité.

Huddleston finit par sortir de la chambre et remit la houppelande sur mes épaules d'un geste empli de tendresse, puis il me chuchota :

— C'est fait. Il a été accueilli dans la véritable Église.

Je marmonnai que j'étais content, bien qu'à mes yeux une Église ou aucune ne fît pas grande différence dans ce qui attendait le Roi, c'est-à-dire le néant dont nous sommes tous issus et vers lequel nous retournerons à nouveau.

Huddleston s'assit à côté de moi sur le banc ; je trouvai sa présence réconfortante et je lui dis :

— Mon père, sans le Roi, je suis perdu. Je n'ai pas de direction.

Il posa la main sur mon épaule mais ne dit rien parce que, le peu qu'il me connaissait, il comprenait que c'était entièrement vrai, alors que pouvait-il répondre pour me réconforter ? Et je le remerciai en silence pour cela. Une des choses que je déteste le plus au monde, ce sont les gens qui prennent vos peines à la légère en disant « Eh bien, eh bien, soyez courageux », qui vous suggèrent de ressentir ce dont vous êtes incapable et qui vous consolent alors qu'il n'y a point de consolation.

Nous restâmes assis là pendant un long moment. Le père Huddleston enleva sa perruque d'emprunt et l'inspecta en quête de puces et de poux. Il trouva une puce, mais ne la tua point, se contentant de la balayer de la main. Puis il finit par suggérer :

— La tristesse rend las. Pourquoi n'allez-vous pas dormir un peu ?

Je répondis que je m'étais juré dans mon cœur de monter la garde jusqu'à ce que le Roi soit parti, mais Huddleston rétorqua :

— Il souhaite être seul un moment, pour méditer sur ce qu'il a fait aujourd'hui. Donc je vous conseille de dormir maintenant, au cas où l'on aurait besoin de vous pendant la nuit, ou au matin.

Je suivis sa suggestion et retournai à ma chambre à moitié vide pour m'y étendre. Au fil de l'après-midi, je vis tomber la neige. Le sommeil allait et venait, allait puis revenait encore.

Je me levai vers quatre heures de l'après-midi pour trouver Fubbs supervisant l'enlèvement de ses malles, et lui dis :

— Votre Grâce, mes instruments chirurgicaux ont été confondus avec vos biens et cela me contrarie beaucoup. Pourrions-nous faire revenir les malles ?

— Quels instruments ? hurla-t-elle. Pourquoi voudrais-je emporter des instruments chirurgicaux ?

— Ils étaient rangés dans ma table de chevet. Ce sont mes outils de travail, et du reste, un cadeau du Roi qui m'est très précieux...

— Je ne les ai pas vus. Les malles sont parties. Tout ce qu'elles contiennent m'appartient, à moi et à personne d'autre. Vous avez dû les perdre quelque part.

Les perdre quelque part !

— Madame la duchesse, ce n'est pas possible. Ces instruments sont à mes côtés, et rarement hors de ma vue, depuis vingt ans. Ils ont été rangés près de mon lit. Je ne les ai pas bougés de là. Mais ils n'y sont plus.

— Et vous m'accusez de vous les avoir volés pour mon propre usage ?

— Je ne vous accuse de rien. Tout ce que je sais, c'est que quelque chose qui m'est très précieux a été emporté par inadvertance. Je vous en prie, pouvons-nous demander à vos domestiques de rapporter les malles...

— Non, absolument pas ! Mon Dieu, quelle histoire pour un petit rien ! Les malles contiennent mes biens et c'est tout, et elles doivent partir pour l'ambassade immédiatement, ou bien tout ce que je possède me sera enlevé. Je vous prie donc de ne pas m'ennuyer avec vos broutilles.

— Votre Grâce, en toute humilité, il ne s'agit pas de « broutilles »...

— Mais si ! Je m'étonne que, dans un moment pareil, vous ne pensiez qu'à vous-même ! Des instruments chirurgicaux, l'on peut toujours en racheter ; mais si l'on me prend mes biens, je n'aurai pas les moyens de les remplacer. Les malles vont partir maintenant, je vous prierai donc de ne plus m'importuner avec ce problème.

Dans sa furie à emballer ses affaires et dans sa grande tristesse, Fubbs s'était réconfortée, tout au long de l'après-midi, avec des rasades de vin ; or, de rasade en rasade, elle était à présent tout à fait soûle et incapable de marcher sans trébucher, ni de fixer son regard sur quoi que ce soit tandis que son souffle était fort âcre.

Je m'approchai d'elle, lui pris le bras pour qu'elle ne tombe pas et lui dis :

— Je me mettrai en quête des malles et les fouillerai sur le chemin...

Dégageant son bras, Fubbs exhala un souffle malodorant de vapeur de vin et s'écria :

— Quoi ! Pour me voler d'autres choses au passage et me dépouiller de celles que j'aime, tout comme vous me dépossédez de Margaret ?

— Je ne vous « dépossède » pas de Margaret, madame la duchesse. Margaret ne veut pas être séparée de Julius Royston, un point c'est tout.

— Tout ce que je lui demandais c'était de m'accompagner en France et de m'aider à m'y installer. Mais non, elle refuse. Je croyais qu'elle avait bon cœur, mais je vois maintenant que, tout comme vous, elle ne pense qu'à elle ! J'étais très en colère contre la duchesse, mais je vis qu'il était inutile de discuter davantage. Elle prit une autre rasade de vin au moment où je quittai la pièce pour descendre dans la cour où l'on chargeait les malles sur une charrette en bois. Là, j'entrepris d'expliquer la perte de mes précieux instruments aux domestiques chargés de s'assurer que les bagages soient remis en toute sécurité à l'ambassade de France, mais ils ne semblèrent pas désireux de m'écouter.

Je leur montrai alors une bourse contenant trois shillings et, étant donné que le nombre de domestiques en question était de deux, leur démontrai que s'ils faisaient le calcul, cela représentait une jolie somme d'un shilling et demi pour chacun s'ils me laissaient monter dans la charrette et chercher mes instruments pendant que nous avancions.

Ils prirent l'argent à la hâte et me chargèrent comme un paquet, puis le cheval partit dans un galop insensé et pesant sur les routes verglacées.

35

J'ignore où nous étions lorsque la charrette eut son accident.

Un instant auparavant j'étais assis sur le plancher, fouillant dans la malle du dessus entre des paquets de fourchettes en argent et un bel assortiment de pots à crème, poivrières, salières et sous-verres en quête de mes instruments perdus, et la seconde d'après la charrette penchait comme une barque prise dans une violente tempête.

Je m'agrippai aux ridelles comme pour essayer de les stabiliser, ainsi que moi-même, à l'intérieur, mais j'échouai sur les deux plans. Les lourdes malles glissèrent vers moi et tout chavira dans le caniveau – charrette et cheval, domestiques, Merivel et bagages –, puis resta là, immobile, comme si une puissante vague s'était écrasée sur nous.

Je fus conscient de ma tête heurtant le pavé, puis d'un objet lourd tombant sur ma cheville. Et c'est tout ce dont je me souviens.

Je me réveillai dans une pièce froide et sombre.

La puanteur qui flottait dans l'air aurait pu suffire à me donner un haut-le-cœur, et pourtant m'était étrangement familière. Des bruits, que l'on aurait dit émaner d'animaux en souffrance, résonnaient autour de moi.

J'eus l'impression d'être dans un zoo.

Je tentai de demeurer conscient en me demandant quels spécimens contenait le zoo en question.

J'imaginai des autruches et des chameaux, des hyènes et des crocodiles. J'avais envie d'entendre le piaulement d'oisillons, imaginant que ce bruit, celui du printemps et de la vie qui revenait, me consolerait.

— Cui-cui-cui... Venez à moi, petits oisillons..., murmurai-je.

Puis je fus avalé à nouveau, comme Jonas par la baleine, dans le ventre de l'obscurité et du néant.

Quand je repris mes esprits, une vieille femme vêtue d'une robe en toile bleue était penchée au-dessus de moi et soulevait mes paupières pour voir mes yeux. Puis ses mains montèrent vers ma tête, s'y affairèrent un temps, et je pris alors conscience d'une douleur tout à fait horrible dans mon crâne, ainsi que de la sécheresse presque insupportable dans ma gorge.

Le zoo résonnait encore tout autour de moi. J'imaginais entendre des lions et des singes, ainsi que le cri terrible et répétitif d'un paon.

— Quel est ce zoo ? puis-je articuler à la vieille femme en bleu.

— Un zoo ! Que Dieu nous garde ! Restez tranquille, mon bon monsieur, et ne parlez pas.

Je tendis le bras et attrapai le sien.

— Où suis-je ? lui demandai-je.

Elle me regarda alors avec plus de gentillesse. Elle était vieille et pauvre, les cheveux tirés en un chignon démodé et étréci perché sur le dessus de la tête, mais avec une sorte de tendresse dans les yeux.

— Vous êtes à St. Thomas's Hospital, et vous avez de la chance d'être en vie. On vous a trouvé versé dans la rue.

St. Thomas's Hospital.

Je n'avais pas pénétré dans cette misérable institution depuis que Pearce et moi y avions travaillé de longues heures quand nous apprenions la profession de médecin après nos études d'anatomie à Cambridge. Je n'aurais jamais cru deve-

nir un patient de St. Thomas's, faisant confiance à la destinée afin de n'être jamais *assez pauvre* pour être hospitalisé
dans un hospice. Et voilà pourtant que je l'étais.

Je tournai ma tête douloureuse afin de regarder autour
de moi, et vis que je reposais en effet sur un fin matelas
posé sur un sommier de bois, dans une salle puante remplie
d'autres mortels en bien triste état.

L'air était humide, comme si le soleil n'y pénétrait jamais.
Le sol en pierre était jonché de paille à présent mêlée d'excréments, l'on se serait cru dans une étable. Les bruits d'animaux provenaient des bouches et des culs des malades
enfermés tous ensemble ici, dissimulés sous de fines couvertures, rampant ici et là tels des chiens affamés et pleurant,
certains passant le temps à péter et déféquer dans des bols
en étain. Autour de ces bols, au milieu de la paille trempée,
galopaient nombre de souris guillerettes.

J'aurais voulu demander à la femme une tasse d'eau, mais
elle avait disparu. Dans le lit d'à côté était allongé un homme
endormi, très mince, la tête rasée pour que l'on puisse lui
appliquer des emplâtres cantharidiques, le visage marqué
par de profondes et anciennes cicatrices de petite vérole. Sa
bouche faisait des bulles qui lui graissaient le menton de
bave, ainsi que son oreiller rempli de paille. Je me suis alors
souvenu de la très grande sévérité de Pearce vis-à-vis de
toutes les victimes de la petite vérole, me regardant au fond
des yeux pour me lancer : « Les hommes qui courtisent le
malheur en étant lubriques récoltent ce qu'ils méritent. »

Pourtant, en dépit de sa sévérité, j'aurais aimé que Pearce
soit à mes côtés à présent. J'aurais aimé qu'il me soulève et
m'emmène loin d'ici pour me déposer dans mon confortable
lit à Bidnold et s'y occuper de moi, tout comme je m'étais
jadis occupé de lui trente-sept heures durant. J'aurais aimé
qu'il soit assis tranquillement à mon chevet, ses mains
blanches jouant doucement sur sa louche en porcelaine
comme s'il s'était agi d'un luth. J'aurais aimé qu'il m'apporte
de l'eau et de la nourriture.

Tendant le bras et touchant ma tête, j'y découvris un bandage, et le fait de le toucher me rappela la lourde charrette avec les malles de Fubbs, et la catastrophe sur la route de l'ambassade. À sentir la douleur dans mon crâne, il m'était impossible de savoir s'il était cassé ou fêlé, mais je savais que je n'étais pas devenu fou car mes pensées tournaient à présent autour de la possibilité de trouver en moi la force de me lever et de partir d'ici. J'étais horriblement conscient que ma pauvre Margaret serait inquiète à mon sujet. Fubbs n'avait pas la moindre idée que j'avais grimpé dans la charrette avec les malles ; tout éméchée qu'elle était, et en colère contre moi, égarée par le chagrin, elle avait pu dire à Margaret tout ce qui lui passait par la tête, par exemple que je m'étais enfui pour le Norfolk ou parti me jeter dans la rivière.

M'appuyant sur les bras, je me soulevai légèrement dans mon lit. Je vis une paire de chaussures posée à côté de ma pauvre paillasse, et bien qu'elles soient maculées de vase malodorante provenant du caniveau, je les reconnus comme étant les miennes, puis je regardai autour de moi en quête du reste de mes vêtements et de ma perruque. J'étais vêtu de mes seuls sous-vêtements. Je sentais que ma cheville droite était enveloppée dans un bandage, par contre mes pieds étaient nus.

Je ne voyais aucun habit à proximité de mon lit. Le froid dans la pièce était féroce. (Pearce et moi nous étions plaints à plusieurs reprises à l'infirmière-chef à ce propos, lui disant « Comment vos patients peuvent-ils guérir si toute leur énergie est dépensée en frissons et tremblements ? ») Mais il semblait n'y avoir aucun moyen d'améliorer leur condition. L'hiver était juste difficile à supporter en ce lieu.

En réalité il y avait bien, à l'autre bout de la pièce, une grande cheminée dans laquelle brûlaient quelques charbons, mais trop rares pour colorer une quelconque flamme, et dont se dégageaient de minces volutes d'une fumée noire qui faisait tousser tout le monde et donnait des hauts-le-cœur. J'écartai la mince couverture et, bougeant avec une infinie lenteur, tel un vieillard, posai les pieds par terre.

Je les fixai, ainsi que les jambes auxquelles ils étaient attachés. Cela ne ressemblait ni à mes pieds ni à mes jambes, mais bel et bien à ceux d'un indigent, comme si, pour manigancer mon entrée à St. Thomas's, mes membres avaient été coupés et subi quelque épouvantable échange avec les extrémités inférieures d'un vagabond. Je pus aussi constater que ma jambe droite (ou la jambe droite du vagabond) était horriblement gonflée et le pied d'un violet vif, et lorsque j'essayai de me mettre debout, une douleur très pernicieuse me monta dans la jambe jusque dans la cuisse.

J'en déduisis que ma cheville était soit foulée, soit cassée, et n'avait pas été plâtrée correctement, ce qui allait me valoir des semaines de douleur. Que ce soient les malles de Fubbs, lourdes de tout l'étain, l'argent et l'or qu'elles contenaient, qui soient tombées sur ma jambe me fit plus que jamais comprendre pourquoi les plus pauvres détestent les riches, et pourquoi ils aimeraient nous voir décapités, puis nos têtes brandies au bout de piques sur London Bridge.

L'homme vérolé, à nouveau réveillé, m'observait en se grattant partout et en respirant l'air vicié par la bouche ; je réussis à effectuer les quelques pas qui m'emmenèrent au bout de mon lit, puis je me baissai et regardai en dessous, dans l'espoir d'y voir ma chemise, ma veste et mes culottes, mais tout ce que j'y trouvai fut un petit nid de paille et un chat couché dedans, atteint d'une rigidité cadavérique avancée.

Ce spectacle était si affreux qu'il me rappela à l'instant toutes les choses mortes que Pearce et moi avions trouvées à St. Thomas's durant la période où nous y avions travaillé, et sur lesquelles nous avions parfois pratiqué des dissections anatomiques.

Nombre de rats et souris bien sûr, mais aussi des chiens, des écureuils, des renards et des moineaux. Dans la salle d'opérations, où l'on effectuait les incisions pour les calculs, nous tombâmes sur une mouette morte, et, dans les lieux d'aisance, sur un singe mort vêtu d'une petite veste en velours de saltimbanque. Quant aux cadavres humains emmenés sur des charrettes vers la fosse commune, nous en perdîmes le compte. Nous avions tenté de sauver ces vies, mais nous ne possédions ni le savoir ni les moyens nécessaires, et très souvent nous nous prîmes à maudire notre propre profession pour tous ses échecs et ses failles. La mort rendait toujours Pearce enragé, lui qui avait tenté de sauver sa propre mère et avait échoué.

Les douleurs dans ma jambe et ma tête étant fort sévères, je me rassis sur mon lit et me demandai ce que je devais faire, tout perclus de douleurs et presque nu comme je l'étais, et c'est à ce moment-là que j'entendis un nouveau son, à savoir le tintement d'une cloche.

Je levai la tête pour tenter de voir par la fenêtre sale, mais elle était trop haute et tout ce que je pus saisir fut le ciel qui, après la neige que nous avions vue, était empli d'un sinistre éclat ; le soleil et les nuages pommelés étant en parfaite opposition, l'on aurait dit la lumière d'une lampe tentant de briller à travers un carré de flanelle et, pour des raisons que j'ignore, ce spectacle éveilla en moi un sentiment de profonde mélancolie.

Je m'étendis à nouveau, décidant que je n'étais point en état de bouger ou d'aller où que ce soit, mon seul espoir étant de dormir jusqu'à ce que je me sente un peu plus fort, et donc capable d'envoyer un mot à Margaret. Le fait que mes narines soient à présent à juste cinquante centimètres du cadavre du chat me troubla quelque peu, mais il n'y avait aucun autre lit où aller ; ils étaient tous occupés.

Je fermai donc les yeux en espérant rêver à quelque chose de doux et de vivifiant, et je voguais à coup sûr vers un oubli temporaire quand j'entendis le son des cloches changer et se transformer en une clameur sonore. Je compris qu'il n'y en avait pas qu'une, mais que de très nombreuses cloches s'étaient mises à sonner le glas, encore et encore, jusqu'à ce que l'air de Londres semble déchiré par un terrible tonnerre n'en finissant pas.

J'étais étendu très tranquille, les yeux ouverts. Puis je chuchotai à voix haute :

— Le Roi est mort.

Tout ce à quoi je pouvais m'accrocher c'était à ma couverture et mon oreiller en paille.

Je pressai mon visage dans l'oreiller et berçai ma tête avec mes bras pour tenter d'assourdir le bruit des cloches. Mes pleurs mouillèrent tant la paille que, de substance sèche et inerte qu'elle était, elle redevint matière végétale et se mit à puer.

Dans la pièce, le silence se fit petit à petit tandis que les pauvres de St. Thomas's marchaient sur la pointe des pieds, perturbés et sachant ce que les cloches annonçaient, ne souhaitant pourtant y croire car c'était une nouvelle trop imposante. Je ne regardai pas les malades, mais j'étais conscient de nombreux pas traînant dans la pièce car ceux qui pouvaient bouger entreprenaient d'atteindre les fenêtres, comme si le fait de *voir* les cloches reviendrait à comprendre ce qui nous attendait en Angleterre avec le nouveau monarque, Jacques, duc d'York.

Je berçai ma tête avec davantage de fermeté. J'appelai le Roi. Je lui dis que j'étais désolé, que j'avais ardemment souhaité être à ses côtés à ses derniers instants, mais que la perte de mes instruments médicaux m'en avait empêché. Je l'imaginai m'appelant, tout comme il m'avait appelé jadis en plaisantant lors de nos parties de colin-maillard : « Merivel ! Où êtes-vous ? Où êtes-vous ? »

Et je répondis que j'avais toujours été proche de lui en esprit, que pendant plus de vingt ans je l'avais aimé, et même si parfois j'avais tenté de mettre son amour de côté, je n'avais pu m'y résoudre. À en croire les paroles sévères de Pearce, j'avais été l'esclave de Sa Majesté. « Mais cet esclavage ne me dérangeait pas ! m'écriai-je. Car que vaut une vie humaine si elle ne se met pas au service de quelque chose de plus grand qu'elle ? Si je ne vous avais pas servi, si vous ne m'aviez point réveillé de mon sommeil paresseux, j'aurais été inexistant. »

Toute la journée les cloches sonnèrent le glas.

J'étais étendu, comme paralysé, souhaitant rejoindre Whitehall en même temps que les grandes foules de la ville afin de rendre hommage à notre souverain. Mais la douleur dans mon crâne était telle, et j'avais été si prostré à cause des larmes, que je pouvais à peine soulever la tête de l'oreiller puant.

L'on m'apporta de la nourriture, du mouton, du pain et une petite tasse de bière. Une infirmière m'aida à m'asseoir et je tendis le bras pour attraper la bière, que je bus comme un noyé avalant de l'air, d'un seul trait. Puis je demandai à l'infirmière :

— Où sont mes vêtements, je vous prie ? Je dois les trouver et me rendre là où le devoir m'appelle, aux côtés du Roi.

Elle consulta la sœur, qui s'approcha de moi pour m'expliquer :

— On vous a amené ici comme vous êtes, avec vos sous-vêtements et vos seules chaussures. On a dû vous croire mort, et on vous aura tout volé.

Maudissant les domestiques de Fubbs qui avaient dû s'enfuir en me laissant pour mort en dépit du shilling et demi que j'avais donné à chacun, je me dis que je ne sortirais jamais d'ici. Les jours passeraient, le cadavre du chat pourrirait, et moi avec lui, nu et oublié de tous. Ici avait eu lieu un des points de départ de ma vie, et ici elle arriverait à une fin que je n'avais pas anticipée : une fin par le chagrin.

La nuit tomba et le feu fut couvert pour nous réchauffer un peu dans notre deuil, mais tout au long de ces heures sombres, l'on entendit parmi les patients le bruit continu des pleurs et des gémissements, animés de temps à autre par un pet ou un vomissement soudain. J'étais étendu, épuisé, sur mon oreiller imbibé, écoutant tout cela et incapable de fermer les yeux. Je me dis que je montais la garde auprès de l'âme du Roi.

En milieu de matinée le lendemain, apparut, béni soit-il, un visage que je reconnus et qui s'avançait avec lenteur dans la pièce, scrutant chaque patient ; arrivant à ma hauteur, il s'écria qu'il m'avait enfin trouvé.

C'était Julius Royston.

— Julius, je déclare que je suis Lazare et que tu es le sauveur de l'humanité. Si je pouvais me lever, je tomberais à tes pieds et les embrasserais, soupirai-je.

36

La journée qui suivit l'enterrement de Sa Majesté, au soir, fut comme une prolongation de l'obscurité nocturne, avec de grandes foules en crêpe noir que l'on voyait partout depuis les appartements et au-dessus desquelles planait un ciel bas. Debout aux côtés de Margaret derrière les fenêtres de Fubbs, nous regardâmes cette masse de gens sous le crépuscule ondulant de nuages. Et je pensai à leur amour pour feu le Roi, et comment cela avait dû être un amour obstiné, ondoyant et changeant comme le mien, au point que rien ne puisse les persuader de quitter cet endroit, qui était celui où leur amour était venu se poser. Margaret et moi fûmes néanmoins bientôt forcés de partir.

Fubbs s'était enfermée sur-le-champ dans la maison de l'ambassadeur de France, ne nous laissant presque aucun meuble et pas le moindre drap pour nos lits.

Le 16 février arriva un ordre du roi Jacques, réclamant la « libération immédiate » des appartements et que l'on n'emporte rien à part nous-mêmes, dont le séjour avait « dépassé son terme ». Et donc, bien que je sois à peine capable de marcher et affligé d'une pénible douleur à la tête, j'emballai mes vêtements et les quelques biens m'appartenant et j'escortai Margaret à la maison de Lord Delavigne.

Voyant le pansement autour de ma tête et ma canne, dont j'avais besoin pour traîner un pied devant l'autre, Lady Delavigne m'invita de manière fort courtoise à séjourner quelque temps chez eux, « jusqu'à ce que vous soyez en voie de guérison ». Mais j'étais impatient d'être à Bidnold, alors après moult remerciements élaborés, je répondis :

— Il n'y a qu'une chose susceptible de me faire du bien, madame la comtesse, et ce sont les tendres soins de mon domestique, Will Gates. Je m'en remettrai à lui.

C'est ainsi que je pris congé de Margaret, sur les marches de la maison Delavigne, et je ne pus m'empêcher de remarquer que, encadrée dans ce portail majestueux surmonté de son énorme blason, elle paraissait fort petite. J'avais envie de courir vers elle et de la tenir contre moi, mais Julius s'approcha et posa le bras autour de ses épaules. Tous deux sourirent et levèrent la main vers moi en guise d'au revoir. Puis, m'en remettant à Julius Royston, je partis.

Le fait d'arriver à mon cher Bidnold m'avait presque toujours rempli de joie. Mais maintenant, alors que le coche que j'avais loué tournait dans l'allée et que je regardais mon parc, ce que je vis n'était point le parc tel que je m'en souvenais, mais un paysage qui m'était étranger.

L'herbe avait poussé et était envahie de parasites, les arbres entourés de feuilles mortes, et tous les bancs en fer forgé avaient disparu. Dans ces prés négligés, je vis, là où les jolis cerfs avaient jadis vagabondé, des cochons fouissant la boue et un troupeau de moutons loqueteux et clopinant sur les touffes d'herbe. Pas de trace des cerfs. L'allée, au gravier toujours impeccable, était trouée d'ornières causées par les charrettes des fermiers, et en proie à une terrible invasion de mousses jaunes brunâtres.

Alors qu'apparaissait le manoir lui-même, je vis qu'il était dans un état d'abandon encore plus grand.

Un tiers du mur ouest était totalement envahi par un lierre rageur. Aux fenêtres, je vis des vitres cassées ou manquantes, ainsi que des tuiles envolées du toit. Là où jadis mon enclos avait été tracé au cordeau avec des plantations de buis et de houx poussait à présent un enchevêtrement de mauvaises herbes mortes, ainsi que les débris d'un malheureux bataillon de ciguës.

Je descendis du coche, la cheville douloureuse, et regardai autour de moi d'un air ébahi. La dernière fois que j'avais aperçu ma demeure et mon domaine, ils étaient comme à l'accoutumée, tout y était taillé, propre et bien tenu. Aujourd'hui, le changement et la saleté étaient tels que j'eus bien du mal à les reconnaître. L'air lui-même, d'ordinaire très doux, m'évoquait dorénavant une cour de ferme viciée par la puanteur des cochons, et je me fis l'effet d'être quelque pauvre cavalier de retour dans son petit arpent d'herbe et de bétail, tout seul et sans le moindre espoir que sa vie ne s'améliore jamais.

Il faisait un froid mordant. Mon cocher traînait là, tenant les chevaux et attendant son argent. La porte d'entrée ne s'ouvrit point. Tandis que je tâtonnais en quête d'une bourse, je bredouillai à son intention :

— Il semblerait que je sois venu à la mauvaise saison...

Je comptai les pièces pour la course et, tout comme à Versailles, regardai repartir le coche avec une grande angoisse, comme s'il m'abandonnait à un danger immédiat.

Puis je fis demi-tour et boitillai avec ma canne en direction de la porte. J'appelai Will, lui disant que j'étais enfin rentré à la maison et, ce faisant, ne pus m'empêcher de me rappeler cet autre retour après une longue absence en 1667 et comment, alors que je ne croyais plus que le manoir m'appartenait, j'avais été si ému à sa vue que j'avais poussé un grand cri de joie puis, voyant Will et Cattlebury debout à m'attendre, je m'étais mis à pleurer toutes les larmes de mon corps.

J'entrai et trouvai le hall plongé dans l'obscurité, sans chandelle ni la moindre flambée allumée. Ici, l'odeur de l'air n'était à nouveau plus la même. D'ordinaire, cela sentait la cire d'abeille et le feu de bois, et ce parfum accueillant avait toujours réconforté mon âme. Mais à présent, l'air donnait l'impression d'être humide et teinté de quelque chose de malsain, comme si des souris ou des rats étaient venus mourir ici. Je baissai les yeux. La fourrure de Clarendon était étendue à mes pieds. Ses yeux en verre fixaient aveuglément les ténèbres crépusculaires. Et je sus que c'était de lui (mon pauvre Clarendon, mal tanné et mal séché) qu'émanait la puanteur.

Puis, venant des cuisines en dessous, j'entendis le son caractéristique d'un rire. Je m'avançai un peu et écoutai. D'autres vagues d'hilarité s'élevaient et venaient s'abîmer sur la grève froide et silencieuse du hall. À voix forte et désespérée, j'appelai à nouveau Will. Ma tête palpitait. Ma cheville décochait des flèches douloureuses jusque dans ma cuisse.

Personne n'apparut. Quiconque habitait la maison était sourd à ma voix, n'existant qu'à l'intérieur de la bulle de son rire. Puisque l'on ne m'entendait pas et que j'étais donc exclu, je n'eus d'autre choix que de boitiller jusqu'en bas.

J'ouvris la porte de la cuisine et découvris alors une scène mortifiante.

Plus de vingt personnes, hommes et femmes mélangés, vêtus de haillons sales, dans un état d'ébriété fort avancé étaient rassemblés là, étendus ou assis, par terre, sur les chaises ou sur la table.

Sur cette dernière trônait une collection composée de bouteilles de vin – pas moins de trente ou quarante à vue d'œil – prises dans ma cave. Et maintenant qu'elles avaient toutes été bues, les gens s'étaient lancés dans une vile débauche sans la moindre vergogne et sans se soucier le moins du monde de ce qu'ils faisaient devant les autres, deux hommes accroupis dans un coin s'adonnant à la sodomie, certaines des femmes avec la poitrine débordant de leur corsage, et des hommes suçant leurs tétons tout en enlevant leurs culottes à tâtons, en prélude à la fornication. Un garçon de douze ans tout au plus riait comme un bossu, propulsant un jet de pisse impressionnant à côté de la cuisinière sur laquelle un chaudron de civet de lapin bouillonnait et débordait.

Mes yeux firent le tour de la pièce dans une transe incrédule. Au départ, personne ne fit attention à moi. Puis je frappai sur le sol en pierre avec ma canne, l'on aurait dit un instituteur ridicule ou un vieux bedeau, et quelques têtes se tournèrent dans ma direction. Petit à petit, avec une consternation atterrée, je commençai à reconnaître quelques-uns de ces gens en haillons, qui n'étaient autres que les bonnes et les valets de pied nous ayant servis, le Roi et moi, pendant de nombreuses années, jadis si soignés dans leurs uniformes, durs à la besogne, aussi bons que peuvent l'être des domestiques, et à présent tombés dans une anarchie éhontée de leur cru.

Je ne dis rien, mais me contentai de les dévisager ; ils me dévisagèrent à leur tour et la pièce se fit silencieuse. Quelques-unes des femmes s'assirent, remirent leurs poitrines dénudées dans leurs robes et repoussèrent les hommes. Puis, depuis le bout de la table, Cattlebury se leva, plus colossal que jamais, écarlate à cause du vin et tenant dans ses mains puissantes la culotte de la jeune femme à ses côtés qui, dans un état d'ébriété plus avancé que les autres, continuait de tripoter sa grande carcasse. J'attendis que les yeux de Cattlebury s'alignent suffisamment pour se poser sur moi.

— Sir Robert, finit-il par dire. On ne pensait plus vous voir.

— Ah, vous pensiez ne jamais me revoir ? Et pourquoi cela ?

— On vous croyait parti. Mort, c'est comme ça qu'on vous voyait.

— Eh bien, je suis désolé de te décevoir, Cattlebury, mais me voici. Et maintenant, pourrais-tu me dire quelle est la signification de cette déplorable scène ?

Il oscilla d'avant en arrière. De la sueur coulait le long de ses joues. La femme caquetait en lui donnant des coups de coude.

— Sa toute-puissante seigneurie demande la *signification*, monsieur Cattlebury. Quelle est la foutue SIGNIFICATION de cette belle assemblée !

Cattlebury s'essuya le visage avec la culotte et tenta de garder l'équilibre, puis de se redresser, afin de pouvoir me défier du regard.

— La signification, Sir Robert, finit-il par balbutier, est la même que lorsque vous et... vous et Lady Bathurst et tous les joyeux dandys et coureurs de jupons de Londres faisiez pareil, un nombre incalculable de fois et que nous... nous avons trimé dur après vous pour nettoyer votre merdier puant ! Quelle autre signification à votre avis ?

À ces mots, d'autres rires convulsifs éclatèrent. Prenant cette déclaration impolie, et l'hilarité qui s'ensuivit, comme une permission pour reprendre leurs rudes ébats interrompus, les hommes dans le coin s'y remirent avec une rapidité soudaine, se moquant pas mal que je les voie dans ce rut digne de deux chiens.

Je les regardai faire, tout comme je regardai ce spectacle incommodant, et me dis que si les hommes pouvaient se voir de près quand ils abandonnent toute sobriété pour devenir des animaux, peut-être qu'alors ils ne tomberaient pas, ainsi que je l'avais fait, dans ce dévergondage répété, réalisant enfin combien cela mettait leur âme en péril.

À ce moment-là, une jeune femme s'approcha de moi et je reconnus Tabitha, la bonne de Margaret, celle qui avait veillé avec un soin si désintéressé sur ma fille lors de sa terrible maladie. Tabitha avait bu, elle aussi, et sa chevelure ébouriffée lui tombait dans les yeux, mais sa robe était soignée et lisse. Sans mot dire, elle me prit la main et m'entraîna hors de la cuisine. Elle monta les escaliers et pénétra dans le corridor menant à la bibliothèque ; ne sachant que faire d'autre, je la suivis en clopinant, laissant la débauche en dessous de nous s'épuiser d'elle-même. Elle ouvrit la porte et nous entrâmes.

Je regardai autour de moi. Il me semblait voir beaucoup moins de meubles dans cette pièce qu'autrefois. Ce qui restait était couvert de housses blanches, l'air était froid et cela sentait le renfermé. Je retirai l'une des housses d'un geste brusque et m'effondrai dans un fauteuil ; ma canne tomba à terre.

— Où est Will ? demandai-je avec un long et douloureux soupir. S'il te plaît, va me chercher Will Gates.

Tabitha s'approcha et s'agenouilla à côté de mon fauteuil.

— Sir Robert, vous ne nous punirez pas. Nous avons profité de votre absence et nous sommes désolés de ce que nous avons fait, mais si nous en sommes là, c'est parce que nous n'avions pas d'argent pour faire tourner la maison...

— Pas d'argent ? Que veux-tu dire ? J'en avais laissé assez.

— Non, Sir. Au-delà de novembre on n'en avait plus, Sir. Rien pour la nourriture, l'huile ou les chandelles, ou pour quoi que ce soit d'autre. On a tué et mangé les cerfs. On n'avait pas le choix. Une fois tous les cerfs mangés, on a laissé les cochons et les moutons des fermiers vagabonder dans votre parc, en échange de viande. On pouvait pas acheter de bière, alors on a bu votre cave. Parce que vous ne nous avez rien envoyé, pas un mot non plus. On pouvait juste supposer que vous étiez mort, ou que vous aviez décidé de nous oublier : vous êtes responsable de nous avoir abandonnés aussi cruellement. On n'avait pas envie de mourir de faim.

— Tabitha, je ne vous ai pas « abandonnés ». Tu sais bien quelle sorte d'homme je suis. Je n'aurais jamais pu faire une chose pareille. Avant mon départ pour la Suisse, j'ai confié la moitié de la rente du Roi pour six mois à Will Gates. C'était plus que suffisant pour que la maisonnée soit pourvue de tout pendant une année, année qui ne s'est d'ailleurs pas encore écoulée.

Tabitha baissa les yeux vers le tapis. Ses doigts jouaient nerveusement sur ses motifs élaborés.

— On a cherché, mais on ne l'a pas trouvé. Nous n'avons trouvé aucun argent nulle part.

— Vous avez cherché... ?

— Oui. Quand M. Gates a passé.

— Quoi ?

— Quand M. Gates nous a quittés, Sir...

Tabitha se prit la tête entre les mains, écartant les cheveux tombés sur son visage. Elle ne me regardait pas et dit :

— Il n'a pas souffert, Sir Robert. Il est mort dans son sommeil le 1er décembre. Quand il n'est pas descendu ce matin-là, M. Cattlebury et moi on est allés dans sa chambre, il était très paisible et immobile sur son lit, couvert de sa vieille peau de blaireau.

Je fixai la bibliothèque ensevelie sous ses linceuls et agrippai les bras de mon fauteuil. Je ne bougeai aucun muscle de mon visage ou de mon corps et ne dis pas un mot.

Tabitha poursuivit :

— Nous avons tout fait comme il fallait, Sir Robert, autant qu'on a pu. On a fait venir les légistes, pour déterminer la cause de la mort, mais ils n'en ont *vu* aucune, sauf que son cœur s'était arrêté de battre. Ils ont juste dit que M. Gates était prêt à « s'unir à la terre ».

» On n'avait pas d'argent pour un linceul en laine, et M. Cattlebury, il a dit que c'était pas important. Il a ordonné de coudre d'autres peaux de blaireaux pour entourer M. Gates, comme celles qu'on avait portées l'hiver dernier, assez pour l'envelopper complètement, et puis on a fait venir les croque-morts et ils l'ont emmené.

Le silence s'abattit sur la pièce. Je regardai la cheminée vide ; j'aurais donné n'importe quoi pour trouver Will agenouillé à côté et déposant du petit bois dans une pile bien rangée afin de démarrer une superbe flambée.

Je finis par demander :

— Où est-il enterré, que je puisse lui rendre visite ?

Tabitha ne répondant pas, je posai à nouveau la question. À nouveau, elle tripota ses cheveux, essayant de les écarter de ses yeux. Puis elle expliqua :

— On n'avait pas d'argent, Sir Robert, et aucun ami ou membre de la famille ne s'est présenté pour réclamer le corps. On n'a pas eu le choix. Il est à la fosse commune derrière le cimetière de Bidnold.

Je restai dans la bibliothèque, immobile, jusqu'à la tombée du crépuscule. Dans cette pénombre, je vis des silhouettes soûles osciller le long de l'allée et entendis une fois de plus le garçonnet rire comme un bossu. Alors je me levai, sortis, puis me plantai sur le pas de la porte et vis mes anciens domestiques, ainsi que les autres inconnus qu'ils avaient invités à leurs voluptueuses festivités, tituber en s'éloignant de Bidnold, emmenant avec eux tout ce qu'ils pouvaient porter du reste de mes possessions.

Je ne tentai point de les en empêcher. On pouvait me priver de mes affaires, cela ne me dérangeait guère. J'avais jadis vu un homme pendu à Norwich pour avoir volé une seule et unique balle de tissu, et voilà que ces gens filaient sous mon nez avec un lourd chargement de porcelaine et d'argenterie, après quoi ils se disperseraient aux quatre vents, là où je ne les retrouverais jamais.

Parmi les biens volés, il y avait de nombreuses pendules, et ce vol du temps me rappela un tendre souvenir de Hollers et de celle qu'il avait tenté de confier à Mme de Maintenon, rejetée au prétexte qu'elle « volait du temps à Dieu ». Et puis je songeai que la vie elle-même était la plus grande voleuse de temps, et que tout ce que nous pouvons faire consiste à regarder les jours, les mois et les années nous échapper et filer vers l'obscurité.

C'était une observation mélancolique, mais ce qui me troublait davantage, et qui me rendait malade au plus profond de moi-même, au point de pouvoir à peine respirer, c'était l'image que j'avais du corps de Will, entouré et ficelé dans les tabards de blaireau et jeté sans ménagement dans une fosse commune, recouvert de chaux vive.

— Cela ne se passera pas comme ça, Will ! annonçai-je à la nuit qui tombait. Cela ne se terminera pas comme ça.

Dans le manoir désert qui jamais, depuis tout le temps que je le connaissais, n'avait été aussi dépeuplé, je ne parvenais à décider que faire ni où aller.

Je retournai à la bibliothèque et allumai une chandelle, puis m'assis parmi les fantômes de repose-pieds et de tables à jouer dont je me souvenais à moitié, et d'un joli globe terrestre que je ne reverrais jamais.

— Merivel, ton monde s'est horriblement rétréci, lança la voix de Pearce, sortant soudain de l'ombre.

Cela me fit sourire.

— Tu as raison, mon ami. Il l'est.

— Que vas-tu faire à présent ?

— Je ne sais pas. Je ne sais pas.

Je pensai à mon travail, à mes *Méditations sur l'âme animale*, que j'avais entamées avec un optimisme si touchant, me demandant si j'y retournerais ou si, en me lançant sur un sujet qui ne serait jamais vraiment démontré ou connaissable, je ne m'étais pas embarqué dans un autre de mes voyages inutiles, comme Versailles, à la fin duquel mes services ne seraient jamais retenus et les conclusions que je cherchais à jamais sans réponse.

— Qu'en penses-tu, Pearce ? Dois-je entretenir l'idée de ce travail ?

Mais il n'y eut pas de réponse. Pearce avait disparu.

Je dormis un peu, puis me réveillai, torturé par la faim. Me souvenant du civet de lapin, je pris ma canne et me dirigeai à nouveau vers la cuisine.

Deux lampes à huile y brûlaient, et, à leur lumière, Tabitha nettoyait avec lenteur et patience le vin renversé, l'urine, le sperme et les os de lapin jetés dans la pièce.

Allongé sur trois chaises solides, et insensible à tout, Cattlebury ronflait comme un soufflet de forge. Je le dévisageai et vis que son cou était plié en deux par le poids de sa tête sur le siège de la chaise droite, et j'eus pitié de ce cou comme de son propriétaire, si bien que je lançai à Tabitha :

— Aide-moi à le soulever et nous le mettrons dans son lit.

À pas lents et fatigués, nous le portâmes jusqu'à sa petite chambre, l'étendîmes puis le couvrîmes pour le protéger de la froideur nocturne. Je fixai son gros visage abîmé et me souvins de toute la bonne nourriture, carbonades, gâteaux au saindoux, tourtes au pigeon, laits de poule et tartelettes de Noël aux fruits secs qu'il avait préparée et qui m'avait sustenté si longtemps. Je tendis la main pour lui toucher un instant le front d'un geste tendre, avant de repartir.

37

Le lendemain, je donnai quelques pièces à Tabitha et la priai de se rendre au village pour m'y louer un cheval et une charrette, car il m'était impossible de boiter plus de dix pas avec ma cheville gonflée.

Le cheval qu'elle réussit à obtenir était une jument malingre et lente qui ne trottait guère même sous le fouet, donc nous avançâmes d'un pas fatigué, mais cela m'importait peu. Je n'avais qu'une seule chose en tête.

J'arrivai vers dix heures à la maison du sacristain. Son nom était Blunt, ce qui m'avait toujours fait sourire, parce que c'était effectivement un homme brusque, sans la moindre courtoisie ni grâce. Réglant ma conduite sur la sienne, mes rapports avec lui étaient aujourd'hui cassants et sans façons.

Je glissai sous ses petits yeux durs une bourse contenant cinq livres et dis :

— Vous me connaissez, monsieur Blunt, et vous savez que je suis un homme de parole. Je revendique un lien de parenté avec le dénommé William Gates, jeté par erreur dans la fosse commune après sa mort en décembre alors que j'étais loin de l'Angleterre.

— Parenté ? Quel genre de parenté un indigent peut-il avoir avec vous ?

— Ce n'était pas un indigent. C'était un domestique honnête qui craignait Dieu et qui a travaillé dur pour moi pendant vingt ans. Je l'aimais beaucoup. Et je souhaiterais qu'il repose dans une tombe correcte. Je paierai pour qu'on la creuse, ainsi que pour une pierre tombale. Tout ce que je vous demande, c'est de me trouver aujourd'hui des hommes pour l'enlever de la fosse et lui creuser une tombe dans le cimetière. Je superviserai leur travail.

Quand Blunt se mit à marmonner que je devrais d'abord consulter le pasteur de la paroisse, je repris la bourse et dis :

— Ah, c'est donc à lui que je devrai donner les cinq livres ?

— Non, non, répondit Blunt en regardant l'argent d'un air craintif, mais c'est la procédure. Personne ne peut être retiré de la fosse sans la signature du pasteur en dessous de celle du sacristain...

Dix livres, donc : cinq pour Blunt et cinq pour le pasteur pour une obscure permission. Une fois que nous fûmes tombés d'accord sur ce vol éhonté, Blunt poursuivit :

— Et vous devez trouver vos propres hommes pour creuser dans la fosse, Sir. Je ne peux demander à personne de ma connaissance de faire ce travail-là.

— Je vois, monsieur le sacristain. Sous-entendez-vous que, bien que cette affaire concerne l'Église, et que cette dernière soit dans votre paroisse, les hommes exécuteront mes ordres plus volontiers que les vôtres ?

— Non.

— Eh bien alors ?

— Je sous-entends que personne n'acceptera d'exécuter quoi que ce soit.

Tandis que la permission était rédigée laborieusement, puis signée, je me rendis chez le menuisier et fabricant de cercueils, M. Shanks, et en achetai un « tout prêt, pour une femme ou un petit homme pas plus haut qu'un mètre cinquante-huit », et le déposai dans la charrette. Les cercueils « tout prêts, petite taille » étaient les seuls disponibles, « parce que la plupart des gens qui meurent, à part les enfants, Sir, sont plus gros qu'ils l'étaient avant, et ils semblent mourir de ça, alors j'ai du mal à fabriquer les boîtes assez vite », m'expliqua Shanks. Avec le cercueil, il y avait aussi un linceul en laine, pour lequel je dus m'acquitter d'une somme exorbitante mais, là encore, je m'en moquais.

Puis je me dirigeai vers l'humble maison de Patchett, au milieu de ses champs de jacobée, lui qui avait tué ce pauvre Clarendon avec son tromblon.

Je le trouvai occupé à arracher des navets dans la terre dure de son carré de légumes et je lui dis :

— Patchett, j'ai besoin de vous à présent...

Quand je lui décrivis la terrible tâche que j'attendais de lui, au lieu de protester, il sourit. Grattant sa tête de géant, il répondit :

— Je savais qu'entre vous et moi ça s'arrêterait pas avec la mort de votre ours, Sir Robert. Je savais que vous me demanderiez plus un autre jour. Mais j'avais pas imaginé ça.

— Le ferez-vous ?

Il continua de se gratter la tête. Il soupira et son souffle las s'envola en gouttelettes dans l'air froid. Il avait connu Will et été témoin de sa bonté, donc je continuai de parler, lui racontant que c'était « par égard pour Will et non par égard pour moi » qu'il fallait le retirer de la fosse.

Patchett finit par répondre :

— Je le ferai pour de l'argent, Sir Robert. Ou pour de la viande.

Je retournai mes poches en tous sens, pour voir quelles pièces il me restait après mes paiements au sacristain, au pasteur et au fabricant de cercueils, et tout ce que je trouvai, c'était un souverain en or. Je le tins dans ma paume et Patchett le fixa avec un respect mêlé de crainte.

— Voilà, dis-je, il est à vous si vous pouvez installer Will Gates confortablement dans son cercueil d'ici ce soir.

Le souverain bien en sécurité au fond de sa poche et le visage entouré de chiffons pour se protéger de la puanteur et de la contagion de la fosse commune, Patchett se mit à creuser dès une heure. J'étais à ses côtés, afin de l'encourager. Je savais qu'il ne nous restait que quelques heures de clarté.

Je lui dis :

— Nous trouverons Will très vite dans cette fosse étroite, son corps est enroulé dans des fourrures de blaireau.

— Des fourrures de blaireau ? Personne n'a trouvé mieux ou plus correct pour l'envelopper ?

— Non. Ils n'ont rien trouvé d'autre. Son linceul, ce sont des peaux d'animaux.

Tandis que la pelle de Patchett fouillait à travers la terre et la chaux, la puanteur de la mort s'éleva bel et bien dans notre direction et je me souvins que, face à l'odeur des morts, j'avais toujours été plus courageux que Pearce et m'étais senti tout à fait à l'aise lors des leçons d'anatomie, alors que d'autres étudiants vomissaient et s'évanouissaient. Pour que Patchett poursuive son travail, j'entrepris de lui parler des dissections jadis effectuées à Cambridge, les faisant paraître très sanglantes, épuisantes et excitantes, afin que ces choses du passé, plutôt que l'actuel brassage de la terre et des os, lui occupent l'esprit.

Ainsi que je l'avais prédit, il ne fallut pas très longtemps pour tomber sur le paquet boueux de fourrures qu'était Will. Patchett le souleva et le déposa sur l'herbe, et je vis, au milieu des cordes qui l'attachaient à son suaire en loques, deux ou trois museaux de blaireaux ; ces modestes truffes bigarrées atténuèrent un peu mon effroi, comme si cela signifiait que les animaux tenaient compagnie à Will, de la même manière qu'une peluche tient compagnie à un enfant et rend sa longue nuit plus supportable.

J'aurais volontiers lavé et peigné fourrures et museaux, mais je vis que les vers les avaient déjà attaqués, et je répugnai à l'idée de démêler ces derniers. Mais, sans me soucier de sa puanteur, je m'approchai de l'endroit où Will était étendu, m'agenouillai et posai la main là où je savais qu'était son visage.

— Will, dis-je, je t'enlève de la fosse commune parce que tu n'as jamais été un pauvre, tu étais aussi riche que le plus riche des hommes, riche de gentillesse.

Patchett et moi l'enveloppâmes ensuite dans le coûteux linceul en laine et le déposâmes dans le cercueil en chêne massif. Puis je refermai le couvercle et le clouai, tandis que Patchett creusait la tombe de Will.

Cette dernière était au soleil même en février, l'ombre délicate d'un pommier tombant de biais sur l'un de ses angles, et je trouvai l'endroit bien choisi.

Une fois le soleil parti et l'air devenu glacial, je me mis à craindre que la tombe ne soit pas prête avant la tombée de la nuit. Je partis chercher une pelle et, en dépit de ma cheville gonflée, tentai de me joindre aux efforts de Patchett. Mais à vrai dire, c'était si difficile pour moi d'infliger une pression quelconque à mon pied ou de me déplacer dans la terre retournée que je réussis plutôt à le gêner.

Pour finir, et presque dans l'obscurité, une étoile gelée visible derrière le pommier, la tombe fut prête et nous y descendîmes le cercueil. Je sentis un grand soulagement m'envahir, celui d'une affaire rondement menée. Puis je repris la pelle et nous pressâmes la terre généreuse du cimetière de Bidnold dessus et autour de la boîte ; j'informai ensuite Patchett des mots que je ferais graver sur la pierre tombale, à savoir :

M. William Gates,
1609-1685
Un homme inestimable

Le canasson et moi trouvâmes le chemin du retour au clair de lune. Il était épuisé et suait de devoir traîner la charrette. Je lui expliquai que, une fois là-bas, les palefreniers l'installeraient dans une écurie chaude et lui donneraient du foin et de l'eau. Mais je me souvins ensuite qu'il n'y avait pas de palefreniers, juste des hommes prenant du bon temps dans quelque lointaine auberge, s'exclamant sur le butin qu'ils m'avaient dérobé et nul doute se gaussant de mes pertes.

Les écuries, néanmoins, étaient toujours là et, à l'intérieur, il y avait de la paille ; je détachai la pauvre jument de la charrette et la fis entrer, trouvai dans la paille quelques carottes à lui donner, et remplis au puits un seau d'eau que je déposai devant elle. Je la regardai boire un peu, après quoi elle s'étendit.

Aussi las que le cheval, la douleur dans mon pied particulièrement mordante, j'entrai dans la maison en clopinant et, à ma grande joie, y trouvai un bon feu brûlant dans le hall. Je m'affalai à côté, sur un siège à haut dossier, et Tabitha, vêtue d'une robe propre et d'un tablier, les cheveux lavés et soignés, finit par arriver en m'apportant du vin.

— Ah, je suis étonné qu'il en reste, Tabitha, si chaque jour dans cette maison a ressemblé à ce que j'ai vu hier.

Elle baissa la tête tout en me versant le vin.

— C'était pas tous les jours, Sir, juste quand M. Cattlebury avait le feu au corps et qu'il invitait tout le monde.

— Je suis heureux de l'apprendre.

— Ça n'a eu lieu que quelques fois, Sir...

— Eh bien, Dieu soit loué pour sa miséricorde. Et maintenant, merci d'aller me chercher Cattlebury, Tabitha, parce que lui et moi devons avoir une sérieuse conversation. Il doit sûrement savoir qu'il pourrait être pendu pour ce qu'il a fait.

— C'est le manque d'argent qui le lui a fait faire, Sir Robert. Il m'a dit un jour : « Les hommes qui n'ont pas d'argent pour se nourrir deviennent vite des bêtes. » Et je pense que c'est le cas. Parce qu'on était très malheureux ici. Si seulement M. Gates nous avait dit où il gardait la rente du Roi...

— Je sais. Mais tout de même, Tabitha, le désastre que je vois autour de moi est fort grave. Que dois-je faire de Cattlebury ? Je ne pense pas pouvoir le garder à mon service.

Tabitha se baissa pour mettre une autre bûche dans le feu. Puis elle leva les yeux vers moi.

— Il est parti pendant votre absence aujourd'hui, et il reviendra pas.

Je dévisageai Tabitha. Dans mon esprit se forma une image très nette de mon ancien cuisinier, que je connaissais depuis près de vingt ans, penché comme un ogre sur ses fourneaux, toujours au bord de quelque mutinerie ou autre, mais se refusant d'y céder jusqu'à il y a peu, parce qu'il n'avait d'autre foyer que Bidnold Manor. Et voilà qu'il s'était volatilisé, et j'étais incapable de prédire ce qu'il adviendrait de lui.

— A-t-il laissé un mot à mon intention ? demandai-je.

— Oui. Il m'a demandé de l'écrire pour lui parce qu'il ne connaît pas très bien son alphabet.

— Montre-le-moi, alors.

Tabitha sortit un bout de papier de la poche de son tablier et me le tendit.

Sir Robert, lus-je,
Je tiens à ma vie et refuse d'être pendu à Mouse Hill pour avoir pris ce que j'avais besoin pour ne pas mourir de faim. Je vous salue bien. Bidnold sera toujours dans mon cœur.

M. Cattlebury

Je lus le message à plusieurs reprises, puis je le rangeai dans ma poche et pris la main de Tabitha dans la mienne.

— Bidnold est dans nos cœurs à tous, dis-je, mais c'est fini.

— Fini ?

— Oui. Je ferai effectuer de petites réparations aux fenêtres et autres pour que tout soit sécurisé. Puis le restant sera emporté dans un garde-meubles et Bidnold Manor sera fermé. Je partirai pour Londres, et de là, à l'été, pour la Suisse.

— Que va devenir le manoir, Sir ?

— Il sera vendu.

— Vendu à qui ?

— Je n'en sais rien. Et je m'en moque. Il fut un temps où je l'avais bien arrangé, Tabitha, façonnant mes propres délires dans chaque pièce, avec des brocarts écarlates, des baldaquins dorés et des pompons cramoisis qui faillirent provoquer un arrêt cardiaque chez mon ami, John Pearce. J'étais enflammé par mes entreprises ! Quand j'ai trouvé le tapis de Cheng Chow, j'étais si excité que c'est tout juste si j'ai pu dormir ! Bidnold Manor est la seule demeure que j'aie jamais possédée. Je l'ai perdue autrefois, puis elle m'a été restituée, et je l'ai beaucoup aimée. Margaret espérait se marier ici. Mais je serai contraint de la décevoir, car je n'ai pas le courage de la remettre à nouveau en état. Cela doit continuer sans Merivel.

— Je suis vraiment désolée, Sir Robert.

— C'est moi qui le suis. Mais tout a une fin.

Un long silence s'empara du hall. Puis, d'une petite voix timide, Tabitha demanda :

— Et qu'est-ce que je vais devenir ? Vous me renvoyez vers l'inconnu.

— Non. Parce que je n'ai jamais oublié et n'oublierai jamais ce que tu as fait pour Margaret. Demain j'irai voir Lady Prideaux avec la charrette et lui demanderai de te prendre à son service. Cela te plairait-il ?

— Oui, Sir. Si elle veut bien de moi...

— Mais oui. Accepteras-tu d'accompagner la famille en Cornouaille l'été ?

— Oui...

— Fort bien. Il y a des macareux en Cornouaille, ce sont des oiseaux que je n'ai jamais vus, mais je te promets que tu les verras.

Je dormis longtemps, me réveillai juste avant l'aube et sus dès le réveil où Will avait caché la rente du Roi, là où aucun autre que lui n'irait jamais la chercher.

Je me levai, enfilai ma robe de chambre, pris une chandelle et ma canne, puis me dirigeai en silence, boitant, vers la chambre blanche de la tour ouest, la pièce à laquelle s'était jadis réduite toute mon existence.

Il n'y avait là aucun meuble, à part un petit tapis turc et un fauteuil dans lequel j'aimais m'asseoir, parfois, et regarder les changements du ciel, écouter le vent, sentir que j'étais au-dessus du monde et que pourtant je flottais dans sa beauté, comme un nuage. De toute ma maisonnée, seul Will savait que je venais encore ici.

Je posai la chandelle. Par les quatre fenêtres au nord, au sud, à l'est et à l'ouest de la tour, la lumière s'intensifiait et je vis que la journée serait belle.

Je m'agenouillai, repoussai le fauteuil puis roulai le tapis. Et exactement comme je l'avais anticipé, le sac en cuir dans lequel Will avait toujours gardé les comptes annuels de la maisonnée reposait sous une latte sciée exprès. Il y avait fourré une grande quantité de l'or du Roi, au milieu des papiers.

Je touchai à peine aux souverains, mais restai agenouillé à les regarder briller furieusement. Et puis je remarquai que Will avait enterré quelque chose d'autre sous la latte du plancher.

Je plongeai la main, et vis qu'il s'agissait de mon livre (l'histoire de ma vie que j'avais nommée *La Cale*), qui avait passé seize années sous mon matelas et qui était maintenant plus froissé et déchiré que jamais, sali par la poussière et les crottes de souris pour avoir été écrasé dans cette nouvelle cachette. Mais je remerciai Will de l'avoir mis en sécurité. Alors que tant d'autres choses m'avaient été enlevées, j'étais content de constater que ce petit récit de mon existence, tout loqueteux qu'il était, se trouvait toujours là.

Je m'assis dans le fauteuil et me mis à lire. Je lus, à la première phrase, que je me décrivais comme un individu « très désordonné », avec un gros ventre et un nez difforme, et cela me fit sourire.

Puis j'arrivai à ce que je nommai les « cinq débuts » de ma vie, qui m'étonnèrent beaucoup pour ce qu'ils témoignaient de précipitation, de bêtise et de folie chez ma jeune personne. Le livre absorba tant mon attention que je n'en levai guère les yeux avant de voir la lumière autour de moi effectuer soudain sa grande transition vers le rouge profond signalant le lever du soleil. Je regardai le ciel au-dehors. Pendant un moment, j'eus l'impression d'être à l'intérieur d'un chaudron de feu.

ÉPILOGUE

Déposition de Mrs R. PIERPOINT,

dans sa blanchisserie,
le 18 mars de l'an de grâce 1685

Toutes les choses que je vais raconter ici, je jure sur tous les poissons de la rivière que c'est l'absolue vérité, telle qu'elle m'a visitée ici le matin du 18 mars de l'année de la mort du Roi, en 1685.

Il faisait frais. J'avais allumé mes feux, mis une quantité de draps et de jupons à bouillir, et je me réchauffais en tendant les bras vers les lessiveuses lorsque ma porte d'entrée s'est ouverte, et que mon cher ami, Sir Robert Merivel, est entré. Quand je l'ai vu, je n'ai pas pu m'empêcher de courir vers lui et de crier, « Oh, Sir Rob, prenez Rosie dans vos bras, parce qu'elle a très froid ! ».

Nous étions donc collés l'un à l'autre, soupirant ensemble, puis je me suis lamentée : « Le Roi est mort ! Et c'est une misère, une misère terrible pour l'Angleterre et pour nous qui l'aimions, et pour toute la généreuse dentelle blanche des cavaliers qui a fait tourner le commerce de la blanchisserie. »

Sir Robert me caresse les cheveux et m'embrasse les joues, mais il ne peut pas parler parce qu'il est tout étranglé à force de pleurer.

Je l'emmène donc près de mes chaudrons brûlants pour le réchauffer et lui donne un mouchoir tout juste repassé, et il me dit : « À qui est le mouchoir ? »

Et je lui réponds : « C'est pas important à qui il est. Parce qu'il est à vous maintenant, on se moque bien d'un mouchoir alors que le Roi vient juste de mourir. »

Il s'assied sur une pile de vêtements en attente d'être lavés ; parmi eux, il y a quelques jolies chemises, mais la plupart sont très usés et ne tiennent que par des fils, parce que leurs propriétaires traversent une période difficile et qu'ils peuvent pas en acheter de nouveaux, alors ils m'envoient sans cesse les mêmes vieux haillons.

Une fois qu'il s'est mouché et qu'il s'est essuyé les yeux, Sir Robert remarque cela et il me dit : « Que sont donc ces loques que tu nettoies, Rosie ? »

Et moi je lui réponds : « Ce sont les loques de l'Angleterre. Toutes les choses intactes et belles, elles ont cessé d'exister. »

Puis j'ai renvoyé chez elles les filles qui travaillent pour moi, Mabel et Marie, et je suis allée fermer à clé ma porte d'entrée et mis mon panneau : *Mrs Pierpoint s'excuse que la blanchisserie soit fermée aujourd'hui. Merci d'apporter vos vêtements demain.* J'ai pris sur mon étagère une bouteille de vin, puis je me suis assise à côté de Sir Rob, sur le linge, je l'ai serré contre moi et je lui ai dit : « Est-ce qu'on boirait pas ça, bien qu'il soit dix heures du matin, et est-ce qu'on laisserait pas le monde tourner sans nous et aller se faire voir ? »

Il a posé la tête sur ma poitrine et il a répondu : « Rosie Pierpoint, je t'ai toujours chérie dans mon cœur, et tu m'as réconforté tout au long de mon existence. »

Je lui embrasse le front et dis : « J'oublierai pas tous les chapons et les pots de crème que vous m'avez apportés, et comment j'étalais toujours la crème sur les chapons rôtis, j'ai jamais goûté des volailles qui aient aussi bon goût. »

On attaque le vin, et Sir Robert se met à me raconter comment il doit retourner en Suisse pour y épouser une dame honorable, et je lui dis que je suis contente pour lui et pour l'heureuse femme qui sera l'épouse d'un homme aussi gentil et rieur.

Il répond : « Hélas, je n'entends plus de rire en moi, Rosie. Mon crâne me fait mal. Ma fille doit se marier et mener une vie meilleure que celle que je lui ai offerte, bientôt elle m'oubliera. J'ai enterré mon domestique, Will, et l'Angleterre a enterré le Roi, alors toute ma gaieté s'est envolée. »

Je ne pouvais pas imaginer ça : que Sir Robert Merivel il rit plus. Aussi, pour l'encourager et tenter d'entendre de nouveau son rire, j'essaye de lui rappeler toutes les fois où lui et moi on a joué à la bête à deux dos et comment, une fois, il y a longtemps, son père nous a surpris en plein milieu, cachant son pauvre visage de honte dans le rideau du lit. Et j'ai vu un bref sourire un peu solennel sur les traits de Sir Robert, mais ensuite il a dit : « Je suis fatigué, Mrs Pierpoint. Je ne parviens pas à trouver dans mon cœur ou dans mon corps la force de faire quoi que ce soit, même si je sais que cette vie en Suisse sera une existence facile. »

Et qu'est-ce que je pouvais répondre pour le contredire ? Ce même matin, est-ce que je n'avais pas dû me traîner moi-même jusqu'à mes fourneaux, et quand j'avais baissé les yeux vers la rivière froide, est-ce que, l'espace d'un petit moment, j'avais pas envié mon mari décédé qui s'y était noyé, il y a des années de ça, en essayant de sortir un aiglefin de l'eau déchaînée, lui qui dort maintenant enveloppé dans les ailes des anges, avec toutes ses souffrances et sa pauvreté oubliées, pendant que moi je trime dans le froid du mois de mars ?

Alors après je dis – et je suis prête à l'écrire aussi, parce que j'ai juré que je serais honnête dans ce témoignage : « Est-ce qu'on devrait pas continuer comme on faisait toujours, mon cher monsieur, et nous distraire un peu ? Parce que la porte est fermée à clé, et bien qu'on est en deuil, on est quand même en vie. »

Sir Rob m'a pris la main, l'a embrassée et m'a dit : « Douce Rosie, laisse-moi me reposer un peu. Ma tête me fait mal et mon pied est enflé. Ne me fais pas bouger... »

Je lui ai dit qu'il serait mieux dans mon lit que sur une pile de linge, et que « les vêtements en dessous de vous, en plus d'être déchirés et en loques, ils sont bien sales, Sir Rob. Le manque d'argent des gens allonge les intervalles entre leurs visites à la blanchisserie. Ils porteront une chemise pendant des jours et des semaines, et même si une nappe est tachée ils la sortiront encore et encore. Vous sentez pas la puanteur de la sueur, de la crasse et de la sauce ? »

Il a souri et répondu : « La puanteur du monde ne m'a jamais incommodé. Même à Cambridge, quand je disséquais des cadavres... Même le Roi, quand il était mourant... Même sortir Will de la fosse commune... Un médecin doit apprendre à respirer de l'air irrespirable et voilà tout. »

« Quoi qu'il en soit, laissez-moi vous préparer mon lit, je lui ai dit. Je vous aiderai à y grimper. Et si vous voulez juste dormir, alors faites-le et je veillerai sur vos rêves. »

J'ai remué le contenu de mes lessiveuses et j'y ai mélangé de la lessive, puis j'ai laissé Sir Robert sur la pile de linge, la bouteille de vin à la main, je l'ai vu enlever sa perruque et la jeter au loin, puis il a posé sa tête sur la pile et il a fermé les yeux.

J'ai fait mon lit avec une courtepointe, j'ai tapoté les oreillers et vidé mon pot de chambre dans la rivière, puis j'ai fermé ma petite fenêtre. Ensuite j'ai enlevé ma culotte, au cas où on en viendrait à faire l'amour, me souvenant que Sir Rob était toujours excité de me trouver nue sous mes jupons, et comment il aimait y glisser la main et me toucher. Et j'ai pensé, que de tous les hommes que j'ai connus, mon cher Sir Robert était le plus entreprenant et le plus attentif de tous à mon plaisir, et puis j'ai pensé à « l'honorable » femme en Suisse qui devait devenir son épouse et comment la fortune lui avait souri, et alors je l'ai enviée, ainsi que toute la belle vie qu'il lui restait à vivre.

Pour finir, je m'en suis retournée à la buanderie qui était plutôt embrumée à présent, et à travers les nuages de vapeur, je me suis dirigée vers le tas de linge sur lequel se trouvait Sir Robert.

Je me suis agenouillée à côté de lui. Il était étendu, très immobile, endormi, la bouteille de vin tombée sur sa poitrine s'était renversée sur son gilet.

Je détestais l'idée de le réveiller, parce que j'avais bien vu à plusieurs signes qu'il était fatigué, mais, que Dieu me pardonne, je le voulais dans mon lit pour me consoler des sentiments de mort qui flottaient dans l'air de Londres, alors je lui ai pris la bouteille, j'ai touché son visage et j'ai dit son nom. Il a ouvert les yeux et m'a regardée, mais son regard était vide, comme s'il pouvait pas me voir, ou comme s'il savait pas où il était étendu.

« Sir Rob, j'ai chuchoté, laissez-moi vous aider à vous relever. Essayez de vous asseoir un peu et on ira dans ma chambre, on s'étendra ensemble et on oubliera les tristes temps qu'on vit. »

J'ai glissé mon bras sous son épaule et j'ai essayé de le relever, mais il m'a semblé soudain très lourd, comme s'il y avait une pierre logée dans son cœur.

« Allons, j'ai dit. Levez la tête et la poitrine. Aidez-moi à vous aider. Et puis en moins de rien on sera à l'aise tous les deux sous ma nouvelle courtepointe. »

Il a réussi à se redresser un peu. Mais quand il a levé les yeux vers moi, son regard était tout perplexe et puis, d'un coup, alors que je l'avais aidé à s'asseoir, il a poussé un grand cri, on aurait presque dit un éclat de rire. Et son cri a été suivi d'un écho si sauvage et vibrant que j'ai eu l'impression de l'entendre sortir par ma fenêtre et s'envoler dans l'air vers l'ouest le long de la rivière, au-delà des bateaux entassés à Southwark Steps, au-delà des nombreux commerces à Black Friars, au-delà des portes délimitant le quartier du Temple, pour résonner sans fin au-dessus de l'eau, puis faiblir à Whitehall jusqu'à ce qu'on l'entende plus.

Et en même temps que ce cri, il était parti. Ç'a été son dernier bruit sur terre.

Je lui ai fermé les yeux et j'ai posé ma tête à côté de la sienne, je l'ai tenu contre moi et je me suis mise à pleurer.

La vapeur des lessiveuses en ébullition nous a ensevelis et a blanchi l'air tout autour.

J'aurais souhaité de tout mon cœur qu'il soit pas mort affalé comme ça sur un tas de linge sale, mais j'y pouvais rien. Le monde est comme il choisit d'être, et lui c'était un homme qui le connaissait bien.

Récemment parus
dans la même collection

Mark Behr, *L'Odeur des pommes*, traduit de l'anglais (Afrique du Sud) par Pierre Guglielmina.

Mark Behr, *Les Rois du Paradis*, traduit de l'anglais (Afrique du Sud) par Dominique Defert.

Ketil Björnstad, *La Société des jeunes pianistes*, traduit du norvégien par Jean-Baptiste Coursaud.

Hakan Bravinger, *Mon cher frère*, traduit du suédois par Rémi Cassaigne.

Bonnie Jo Campbell, *Il était une rivière*, traduit de l'anglais (États-Unis) par Elisabeth Peellaert.

Laars Saabye Christensen, *Le Modèle*, traduit du norvégien par Jean-Baptiste Coursaud.

Laars Saabye Christensen, *Le Demi-frère*, traduit du norvégien par Jean-Baptiste Coursaud.

Laars Saabye Christensen, *Beatles*, traduit du norvégien par Jean-Baptiste Coursaud.

Laars Saabye Christensen, *Obsèques*, traduit du norvégien par Jean-Baptiste Coursaud.

Hector Abad Faciolince, *Angosta*, traduit de l'espagnol par Anne Proenza.

Julian Fellowes, *Snobs*, traduit de l'anglais (États-Unis) par Dominique Édouard.

Joshua Ferris, *Le Pied mécanique*, traduit de l'anglais par Dominique Defert.

Cris Freddi, *Le Sang du pélican*, traduit de l'anglais par Nicolas Thiberville.

V. V. Ganeshananthan, *Le Sari rouge*, traduit de l'anglais (États-Unis) par Sylvie Schneiter.

Marco Tullio Giordana, *La Voiture de papa*, traduit de l'italien par Nathalie Castagné.

Almudena Grandes, *Le Cœur glacé*, traduit de l'espagnol par Marianne Million (prix Méditerranée 2009).

Almudena Grandes, *Inès et la joie*, traduit de l'espagnol par Serge Mestre.

Almudena Grandes, *Le Lecteur de Jules Verne*, traduit de l'espagnol par Serge Mestre.

Chad Harbach, *L'Art du jeu*, traduit de l'anglais (États-Unis) par Dominique Defert.

Kari Hotakainen, *La Part de l'homme*, traduit du finnois par Anne Colin du Terrail.

Lars Husum, *Mon ami Jésus*, traduit du danois par Jean-Baptiste Coursaud.

Ann Jacoby, *Un génie ordinaire*, traduit de l'anglais (États-Unis) par Fabienne

Gondrand.

Anna Jörgensdotter, *Discordance*, traduit du suédois par Martine Desbureaux.

Hari Kunzru, *Dieu sans les hommes*, traduit de l'anglais par Claude et Jean Demanuelli.

Naguib Mahfouz, *Impasse des deux palais*, traduit de l'arabe (Égypte) par Philippe Vigreu.

Naguib Mahfouz, *Le Palais du désir*, traduit de l'arabe (Égypte) par Philippe Vigreu.

Naguib Mahfouz, *Le Jardin du passé*, traduit de l'arabe (Égypte) par Philippe Vigreu.

Adam Mars-Jones, *Pied-de-mouche*, traduit de l'anglais par Richard Cunningham.

Sue Miller, *Perdue dans la forêt*, traduit de l'anglais par Béatrice Roudet.

Neel Mukherjee, *Le Passé continu*, traduit de l'anglais par Valérie Rosier.

William Ospina, *Ursúa*, traduit de l'espagnol (Colombie) par Claude Bleton.

William Ospina, *Le Pays de la cannelle*, traduit de l'espagnol (Colombie) par Claude Bleton.

Jordi Puntí, *Bagages perdus*, traduit du catalan par Edmond Raillard.

Anna Quindlen, *Tous sans exception*, traduit de l'anglais (États-Unis) par Catherine Ludet.

Miguel Sandin, *Le Goût du mezcal*, traduit de l'espagnol par Claude Bleton.

Paul Torday, *Partie de pêche au Yemen*, traduit de l'anglais (États-Unis) par Katia Holmes.

Paul Torday, *Descente aux grands crus*, traduit de l'anglais (États-Unis) par Katia Holmes.

Giuseppina Torregrossa, *Les Tétins de sainte Agathe*, traduit de l'italien par Anaïs Bokobza.

Rose Tremain, *Les Silences*, traduit de l'anglais par Claude et Jean Demanuelli.

Rose Tremain, *Le Don du roi*, traduit de l'anglais par Gérard Clarence.

Hélène Uri, *Trouble*, traduit du norvégien par Alex Fouillet.

Clara Usón, *Cœur de Napalm*, traduit de l'espagnol par Anne Plantagenet.

Zoé Valdes, *Le Paradis du néant*, traduit de l'espagnol (Cuba) par Albert Benssoussan.

Zoé Valdes, *Le Roman de Yocandra*, traduit de l'espagnol (Cuba) par Carmen Val Julián et Albert Benssoussan.

Alexi Zentner, *Les Bois de Sawgamet*, traduit de l'anglais (États-Unis) par Marie-Hélène Dumas.